UM CERTO VERÃO NA SICÍLIA

OBJETIVA

Marlena de Blasi

Um certo verão na Sicília

uma história de amor

Tradução
Paulo Afonso

OBJETIVA

EDITORA OBJETIVA LTDA.
Rua Cosme Velho, 103
Rio de Janeiro — RJ — CEP: 22241-090
Tel.: (21) 2199-7824 — Fax: (21) 2199-7825
www.objetiva.com.br

Título original
That Summer in Sicily: A Love Story

Capa
Glenda Rubinstein

Imagens de capa
Adrian Pope/Getty Images
Photoslash e Skip O'Donnell/istockPhoto

Revisão
Cristiane Pacanowski
Juliana Vaz
Tamara Sender

Editoração eletrônica
Abreu's System Ltda.

CIP-BRASIL. CATALOGAÇÃO-NA-FONTE
SINDICATO NACIONAL DOS EDITORES DE LIVROS, RJ

D33c De Blasi, Marlena
Um certo verão na Sicília : uma história de amor / Marlena de Blasi ; tradução Paulo Afonso. - Rio de Janeiro : Objetiva, 2009.

Tradução de: *That summer in Sicily : a love story*
271p. ISBN 978-85-7302-950-5

1. De Blasi, Marlena - Viagens - Sicília (Itália). 2. Características nacionais sicilianas. 3. Vida rural - Sicília (Itália). 4. Sicília (Itália) - Descrições e viagens. 5. Sicília (Itália) - Usos e costumes - Séc. XX. I. Título.

09-2282. CDD: 914.58
CDU: 913(450.82)

Escrevo no início de novembro de 2007.
Um pouco mais tarde, em janeiro ou no início de fevereiro de 2008,
uma menina irá nascer, filha de Robin Rolewicz e Matthew Duchnowski.
E é para ela, para essa criança ainda não nascida, que eu dedico meu livro,
com orações e amor pela belíssima vida de

Marlena Pi Duchnowski

E para meus lindos bebês, Lisa Elaine e Erich Brandon

per Fernando Filiberto Maria, l'amore mio

Um Certo Verão na Sicília é a história de gente real e de acontecimentos reais, mas é também um conto construído a partir de cenas que me foram descritas — frequentemente em italiano, mais frequentemente em dialeto — com todas as omissões e lacunas que caracterizam esse tipo de relato. Como todos os contadores de história, utilizei alguma licença poética: acontecimentos foram fundidos ou aumentados, nomes foram trocados, períodos encolheram ou aumentaram para se adequarem às necessidades da narrativa. Além disso, para proteger meus protagonistas e seu modo de vida, situei minha narrativa a certa distância geográfica do lugar onde os eventos realmente se desenrolaram.

DATAS DE NASCIMENTO

Simona: 1905
Leo: 1912
Cósimo: 1919
Tosca: 1930
Yolande: 1931
Charlotte: 1932
Mafalda: 1933

NOTA SOBRE AS ORIGENS DO TERMO *Donnafugata*

Ayn as Jafat é a expressão árabe para "fonte da saúde". Durante o domínio sarraceno sobre a Sicília, foi corrompida dialetalmente para *Ronna-fuata*. Através dos séculos, a expressão sofreu outras corruptelas, resultando na moderna *Donnafugata*, em que seu significado original se perdeu na tradução literal: "mulher fugitiva". Desde então, o termo *donnafugata* tem sido utilizado como nome de diversas propriedades, tanto reais quanto fictícias, assim como de produtos e negócios, na Sicília e em outras partes do mundo. *Donnafugata* é o nome de uma elegante *villa** de veraneio em *O Leopardo*, de Lampedusa. Além disso, é a marca dos vinhos sicilianos produzidos pela família Rallo, que está na quarta geração de produtores dos vinhos Belice, Pantelleria e Marsala.

---

* Palavra que chegou ao inglês através do italiano. Em ambas as línguas, significa uma casa luxuosa, campestre ou litorânea, cercada de grandes áreas ajardinadas. (N. do T.)

SUMÁRIO

PRÓLOGO

Esta história só poderia ser sobre a Sicília. E a Sicília só poderia ser uma ilha, menos pelos caprichos da natureza do que por sua própria insolência. A impressão que temos é de que a Sicília poderia se separar da Itália, caso já não tivesse nascido separada dela. Mas esta não é uma história *apenas* da ilha, e sim, de uma aldeia no meio dessa ilha. No topo da ilha. Uma aldeia de pedras amontoadas, aninhada na fenda de uma montanha eremítica, abaixo das ruínas de um templo. Acima e em torno da aldeia existe um planalto quase todo plantado com trigais. Ovelhas e cabras pastam em prados secos. A única água que há por lá é uma mancha metálica onde o céu esbranquiçado se encontra com a terra amarelada; as únicas ondas são as dos trigais, hastes douradas e tremelicantes bramindo como o mar, colidindo contra os ventos soprados pela deusa. Emaranhados primitivos de murtas, giestas, manjerona e tomilho silvestres se agarram às encostas; o único ruído no silêncio opressivo é o abominável silvo do *scirocco*.

Nesse lugar, a substância da vida vivida há três milênios, ou em meados do século XIX, ou, como no caso, há cerca de setenta anos, pode ser essencialmente a mesma que forjou os acontecimentos de anteontem. Pouco se perdeu, foi esquecido ou definhou desde a antiguidade; portanto, uma impressionante continuidade tribal prevalece aqui. O passado remoto, o passado recente e o presente se congregam, subsistem juntos nessa continuidade. Exceto indícios de um hesitante apreço por certos objetos e ideias da moda, seria difícil adivinhar a época histórica exclusivamente pela aparência das coisas, pelo modo como soam, pelas sensações que provocam. Sobretudo em uma caminhada noturna pelas ruínas do templo de Deméter. Vagueando por entre as grandes colunas estriadas, caídas, luzidias ao luar, nossas botas machucam o tomilho silvestre e o mato rasteiro rasga meu vestido. Um pedaço de linho branco fica preso em um pilriteiro.

Foi aqui, nessas montanhas, que a deusa grega dos grãos, da fertilidade e da maternidade um dia falou. Onde ainda fala, como lhe dirão os moradores da região. Foi Deméter quem trouxe à luz a magia de plantar as sementes sob a terra, protegendo-as, alimentando-as, cultivando-as até a maturação. Ecos da condição feminina, de outras sementes plantadas no veludo preto de um útero. Deméter invocou o sol, a chuva e as brisas em favor das tribos locais, fazendo com que as colheitas prosperassem. As pessoas, por sua vez, a honraram com grandes fogos sob a luz envolvente de uma lua cheia, e oferendas rituais de pão e de vinho. Tudo era paradisíaco até o dia em que a filha de Deméter, Perséfone, foi raptada por Plutão. A criança estava colhendo flores à beira do lago Pergusa, a pouca distância dos muros de Enna, quando o deus do submundo a viu, encantou-se com ela e quis tomá-la como esposa. Plutão carregou a criança para o Hades e, tentando-a com as sementes de uma romã, obteve a permissão de Zeus para ficar com ela. Deméter apagou o sol, mantendo na escuridão as cidades das montanhas, os campos férteis e o próprio mundo, até fazer um pacto com Zeus: durante a metade de cada ano, sua filha lhe seria restituída. Com Perséfone de novo ao seu lado, a deusa reacendeu o sol e derramou a chuva tépida sobre a terra, apenas para suspendê-la a cada vez que sua filha retornava ao Hades.

Os moradores dos vilarejos e os agricultores locais contam a história de Deméter e Perséfone com deslumbramento e ansiedade, como se fosse um acontecimento recente. Como se fosse a história de Jesus e Maria. Acreditam em ambas as histórias com igual fervor, pois estas refletem suas próprias histórias. A devoção não renega a fé cristã, apenas aumenta carinhosamente, de modo a englobar ambas as mães — uma, com sua coroa de palha trançada; outra, amortalhada em um véu rústico. *Por que deveríamos rezar para uma delas somente? Para nós, elas são a mesma coisa. Le addolorate.* Mulheres sofredoras. Na Sicília, o sagrado e o profano estão estreitamente relacionados.

INTRODUÇÃO

Como outras aventuras em minha vida, esta começou com um trabalho. Era o verão de 1995 — eu estava casada com o veneziano havia cerca de nove meses —, quando uma revista acadêmica me pediu para escrever um artigo seminal sobre as regiões do interior da Sicília. Na época, eu já havia escrito longamente sobre as glórias das cidades e dos vilarejos costeiros. O brilhante legado grego. Os esplêndidos epitáfios gravados pelos xeiques sarracenos e reis normandos. Mais ainda, eu escrevera sobre os arquipélagos, postos avançados do mundo, onde os ventos de Éolo ainda gemem e uivam entre escarpados rochedos. Eu iria agora até os altos contrafortes das montanhas.

Eu desconfiava de que não fora a primeira escolha do editor entre os jornalistas qualificados que escreviam em inglês. Ainda antes de partir, tive minhas suspeitas sumariamente confirmadas. Diversas pessoas já tinham recusado o trabalho, incluindo o redator da equipe, que vivia na Sicília havia mais de uma década. O motivo? O mesmo que outros colegas já tinham utilizado para me alertar: *o centro da ilha é um lugar remoto e intransitável, o silêncio colossal da região se reflete em seus habitantes*. Eu lhes respondera que o silêncio é o reconhecimento do mistério. E o mistério é bom. As advertências serviram apenas para despertar minha curiosidade.

Mas não era apenas a Sicília que estava em nosso roteiro, naquele verão. Meu marido e eu passaríamos três, talvez quatro meses percorrendo as regiões ao sul do Lácio, ao sul de Roma. Exploração e pesquisa para um livro. Em todos os caminhos do sul, encontramos uma cortesia quase sagrada. Nas mesas mais humildes, havia comida maravilhosa; pessoas largavam suas pás e seus esfregões, desciam de tratores ou de lombos de mulas, para nos guiar, informar e encorajar. Encantados com tal generosidade, chegamos às montanhas totalmente desprevenidos.

Eu traçara alguns planos básicos com encarregados de museus, professores de história da arte e arqueologia, escritores, jornalistas, cozinheiros e padeiros. Minhas boas-vindas profissionais pareciam relativamente asseguradas. Ou pelo menos eu pensava assim. Logo que cheguei ao primeiro local de destino, depois de fazer uma avaliação do lugar e dos poucos habitantes visíveis, entendi meu erro. Nas horas combinadas, nos lugares combinados, eu permanecia sozinha. Números discados tocavam infinitamente, sem que ninguém atendesse. Nada muito grave. Sempre haveria o lugar seguinte. E outro depois deste. Mas o lugar seguinte era sempre igual ao lugar anterior.

Quase duas semanas haviam decorrido quando, deixando no quarto do hotel minha antes preciosa relação de nomes e números de telefone, iniciei uma campanha espontânea junto aos moradores locais. Elegantes cartões de visita, que me vinculavam a uma célebre revista americana, foram oferecidos a funcionários de agências turísticas, guias de museu, camareiras, baristas ou velhos jogando cartas à sombra exígua de um grupo de eucaliptos. Não suscitaram mais que resmungos. Grunhidos primevos. E não arrancaram som algum dos rapazes encostados nas paredes das igrejas, polegares enfiados nos cintos, olhos a meio pau, como primitivos lagartos mergulhados em torpor solar.

Até mesmo importantes entrevistas agendadas pelo meu editor foram ignoradas ou esquecidas. O roteiro meticulosamente traçado foi marcado apenas por silêncios misantropos, portas fechadas e um épico calor. Me rendi. Telefonei ao editor para lhe dizer isso. Até mesmo da parte dele houve silêncio.

Deixando de lado a obrigação do trabalho, Fernando e eu decidimos sair das montanhas e ir para o sudoeste, na direção de Agrigento. Ou talvez para sudeste, no rumo de Noto. Qualquer lugar que não fosse onde estávamos. Começaríamos com um dia ou dois de recuperação, descansando em uma atmosfera minimamente cordial, pelo menos. Certa manhã, em um bar, arrisco uma pergunta a uma dupla de policiais militares que costumávamos ver — na mesma hora e no mesmo lugar. Poderiam eles nos indicar um lugar no campo onde pudéssemos nos alojar? Um pequeno hotel ou *pensione*? Inesperadamente, respondem que sim. Tinham ouvido falar de uma mulher que recebia hóspedes — quando queria —, oferecendo pensão e hospitalidade. O conceito de hospitalidade nesse deserto pouco cavalheiresco nos fez sorrir. Mas tomamos nota das indicações fornecidas pelos policiais.

— *Arrivederci* — diz um deles, torcendo o corpo para fora do balcão, erguendo a meia dose de grapa do café da manhã, reduzida, por estar em serviço, enquanto deixávamos o bar.

— A mulher se chama Tosca. O nome do lugar é *Villa Donnafugata*. Mas não há nenhum letreiro dizendo isso — grita ele.

A estrada é pavimentada com pedregulhos alvejados pelo sol; redemoinhos de areia amarela formam véus nos vidros das janelas, que atrapalham a visão. O calor de julho é implacável. Um calor sufocante. Após mais de duas horas de martirizante peregrinação, subindo trilhas de cabra e atravessando campos de trigo por grandes sulcos disfarçados de estrada, não sabemos se estamos progredindo ou andando em círculos. Ilusão; o painel deslizante do mágico. O incauto. Mais um componente essencial da Sicília.

Deixando o carro em um canto rochoso, subimos por uma trilha pedregosa até um povoado que achamos ser aquele indicado pelos policiais. Temos que encontrar alguém para nos ajudar. Ofegantes e febris, chegamos a uma pequena praça. Nela, vemos uma fonte em forma de trenó; filetes de água caem de quatro aberturas ornamentadas em um tanque onde mulheres lavam roupa, batendo os panos molhados contra a pedra e entoando um cantochão de remota origem árabe. Não se vê mais ninguém, com exceção de um cão pastor, dormindo. Nenhuma criança. Nenhum homem. Cumprimentamos as mulheres e esperamos para sermos cumprimentados. Elas param de cantar. Olham para nós, mas ninguém fala nada.

— Estamos procurando *la signora Tosca* — digo eu várias vezes, em cada uma delas empregando gestos e entonações diferentes. — *Villa Donnafugata*. Vocês podem nos dizer onde é?

Nada. Achando que a minha linguagem era ininteligível para elas, Fernando se aproxima do grupo; lentamente acende um cigarro e dá algumas tragadas, antes de dizer:

— *Ci serve il vostro aiuto.* — Precisamos da ajuda de vocês.

Como se as palavras de Fernando fossem um sinal, e ainda nos olhando diretamente, elas recomeçaram a cantar. Dando meia-volta, começamos a andar em direção à trilha, para descer por onde viéramos. Olho para trás e, na altura do peito, faço um gesto de adeus. Compreendo que parecíamos figuras patéticas para elas. Especialmente eu, com meu chapelão e óculos escuros. Se tivéssemos subido a colina vestidos de calções de musselina branca e brandindo cimitarras, teríamos oferecido uma visão mais familiar. Seríamos mais bem-vindos. Apesar de tudo, eu gostaria de lavar minha própria camisa suja naquela fonte, debruçar-me sobre a água escura e bater a roupa contra as pedras, com o brilho de longos brincos de ouro acariciando meu rosto. Meu gesto dá resultado. Com o queixo, uma das mulheres aponta na direção de uma colina atrás do povoado. A mesma colina pela qual acabamos de passar.

Fernando se recusa não só a dirigir como a falar. Refaço o caminho de volta, através dos trigais, diminuindo a marcha. O superaquecido veículo, sentindo o perigo, rateia; depois, bravamente, bamboleia pelo meio da densa plantação. Nossa única visão é a cortina acobreada do trigal. Temos que subir os vidros, para não levarmos cortes dos afiados talos que nos golpeiam enquanto nos movemos. Chacoalhamos dentro desse sonho sufocante até que, sem nenhum aviso, o trigal termina — a poucos centímetros de um grupo de choupos. Uma brisa suave movimenta as folhas onduladas das árvores. Abrimos as portas do carro, ofegantes como em uma caçada, para que o ar nos encontre. Além de um campo plantado com ervilhacas, além de hectares de jardins, avistamos torres, sacadas e uma mansarda de telhas vermelhas e amarelas que, iluminada pelo sol, brilha como se estivesse em chamas. Vemos o que parece ser um castelo. Caminhamos em sua direção, em meio a uma brisa com forte cheiro de rosas e laranjas apodrecidas.

PARTE I

Villa Donnafugata 1995

CAPÍTULO I

MALVAS-ROSA NÃO CRESCEM NO DESERTO. ENTRETANTO, CENTENAS DE SUAS flores vermelho-acetinadas margeiam um largo caminho de pedras, até um portão de ferro escancarado. Eu sei que é um sonho. Além do portão, surgem surpreendentes e extensos jardins. Há rosas. Brancas, cor de marfim ou de creme queimado, sobem em treliças e se distribuem em canteiros, derramam-se, esparramam-se e se entrelaçam. Jardins cercados de madeira, cercas vivas de teixos, arbustos de lavanda, altos e volumosos, dedaleiras brancas agitando-se entre dálias e peônias brancas. Sei que o castelo, as rosas e as malvas-rosa são ilusões provocadas pela insolação. A alucinação vai passar. Vamos voltar para o carro e nos afastar dessa loucura de silêncio e escárnio. Mas, enquanto a alucinação durar, quero dar uma boa olhada nesse lugar, onde os caules retorcidos das glicínias, jasmins e videiras cobrem uma pérgula, formando um compartimento sombreado, de cujas profundezas partem risos. Qual foi a última vez em que ouvi risos? Incluindo os meus? Caminho em direção à pérgula e paro na entrada. Vejo um grupo de mulheres, trajando longos vestidos pretos, sentadas em torno de uma mesa coberta por oleado. Uma luz trêmula atravessa as folhas, adornando os dedos das mulheres, que estão entretidas com uma pilha de feijões amarelos.

— *Buongiorno* — dizem elas, antes de nós.

Desejamos-lhes bom dia, por nossa vez. De alguma forma, o cumprimento é suficiente. Não quero mais que olhar para essas figuras fantásticas, que parecem não ambicionar nada mais do que estar mergulhadas no trabalho. Os sonhos podem ser simples. Embora não saiba quem somos ou o que queremos, uma das mulheres — talvez a mais velha — levanta-se e aponta na direção do castelo. Um sinal de boas-vindas. Uma longa caminhada entre limoeiros e laranjais, um pomar de amendoeiras e árvores menores, cerejeiras e ameixeiras. Ouço Fernando repetindo sem parar: "Onde estamos? Onde diabos estamos?"

Imponente, arrebatador, o castelo com telhado vermelho e amarelo ergue-se em meio a uma neblina bruxuleante e a outro jardim, este cercado por um muro de pedras e também coberto de glicínias, rosas e, espalhadas ao acaso, hortaliças, ervas e outras variedades de flores. No centro do terreno murado, está trabalhando um segundo grupo de mulheres de preto. Entramos hesitantemente pelo portão aberto; elas param de esfregar cadeiras e mesas para nos observar. Uma delas está concentrada na tranquila tarefa de cortar a garganta de uma cabra bem pequena, aparando o sangue em uma gasta bacia branca. Outra nos espreita por trás de uma grande frigideira colocada sobre um fogareiro a gás, que descansa sobre um toco de árvore, enquanto remexe cebolas em gordura quente. Sinto também o cheiro de outra coisa boa. Porco assando na lenha. Um grupo está sentado em círculo, entrelaçando palha de alho roxo, de modo a formar réstias. Na forquilha de uma gigantesca magnólia, uma mulher está sentada, escrevendo em um livro com capa de couro preto. Como faziam as mulheres no chafariz do povoado, essas também cantam suavemente. Sem parecerem surpresas nem perturbadas com nossa presença, saúdam-nos beatificamente e continuam seu trabalho. E suas canções. Desnorteados, embora não constrangidos, permanecemos de pé, discretamente. A todo instante, uma das mulheres cochicha com outra e todas dão risadinhas, com os olhos fixos em nós. Assim como tinha sonhado com as malvas-rosa, as rosas e as mulheres que riam, enquanto descascavam feijão, eu certamente estava sonhando com essas. Ouço suas canções cuidadosamente e, baixinho, tento reproduzir os sons vagos e profundos que elas emitem, quando outra mulher aparece, vinda da extremidade mais afastada do jardim.

Nem jovem nem velha, também está vestida a caráter, embora de um tipo diferente: botas de cano alto, calças de montaria e casaco de camurça. Por alguns momentos, faz uma pausa embaixo de um carvalho; as sombras da folhagem tecem um xale de renda negra sobre sua cabeça e seus ombros. De forma senhorial, ela passeia em meio às mulheres, observando o que fazem, acenando com a cabeça de maneira afirmativa ou negativa, balançando sua coroa de tranças grisalhas, conforme goste ou não do que está vendo. Com certeza é Tosca.

— As canções delas são sobre as proporções desiguais e inevitáveis de tristeza e alegria na vida. Você sabia disso? — a mulher pergunta.

Quero saber se o desdém em sua atitude e em sua voz é um disfarce para a timidez. Quando se aproxima de nós, eu quase engasgo com sua beleza.

— Se eu sei que elas estavam cantando sobre isso ou se eu sabia que isso é verdade? — eu pergunto.

— Talvez as duas coisas. Sou Tosca Brozzi.

— *Buongiorno, Signora. Noi siamo de Blasi da Venezia.*

— Eu sei. Eu sei. Haverá tempo para falarmos sobre seus malogros jornalísticos quando estivermos à mesa. Eu desconfio de que voltaremos ao assunto "tristeza" e "alegria" também. Vamos almoçar à uma hora. Mais tarde lhes direi se há acomodações para vocês ficarem. Vocês podem se lavar e descansar lá — diz ela, fazendo um gesto na direção das grandes portas negras da casa, villa ou mansão. Ou palácio. Seja lá o que for.

Enquanto hesitamos, ela diz:

— Ágata estará lá para guiar vocês.

Fernando e eu nos entreolhamos, nosso olhar dizendo: *Você quer ficar? Você quer entrar nessa?* Ele segura minha mão e me puxa em direção às portas abertas.

Outra mulher de preto: é Ágata. Ela aperta nossas mãos e fala em italiano — com menos segurança que Tosca, misturando-o com dialeto, mas não tanto que não a possamos entender. Ou ser entendidos por ela. Ela sorri e tagarela, guiando-nos por um corredor iluminado por uma única vela, em um candeeiro na parede. Então abre uma porta que dá para um grande aposento quadrado, com leve cheiro de tinta fresca. Paredes amarelas, um sofá em amarelo mais claro e duas poltronas azul-amareladas. Um espelho mosqueado em uma moldura dourada está pendurado sobre uma lareira de mármore branco. Ramos de alfazema estão amarrados em grandes feixes, colocados nos cantos do chão de mármore, ao lado das cadeiras, em cima de uma desbotada mesa dourada, e na lareira.

— *Si accomodi.* — Fiquem à vontade.

Ela abre a porta de um pequeno banheiro e retira toalhas limpas de um armário.

— *Vi porto un aperitivo tra poco.* — Vou lhes trazer um aperitivo daqui a pouco.

Enquanto ela fecha a porta, fico achando que o sonho vai terminar.

— Isso é real? — perguntamos um para o outro ao mesmo tempo.

Ouvimos nossos próprios risos.

— Eu não sei onde estamos ou com quem, mas sei que estamos seguros. Estamos no lugar certo — diz Fernando.

— Malogros jornalísticos. Como é que ela sabe sobre...

— O fato de ninguém ter falado conosco não significa que não falaram uns com os outros.

— São todas viúvas por aqui?

— Acho que sim.

— Será que isso é uma clínica de repouso com tarefas? Ou é uma comuna? Quer dizer, elas não poderiam ser parentes dela?

— Não, não é uma clínica de repouso. As mulheres são vibrantes demais. Algumas são relativamente jovens. Também acho que não é uma comuna. Eu não sei o que é.

Esfregamos nossos rostos e troncos com sabonete de limão-siciliano e pedaços de pano branco, molhando-nos e untando-nos com o conteúdo de uma mixórdia de garrafas com rótulos escritos à mão. *Óleo de néroli, água de néroli, água de lavanda, óleo de rosas*. Espanamos a poeira da Sicília de nossos pés e de nossas sandálias, ajeitamos os cabelos, vestimos de novo as camisas e, para não cairmos em sono profundo, caso nos sentássemos, ficamos de pé no quarto recém-pintado, meneando a cabeça em admiração.

— Quero dar uma olhada no lugar. Quero ver mais, e você? — eu digo.

— Esta é uma residência particular. Eles vão nos mostrar o que quiserem que a gente veja, quando quiserem que a gente veja. Paciência.

— Vamos voltar para o jardim, então. E para o carro. Pegar camisas limpas e...

— Acho que vamos voltar para o carro antes do que você imagina. Quero dizer, depois do almoço. Duvido de que fiquemos muito tempo depois disso.

— Eu não sei o que pensar dessa Tosca. Ela parecia uma figurante do elenco de *Quo Vadis,** quando marchou pelo jardim, entrando de repente no meio do encanto.

— Na verdade, ela é mais felliniana. Sim, Fellini a chamaria para atuar em *La Dolce Vita.*** Mas pelo menos ela fala. Sou grato a ela por isso.

Juntamos nossas coisas e caminhamos de volta pelo corredor iluminado à vela, em direção ao jardim, quando Ágata abre um par de largas portas entalhadas e agita as mãos em um gesto de boas-vindas. Entramos, não em um quarto, mas na suntuosidade decadente de um salão cerimonial. Fragmentos de deuses e deusas — rechonchudos e de olhos arregalados — colidem uns com os outros em afrescos descascados sobre paredes carcomidas, em perseguições eróticas que sobem até a grande abóbada do teto. Sob o frenesi dessa cúpula, três grandes mesas estão postas. O silêncio dos jardins, suavemente quebrado pelos cantos e risos das mulheres, dá lugar a um pandemônio doméstico. É o salão de refeições de Tosca.

Cinco ou seis das viúvas entram e saem do recinto, carregando travessas, bandejas e terrinas cobertas, colocando-as em mesas auxiliares e aparadores, que se alinham nas paredes. Todas gritam ao mesmo tempo, geralmente se dirigindo a alguém na extremidade oposta da sala ou em aposentos distantes. Portas invisíveis batem sem cessar; mãos inábeis e ousadas martelam as teclas de um piano localizado em algum lugar no andar de cima. Em busca de um cordeiro recém-nascido, órfão, que fugiu da cozinha aonde fora conduzido para ser alimentado, dois velhos vasculham a casa, praguejando, até descobrir a minúscula criatura dormindo um sono tranquilo entre as almofadas gastas de uma cadeira de

---

* Filme épico de 1951 que se passa durante o reino do imperador Nero, retratando a luta entre a nascente religião cristã e a corrupção do Império Romano. (N. da E.)

** *A doce vida*, filme de 1960 do diretor italiano Federico Fellini que retrata o confronto entre o moderno e o tradicional nos anos 1950 em Roma. (N. da E.)

veludo. Um dos homens pega o cordeiro, que agora protesta, e o coloca em torno do pescoço, como se fosse uma echarpe, dizendo que vai levá-lo de volta à cozinha. Eu quero ir à cozinha.

Mantendo-me a certa distância, sigo o homem com o colar de cordeiro. Saio da casa, passo pelo jardim murado e por duas pequenas construções de pedra em forma de colmeia, uma das quais abriga um forno a lenha. Em frente a esta, sobre uma longa mesa de mármore, imaculadas bolas de massa, polvilhadas com farinha, foram alinhadas para fermentar ao sol. Eu nunca vi massa posta a fermentar sob o sol. Ainda estou sonhando. Embora eu queira parar o sonho neste ponto, pelo menos por algum tempo — para ficar perto da massa, sob o sol, sentindo o cheiro bom de uma fornada anterior, que permanece no ar —, corro para alcançar o homem com o cordeiro. Por uma trilha de cascalho branco, ladeada por teixos, ele se dirige ao que parece ser um celeiro adjacente a um trigal. Meus pés fazem barulho no cascalho e eu sei que ele sabe que o estou seguindo. De fato, de vez em quando ele se vira e sorri, como que para me encorajar. O homem e o cordeiro desaparecem no celeiro e, quando chego ao limiar das portas abertas, deparo-me com a cozinha mais esplêndida que já vi.

Neste último ano — o primeiro ano de minha vida na Itália —, cozinhei na minúscula cozinha de brinquedo do chalé à beira-mar de Fernando. Ou não cozinhei, na verdade, pois meu novo marido — apesar de consciente e voluntariamente ter se casado com uma cozinheira apaixonada — prefere jantar como sempre jantou: 125 gramas de espaguete, mais ou menos cozido até a flexibilidade, coberto por duas colheres de sopa de molho enlatado. E uma salada sem sal nem vinagre. Se estiver comemorando alguma coisa, um fino pedaço de peito de frango grelhado em uma frigideira Teflon. Um pedaço de limão-siciliano. Nos saltos empoeirados de minhas velhas botas, cambaleio às portas do paraíso.

Outras mulheres de vestido preto estão trabalhando. Ou serão as mesmas que estavam sob a pérgula, com os feijões, ou no jardim murado? Apenas mudaram de lugar? Não, definitivamente são mulheres que ainda não vi. Aventais brancos até o tornozelo, echarpes negras enroladas sobre as cabeças, à moda dos piratas, escondendo suas coroas de tranças, deixando expostos os seus rostos, realçando seus negros olhos árabes. Todas parecem ter os mesmos olhos.

Vigas de madeira escura e maciça, a pouca altura, cobrem o chão de ladrilhos vermelhos, que deve medir mais de duzentos metros quadrados. Rústicas paredes de estuque foram pintadas com a mesma cor do trigo que ondula nos campos ao redor. Nas extremidades da cozinha, encontram-se duas estupendas lareiras, que, ladeadas pelas grandes patas de algum animal mitológico, esculpidas em pedra, lembram esfinges em chamas. Vejo três antigas pias de mármore, uma delas em forma de pia batismal. Há também um velho fogão de ferro forjado, um fogão de seis bocas e um novíssimo fogão verde-escuro, que parece não ser utilizado, já que todas as cozinheiras rodeiam os outros dois. Aparentemente, não existe nenhum aparelho elétrico, apenas prateleiras e mais prateleiras de facas e outros utensílios culinários. Duas longas mesas de trabalho estão posicionadas em cantos diferentes; quatro ou cinco mulheres trabalham em cada uma delas. Entro no recinto e digo *permesso*, com uma voz que ninguém escuta, por conta do barulho. Algumas me olham e sorriem; a maioria continua seu trabalho. Dou mais uns passos adentro.

Armários senhoriais, guarda-louças e aparadores estão repletos de porcelana, cerâmica, panelas e pratos de terracota, diversos objetos em vidro, cobre e estanho, toalhas de mesa, castiçais, jarros, bandejas e pilhas e mais pilhas de tigelas. As gavetas dos armários estão abertas, deixando à mostra velhos forros de pano — desbotados, rasgados, marcados. Em um desses aparadores, uma gaveta aberta, funda e comprida, forma um suporte perfeito para prender um enorme pão de crosta dourada, assado em forno de madeira. Uma das viúvas corta fatias grossas e irregulares desse pão — que deve pesar uns 3 quilos —, deixando as migalhas caírem sobre o veludo da gaveta. Queijos já maduros e prontos para o consumo estão em outro armário do mesmo tipo, embrulhados em tecido branco. Como se fosse uma caixa de joias larga e alta, um armário forrado de brocado amarelo, rasgado e desbotado, foi reservado aos doces. Suas prateleiras profundas guardam latas, potes de vidro e tortas retangulares cobertas de geleias, ou de pedaços de frutas caramelizadas. Em uma das prateleiras estão bandejas de prata cobertas de tortinhas em formato de pêssego ou laranjas, envoltas em glacê levemente rosado e ornadas com hastes e folhas, perfeitamente confeccionadas com angélica cristalizada. Ouço meus próprios e mal contidos suspiros de deleite, enquanto observo as mulheres preparando pratos, cestos e bandejas para serem levados ao salão de refeições. Minhas mãos coçam com a vontade de tocar em alguma coisa. Mantenho-as atrás das costas. E mantenho no rosto o sorriso esperançoso.

— *Posso aiutarvi*? — Posso ajudá-las?, pergunto, com a voz em registro agudo.

A eficiência delas, no entanto, é total; todos os acepipes já estão em suas mãos, ou abrigados nos tecidos brancos que elas colocam sobre as cabeças, para amortecer o peso de um cesto cheio de pão, biscoitos ou pêssegos e ameixas ainda nos ramos. E o desfile começa. Elas saem pela porta, quadris balançando, costas e ombros arqueados, peito estufado. Cantando, orando. Sozinha, fechando a fila, eu tento andar como elas andam, sacudo os quadris sob meus jeans, mantenho a cabeça como se uma ânfora de vinho estivesse sobre ela. A sensação é boa. O sol é tórrido, os aromas dos alimentos são gloriosos. Enquanto passo a mão nas folhas aguçadas dos teixos que margeiam a trilha de cascalho branco, sinto-me extremamente grata por estar neste sonho de Sicília.

CAPÍTULO II

NO SALÃO DE REFEIÇÕES HÁ UMA PREDOMINÂNCIA DE MULHERES. HÁ CERCA de quarenta delas e uma dúzia de homens distribuídos entre as três mesas. Cabelos recém-penteados, uma espécie de paletó sobre camisas abotoadas até o pescoço, três dos homens poderiam ter menos de 30 anos, enquanto os demais — vestidos de forma igualmente elegante — devem ser mais velhos uma geração. Com exceção de Tosca, de mim e mais duas outras mulheres, todas as outras estão vestidas de luto.

Ágata indica a Fernando e a mim nossos lugares — o dele ao lado do capturador de cordeiros e o meu perto de uma mulher que ela apresenta como Carlotta. Somos apresentados como *i Veneziani*. A pele marcada das mãos de Carlotta indica que ela deve ter uns 60 anos, mas seus grandes olhos negros de corça e sua esbelteza fazem com que pareça uma garota. Tanto Carlotta quanto uma mulher um tanto mais velha, chamada Olga, que se senta à nossa frente e aperta minha mão por cima da mesa, usam vestidos estampados no estilo dos anos 1940. Todas as mulheres no aposento têm algum tipo de penteado com tranças intricadas. Tento alisar meu cabelo solto, longo e demasiadamente crespo, sentindo-me selvagem.

— Onde você estava? — Fernando quer saber.

— Fui olhar a cozinha — respondo-lhe sorrindo.

Todos estão sentados, exceto Tosca e o homem alto e corpulento com quem ela conferencia perto de uma das mesas. Embora estejam com as costas voltadas para nós, o modo como ficam de pé, quase se tocando, e como se inclinam para ouvir um ao outro fazem com que pareçam um casal. Então Tosca tem um marido, penso eu. Entretanto, quando se viram para ocupar seus lugares à mesa, percebo que o homem, magnificamente parecido com Christopher Plummer,* embora com olhos árabes, está usando um colarinho de padre. Um padre. Ele puxa a cadeira para Tosca, permanecendo em pé, e bate num copo com o cabo de uma faca. Fecha os olhos, abre bem os braços, com as palmas voltadas para cima, e começa a rezar. Todos seguram a mão da pessoa ao lado. As cabeças se inclinam e os lábios se movem, em uma oração de agradecimento dita em voz alta. Jarros de vinho e água são passados e bandejas carregadas são levadas em todas as direções, *buon pranzo*.

— *Allora, como si chiama questo posto?* — pergunto a Carlotta, fingindo ter esquecido o inesquecível nome da villa.

— *Non ha un nome veremente ma la gente locale l'ha sempre chiamata Villa Donnafugata. È una longa storia.* — Não há realmente um nome para o lugar, mas o povo local sempre o chamou de Villa Donnafugata. A casa da mulher fugitiva. Uma longa história.

Eu não digo a ela que uma longa história é exatamente o que eu gostaria de ouvir, mas apenas sorrio e digo:

— *Ho capito, ho capito.* — Entendi.

Carlotta, porém, continua a falar. Em voz tranquila e aristocrática, que contrasta com o vigoroso dialeto falado pelas pessoas ao redor, ela me diz que a villa é um castelo construído no século XVIII, de modo a servir como pavilhão de caça, nessa parte da Sicília, para a nobre família Anjou. *La signora* — como ela se refere a Tosca — herdou a villa de um príncipe Anjou, sob cuja tutela esteve. Ela percebe meus olhos arregalados.

— Sim, a vida da *signora* foi uma vida muito romântica — diz ela, com os olhos úmidos e brilhantes, talvez prestes a derramar lágrimas.

Ela me diz que, pouco a pouco, *la signora* restaurou o lugar. Há mais de trinta anos, *la signora* vive aqui com — nesse ponto, Carlotta hesita, como se ela mesma não estivesse certa de quem eram todos os residentes — alguns amigos e amigos dos amigos.

— Pessoas carentes. Principalmente de outras pessoas — diz ela. — Quando os habitantes do vilarejo, lavradores locais, ficam sozinhos,

---

* Ator canadense conhecido acima de tudo pelo papel do capitão von Trapp no filme *A Noviça Rebelde*. (N. da E.)

viúvas, viúvos, muitos vêm morar aqui. Quando têm filhos adultos, alguns preferem morar com eles, mas os outros, bem, estes descobrem que o tipo de vida comunal que temos aqui os ajuda a ficar bem, a se manterem jovens. E se for preciso, temos um serviço de saúde com enfermeiras e médicos que fazem visitas. As mulheres são como irmãs. Eu tenho certeza de que você já reparou nisso. Na verdade, muitas delas são aparentadas, por sangue ou por casamento. Em grande parte, eram vizinhas no vilarejo ou trabalharam nos campos, lado a lado, durante a vida toda. Somos todas parentes por afeição. Somos parte das histórias umas das outras. Nós somos sicilianas.

Ela diz isso como se não houvesse mais nada a dizer.

Querendo que ela me diga mais coisas, pergunto-lhe depois de algum tempo:

— Quantas pessoas vivem aqui?

— Varia. As pessoas morrem, mas também há bebês que nascem aqui.

— Bebês? Aqui?

— Sim, bebês. Nós temos uma maternidade aqui. Ótimas instalações, apesar de pequenas, com acomodação para apenas três ou quatro mulheres. Duas de nossas viúvas são parteiras e estão treinando mulheres mais jovens para substituí-las. Obstetras da cidade fazem visitas semanais, mas muitas vezes eu penso que eles vêm porque gostam de estar aqui. Porque gostam de jantar com a gente. Aliás, nós estamos animadas hoje, porque uma de nossas futuras mamães está perto de dar à luz. Bem perto, mesmo. Você pode imaginar quantas titias, titios e avós emprestados nossos bebês têm. A mãe e a criança podem ficar por até um ano, se quiserem. Até arranjarem uma situação estável.

Reparo que Carlotta não fala de mães solteiras, de desabrigados, de pobreza. Em vez disso, ela disse: *Pessoas que precisam de outras pessoas. Somos todas parentes por afeição. Somos parte da história umas das outras. Nós somos sicilianas.*

Meu olhar é atraído, insistentemente, por uma mulher que está sentada à esquerda do padre. Carlotta observa que eu olho para a mulher.

— Aquela que está sentada ao lado de dom Césimo é a irmã da *signora Tosca*. É *la signora* Mafalda.

Então o nome de Christopher Plummer é dom Cósimo. E à sua esquerda, a mulher pequena, de tranças louras e lindo perfil é a irmã de Tosca, que estava escrevendo sentada na forquilha da magnólia, quando chegamos. Mafalda. Carlotta. Olga. Ágata. dom Cósimo. Olho para todos. Quero perguntar a Carlotta se ela sabe se nós poderemos ficar, após o almoço; mas será difícil que ela responda à pergunta, de qualquer forma que seja feita. Tenho que esperar a resposta da própria *signora*.

Então pergunto:

— Como funcionam as coisas? Cada um tem uma tarefa específica?

— Todos nós fazemos o que sabemos fazer bem. E como há muita coisa para se fazer, para manter um lugar grande como este — diz ela abrindo os braços, jogando a cabeça para trás e rindo —, com tanta terra, animais, jardins, nosso trabalho é quase constante. Mas às vezes eu penso que a verdade é outra. Que o trabalho é só um *intermezzo, un divertimento*, para preencher as poucas horas entre as refeições. Comemos muitas vezes e muito bem aqui, *signora... Io non ricordo il suo nome, scusatemi.*

— *Mi chiamo Chou-Chou e mio marito è Fernando.*

Não sei se Carlotta me escutou, já que começou a falar em dialeto com uma das outras mulheres sobre, segundo creio, o parto iminente. Mas talvez não seja isso, pois seus rostos demonstram pesar mais do que uma feliz expectativa. Carlotta pede licença, se levanta e, juntamente com a outra mulher, deixa o salão de refeições. Aproveito o momento para olhar o ambiente. Para estudar as pessoas. Nunca vi nem imaginei nada como isso. Como essas pessoas. Ouço a mulher chamada Olga dizer a Fernando que 34 viúvas moram atualmente na villa. Diz ainda que, durante as colheitas de trigo, uvas e azeitonas, mais de vinte mulheres dos vilarejos vizinhos se juntam às viúvas no trabalho. Dia a dia, diz ela, as 34 mulheres residentes cozinham, assam pão, fazem trabalhos de manutenção, servem à mesa, limpam, esfregam, dão polimento, costuram, remendam, lavam, passam a ferro, cuidam das flores, das ervas, das hortas e dos animais. Ela diz que a propriedade, atualmente, conta com mais de cinquenta almas no interior de seus muros. Fernando pergunta sobre os homens que vivem aqui.

— *Adesso ci sono ventidue uomini.* — Agora há 22 homens, que vivem e trabalham aqui; mas, como acontece com as mulheres, seu número aumenta durante as colheitas. Eles cuidam dos pomares, das vacas leiteiras, do gado, trabalham na terra. Alguns cuidam dos carneiros, das cabras e dos porcos. Na época das colheitas, cestos de alimentos são levados aos homens que trabalham nos lugares mais distantes da villa, mas você verá todos eles à mesa esta noite — explica Olga. — Os que você está vendo agora são, quase todos, jardineiros em tempo integral.

— Jardineiros e também artesãos que trabalham na restauração da villa — diz outra das mulheres.

— E sempre há um ou dois artesãos itinerantes que partilham de nossa mesa todos os dias. O sapateiro, em sábados alternados, passa o dia aqui.

— E o amolador de facas e ferramentas vem na segunda.

— E os homens que vêm tosar os carneiros.

— E não se esqueça do Furio — diz a mais jovem e talvez a mais bonita das viúvas.

— Ah, Furio — dizem elas em coro. Todas as mulheres riem e sacodem as mãos abertas na altura do peito, em um gesto de admiração extrema.

Todo mundo, à mesa, acrescenta o nome de mais um coadjuvante à lista de convidados que se revezam. Eu já estou desejando que o sonho dure o bastante para que eu possa conhecer todos eles. Gosto da casa de Tosca.

Lentamente, o salão se esvazia. Cada pessoa, metodicamente, empilha pratos e talheres em carrinhos. Alguns juntam os restos de comida que sobraram nas bandejas em pedaços de um papel branco e grosso, cujas pontas dobram e torcem cuidadosamente; então passam os alimentos para alguma viúva que identifica o conteúdo de cada embrulho com uma caneta de tinta preta. Depois, empilha os embrulhos em caixas de frutas, que coloca em diferentes tipos de carrinhos. Todos conhecem sua função. Não há gestos desperdiçados. Nem tempo perdido. Dois dos homens que estavam à mesa levam os carrinhos com os embrulhos para fora da sala. Eu os acompanho com os olhos, me perguntando sobre o destino de toda aquela comida maravilhosa.

Fernando ainda conversa com Olga. Então — sem pedir permissão — começo a tirar uma das toalhas de mesa, como vi algumas mulheres fazerem em outras mesas. Carlotta, de volta da sua missão, retira-a de minhas mãos, dizendo que eu não precisava me incomodar. Permaneço de pé, parada, embaraçada, até ela consentir, fazendo um gesto para que eu segure o outro lado da toalha que começou a remover. Juntas, sacudimos, estalamos e dobramos cuidadosamente a magnífica peça bordada, que vem parar em minhas mãos. Quando vem buscá-la comigo, Carlotta sorri. Percebo que esteve chorando.

Fingindo não perceber, pergunto a ela:

— Aonde eles levam aquela comida?

— Para a igreja de San Salvatore, no vilarejo. Todas as noites, às seis e meia, a comida é distribuída aos moradores. Só quem precisa pega. Acho que já se passaram mais de vinte anos desde que começamos esse programa. No início, *la signora* e dom Cósimo distribuíam a comida diretamente às famílias, mas agora há muitas, é preciso que as famílias venham buscar. Realmente, é melhor assim, porque, antes de a distribuição começar, todo mundo se junta na igreja para rezar o rosário com dom Cósimo. Ele abençoa as pessoas, abençoa a comida, o sino toca o Ângelus e todo mundo vai para casa jantar. Sempre que posso, eu vou ajudar. É a minha parte favorita do dia.

Carlotta está chorando abertamente agora, limpando as lágrimas de seu rosto encovado com as costas da mão, enxugando os olhos com um lenço amarrotado extraído do decote do vestido. Eu arrisco:

— É o bebê?

— Não. Não, a neném parece ter decidido ficar onde está por mais algum tempo. Uma das nossas amigas está, bem, está muito doente. *Lei, non ce la fa*. Ela não vai escapar.

— *Capisco, mi dispiace*. — Entendo, sinto muito — digo eu.

Ela me olha e toca em meu rosto com a mesma mão que tocara o seu; minha face fica molhada de lágrimas. Ágata vem andando depressa em nossa direção.

— Posso levar vocês até o quarto agora, se quiserem — diz ela.

— Mas ainda não falamos com *la signora* e não sei se...

— Já está tudo preparado. Se vocês quiserem ficar, são bem-vindos. *La signora* vai falar com vocês mais tarde, sobre os detalhes. *Venite.*

Tocando no braço de Fernando e acenando-lhe para que a siga, Ágata nos leva para fora do salão. Entramos em outro salão, cujo piso de pedras é irregular. Subimos por uma larga escada de mármore. No terceiro pavimento, Ágata se detém.

— *Ecco* — diz ela, em frente a uma bela e danificada porta de madeira. Retira então uma longa chave de ferro de um chaveiro que traz no cinto e a insere na fechadura. Abrindo a porta, entrega a chave a Fernando.

— *Buon riposo* — diz ela, e suavemente fecha a porta.

O quarto ocupa um espaço maior do que nosso apartamento em Veneza. Há uma série de pequenos corredores, antessalas e alcovas, todos mobiliados de maneira frugal, mas artisticamente, com um banquinho, um enorme feixe de lavanda ou uma coleção de castiçais sobre uma mesa bamba. Subindo três degraus de pedras arredondadas, saímos de um aposento de paredes brancas e entramos em um quarto de pé-direito alto, onde há uma cama branca, duas poltronas, cobertas de linho branco, uma mesa com um pequeno abajur de ferro forjado e um armário. Além de uma grande janela aberta, os quentes ventos africanos agitam e fazem farfalhar os topos dos pinheiros do jardim.

— O que você acha? — pergunto eu.

— Do quarto? É maravilhoso.

— *Do lugar. Das pessoas.*

— É tudo maravilhoso. Tanto quanto eu consigo entender, porque ainda não sei *o que é* este lugar.

— Eles são todos tão bonitos. Você reparou quantas mulheres bonitas havia no salão? Reparou no padre? E Carlotta parece uma boneca de porcelana. E a mulher que estava lhe falando sobre o lugar, como é o nome dela?

— Olga. Foi difícil, para mim, entender o dialeto dela.

— Não, eu quero dizer que ela era linda, também. Talvez seja só porque todos parecem bem e tranquilos. Felizes. Com exceção de Carlotta, que estava preocupada com uma das viúvas, que ela pensa que está morrendo. Você sabia que existe uma maternidade aqui?

— Não consigo imaginar que sirva para muita coisa, com a idade das mulheres sendo mais ou menos 65 anos.

— É para outras mulheres. Mulheres que precisam de ajuda, segundo Carlotta me disse. Mulheres dos vilarejos da vizinhança. Eu vi a cozinha, Fernando.

— Sim, você já mencionou isso — diz ele com seu contido sorriso.

— Enorme. Duas lareiras. E elas cantam enquanto cozinham. Você acha que podemos ficar mais algum tempo?

— Não sei. *La signora* pode não estar querendo estender sua hospitalidade por mais de uma noite. Aliás, este não é exatamente o lugar em que nós estávamos pensando quando conversamos sobre aonde iríamos. Concordo que é uma espécie de retiro fascinante, mas será que não vai ficar difícil aguentar todo esse excesso? Tanta gente, tanta comida, tanto mistério. Tantas rosas, pelo amor de Deus.

— Eu acho que essa Tosca fez um santuário, em vez de um refúgio. Realmente, é um pequeno universo, contido, utópico ao seu modo, eu acho. Um requintado refeitório, uma pensão e uma fazenda em plena produção, onde as pessoas que querem ficar juntas vêm viver. E morrer, às vezes.

— Foi a cozinha?

— Foi a cozinha o quê?

— Você está encantada, meu amor.

— Quem está encantada? Foi só uma alegre revelação. Quer dizer, esta é uma sociedade que eu nunca acreditaria que pudesse existir.

— Você passeia por um ou dois jardins, lava o rosto com água de flor de laranjeira, almoça com cinquenta viúvas sicilianas, todas usando tranças nos cabelos, e você se transforma. Eu conheço esse olhar. É o mesmo de quando você esteve no Rialto. Eu vi esse olhar pela primeira vez quando nós estávamos no barco-táxi, indo para o aeroporto. Naquela vez, você estava encantada comigo.

— Trinta e quatro. Trinta e quatro viúvas vivem aqui. Você está com ciúme de 34 viúvas?

— Mais confuso do que com ciúme. Eu pensei que fosse só Veneza que afetasse você desse modo. Por favor, não me diga que vai começar a fazer tranças no cabelo e a se vestir de preto.

— Eu seria uma ótima viúva.

— Eu achei você uma ótima noiva.

Tiramos a roupa, dobramos as cobertas e caímos na cama.

— Você viu aquele colar de esmeraldas que ela usa?

— Que esmeralda? Quem?

CAPÍTULO III

O RELINCHAR DE CAVALOS, SEGUIDO POR UM CAVERNOSO E MONOCÓRDIO martelar de cascos na pedra, acordam-me antes da alvorada. Mais cansados do que imaginávamos, dormimos na villa até o dia seguinte. Vou até a janela, ainda aberta, olho para baixo e vejo dois homens vestidos formalmente para uma cavalgada. Penso que um deles é o padre e, olhando mais atentamente, vejo que a outra pessoa pode não ser um homem, mas a própria Tosca. Ramos de pinheiros e a escuridão os escondem, transformando suas vozes abafadas em uma conspiração. Eles montam e se afastam cavalgando. Empolgada com o sabor clandestino da cena, eu me lavo, visto a roupa e, com as botas nas mãos, ando na ponta dos pés pelos estreitos corredores, através das alcovas, até a porta, que abro e fecho furtivamente. Ponho as botas. E agora?

Desço as escadas, saio da casa e sigo o perfume da fumaça de madeira até a panificadora. Os fornos devem ter sido acesos há horas, mas não há nenhum sinal de pão fermentando. Nenhum sinal de padeiros. Nas mesas de trabalho estão panelas rasas com pistaches e amêndoas descascadas, uma tigela com passas amarelas e outra com lustrosas tangerinas cristalizadas. E, em um pote de pedra, o que devem ser dois quilos de manteiga. Uma lata de açúcar mascavo. Um jarro de azeite, uma garrafa de dois litros de rum escuro e uma barra de um quilo de chocolate de confeiteiro. Dia de preparar os doces. Amado Jesus, estou de volta ao sonho. Se pudesse encontrar alguns ovos, eu poderia fazer algumas tortas de tangerina, com chocolate ao rum, umas fornadas de biscoitos de pistache, uns bolinhos de azeite com pasta de amêndoas. Quase bufando de avidez, olho as trilhas de cima a baixo, esperando avistar as viúvas, mas nada vejo. Com certeza, devem estar na cozinha.

Assim que começo a andar, ouço o som de seu canto vindo do jardim da villa. Faço meu caminho de volta.

Debruçadas sobre a fonte, um grupo de viúvas está lavando os cabelos. Uma lava o cabelo da outra. Rindo, gritando, elas derramam jarras de água fria sobre cabeças cobertas de espuma. Os aromas de limão e néroli são fortes e marcantes. Com as cabeças envoltas em toalhas brancas, vão se juntar às outras viúvas que estão próximas à magnólia, em duas longas fileiras; cada uma faz tranças nos cabelos da que está à frente, tirando pentes e grampos dos bolsos dos aventais. Os dedos voam, dividindo as mechas em partes perfeitamente iguais, puxando-as, torcendo os cabelos em tranças e espirais, sobrepondo-os, fixando-os em voltas e coroas. Quando o cabelo da viúva que está na frente fica pronto, ela vai até o fim da fila para trabalhar no cabelo da última viúva. Quando terminam, fazem o sinal da cruz umas nas outras, reiniciam o canto e se dispersam; cada uma se dirigindo ao seu local de seu trabalho. A cerimônia demorou, talvez, dez minutos e, como em uma missa, cada momento possui um significado. Embora tenham percebido que eu estava observando discretamente, a distância, só agora me cumprimentam. Uma delas quer me levar de volta ao salão de refeições, para tomar o café da manhã; outra pergunta por Fernando. Eu gostaria de fazer tranças no cabelo. Olhando de uma para outra, eu peço isso, mas todas estão falando ao mesmo tempo e não me escutam. Eu agarro mechas do meu cabelo e começo a torcê-lo, repetindo a pergunta com os olhos. Sem uma palavra, uma das viúvas segura meu cabelo, me retira da balbúrdia e começa a trabalhar. Temendo ser muito alta para que ela alcance facilmente o alto da minha cabeça, pergunto-lhe se devo me sentar, durante a operação; mas a solução dela é ficar de pé atrás de mim, puxar minha cabeça para baixo e para trás, curvando meu tronco até uma altura em que ela possa trabalhar. Me submeto em silêncio. Cantando, ela reparte meu cabelo com o lado de uma unha. Cantando, puxa, entrelaça e enrola meu cabelo, prendendo cada trança em minha cabeça com um grampo longo e pontudo. Ainda cantando, esfrega alguma coisa cérea e oleosa nas tranças, dando a volta para ficar à minha frente. Eu me endireito para encará-la e ela diz:

— *Bellissima.*

E chama as poucas viúvas que ainda estão nas proximidades para me olhar. Há uma concordância alegre e positiva. Eu não digo que minhas têmporas estão tão esticadas que estou vendo em dobro; ou que estou sentindo uns vinte machucados onde os grampos bateram. Tudo o que digo é "obrigada", enquanto elas fazem o sinal da cruz na minha direção e me levam ao salão de refeições. Eu gosto daqui, digo a mim mesma. E repito isso várias vezes.

Sento-me e bebo uma xícara de bom café, trazido por uma viúva em um bule de porcelana branca, que despeja da altura dos ombros, ao estilo francês, acrescentando leite quente. Um pouco do leite espirra em meus dedos. Para aliviar a queimadura, começo a lamber o líquido quente e cremoso. Grossas fatias de pão assado na brasa estão empilhadas em cestas. Potes de manteiga, geleias, conservas de todas as cores e texturas cobrem as mesas. Quebro minha torrada em pequenos pedaços, que molho no café. Olho em volta para verificar se reconheço alguém da noite anterior. Onde está Tosca? De repente me pergunto, como se o quadro não pudesse ficar completo sem ela. O que me surpreende. Retorno ao jardim, onde dois grupos de viúvas se instalaram ao redor de mesas de trabalho. Em uma delas, quatro viúvas estão bordando à mão os últimos pontos e bainhas do que parecem ser vestidos de baile, ou algum tipo de roupa de luxo. Quando pergunto o que são, elas respondem que estão fazendo seus vestidos "finais". Nunca se permitiriam usar vestidos elegantes e ornamentados, como esses, durante a vida. Na morte, entretanto, bem, aí já é outra coisa, elas dizem.

Há uma conversa animada na segunda mesa, além de uma troca de orações e cânticos. As viúvas estão sentadas diante de cestos com alcachofras, cujos talos, de 16 a 18 centímetros, já foram aparados e descascados. Grandes e arredondadas, as alcachofras são maravilhosas de se ver. Segurando-as pelos talos, as viúvas cortam as pontas duras das folhas com facas pequenas e afiadas; depois batem as alcachofras contra as pedras grandes e achatadas que delimitam o espaço de trabalho de cada uma. Com um único e feroz giro de uma faca, removem a parte espinhosa do centro, recheando o vazio com punhados de hortelã retirados de uma pilha no centro da mesa. Em pé atrás da pilha de hortelã, uma viúva esmaga intermináveis cabeças de alho roxo, untando a pasta em uma tigela de mármore. As outras empilham uma porção da pasta em suas facas e a esfregam na hortelã que está dentro das alcachofras. Estas são então colocadas em panelas rasas, bem juntas umas das outras, com os talos apontando em uma só direção. Fios de bom azeite verde, uma pitada de sal marinho, alguns respingos de vinho branco, limões-sicilianos — cortados bem finos — arremessados por cima, de modo a esconder quase todo o verde das alcachofras. Muitos limões. Mais azeite. Moderadamente, dessa vez. A facilidade, a velocidade e a beleza dos movimentos me deixam sem fôlego. Outras viúvas vêm buscar as panelas com as alcachofras — duas viúvas por panela — para levá-las aos fornos. Eu me adianto e pergunto se posso ajudar com o transporte. Sorrisos. Elas me dispensam abanando os dedos. Eu deveria estar acordando Fernando, levando-lhe café, mas não quero perder nenhum momento. Digo a mim mesma que ele iria preferir dormir enquanto sigo as alcachofras até a cozinha.

Tento contar as viúvas que executam o trabalho, mas elas se movem tão rapidamente e são tão parecidas que não consigo. Vinte, talvez. Algumas delas não estavam, ainda há pouco, na fila de trançar o cabelo? Vinte lenços de pirata, quarenta mãos, vinte registros de cantos e orações. Fico observando, enquanto a primeira panela de alcachofras é colocada com uma pá no forno do fogão a lenha; então caminho ao longo da parede dos fundos, até chegar perto de uma das lareiras, onde uma das viúvas está moldando pães achatados, assando-os em pedras quentes colocadas sobre as brasas, empilhando-os em tinas forradas de pano. Na lareira do outro lado do recinto, sobre um fogo bem mais baixo, que mal se nota, pratos de terracota contendo cordeiro temperado no vinho são colocados entre as brasas e cobertos com tampa, sobre as quais mais brasas são jogadas, de modo que, na hora do jantar, a carne estará chamuscada, defumada e macia o bastante para ser comida com uma colher.

Dois homens chegam com tinas de berinjela. Compridas, esguias, casca bem lisa e violeta, com folhas e talos intactos. Acho que dizem alguma coisa como *se precisar mais, é só dizer, senão nós traremos mais amanhã*. Berinjelas compridas, esguias, casca bem lisa, *recém-colhidas*, rapidamente lavadas na pia batismal. São então levadas à mesa de trabalho, em que, depois de secas, o talo é retirado. Deixando-as inteiras, mas fazendo cortes profundos em sua superfície, as viúvas rolam as berinjelas em uma caixa contendo uma mistura de farinha, farelo de pão, sal marinho e queijo pecorino ralado. Rolam, dão umas batidinhas e rolam de novo, pressionando a mistura seca para dentro dos cortes mais mínimos. Depois deitam aqueles bichos estranhos sobre bandejas forradas de papel e as levam até os fogões, onde outras viúvas aguardam, para mergulhá-las em óleo fervente, poucas de cada vez. Deixam-nas flutuar, sem mexer, até que o miolo fique bem macio e a casca, crocante e de um bronzeado escuro. Então as retiram com uma escumadeira e as recolocam nas bandejas forradas de papel, esfregando grandes cristais de sal marinho entre as mãos sobre elas, enquanto ainda estão bem quentes. As berinjelas são então levadas para o salão de refeições, onde ficarei sabendo, mais tarde, que são servidas quase frias e ainda crocantes, com um molho de tomate cru temperado com manjerona. E vou saber que não são servidas ainda quentes, direto da panela, para que, ao esfriarem, seus sabores se misturem e se intensifiquem. Saberei, também, que tenho uma alarmante capacidade para me empanturrar com elas.

No momento, estou morrendo de vontade de participar, fazer cortes nas berinjelas, dar-lhes umas batidinhas e jogá-las no óleo. Fico encostada na soleira da porta, com ar amistoso. Depois percorro o perímetro do recinto, ousando avançar um pouco, mas nunca entrando no território principal. Sou invisível. As viúvas interrompem seus cânticos e orações apenas para rir ou chorar. Elas rezam umas para as outras, em frente às mesas de trabalho, ao lado do fogo. Rezam perto das berinjelas, das facas e da massa de pão que fermenta ao ar livre. Encantamentos, exortações. Pragas. Enquando as viúvas ou os jardineiros passam por mim, pergunto se posso ajudar em alguma coisa. Pergunto 12 mil vezes. Mais sorrisos. Mais gestos agitados me dispensando. Elas não me entendem. Tenho certeza de que, simplesmente, não entendem. Monto uma campanha para me comunicar por meio de gritos monossilábicos de alegria e curiosidade. Faço gestos de rolar, mexer e cortar. Isso atrai duas das viúvas até minha posição, perto da porta. Gentilmente, elas me empurram para fora e me olham severamente. Sacudindo as cabeças, me deixam lá e voltam ao trabalho. O que é isso? O que elas viram? Eu sou a garota nova no pedaço, apesar de minha coroa de tranças. Ando de volta para a villa e mal vislumbro, no caminho, as viúvas que preparam doces. Elas nunca aprenderão meu truque para *biscotti* de pistache. Nem o que tenho para o bolo de azeite recheado com massa de amêndoas. Passo a mão em minhas tranças. Ensaio o cântico que elas entoam mais frequentemente. Canto mais alto. Não importa que eu não tenha podido participar. Estar aqui é tudo. Noto que Tosca está de pé em frente à porta principal da villa enquanto me aproximo.

— Você está menstruada?

Em vez das roupas de montaria, ela está usando um gracioso vestido preto, confeccionado com alguma coisa parecida com *faille,** creio, que vai até os tornozelos; sem mangas, revela seus braços musculosos, ainda mais bronzeados que o rosto. Pés sem meia em sapatos de seda, com saltos finos e altos. Seus cabelos, enrolados e trançados de forma ainda mais extravagante que no dia anterior, cheiram a flor de laranjeira. A esmeralda está em sua garganta. Ficamos quase frente a frente, enquanto estou entrando e ela, saindo. Agora sou eu quem não está entendendo.

— Você está menstruada? — repete ela, irritada.

— Você quer dizer neste exato momento?

— Sim, neste exato momento. As mulheres não vão permitir que você toque nos alimentos nem que passe pela cozinha. Elas acham que você está menstruada. Se estiver, sua presença atrairá uma maldição sobre os alimentos e, talvez, sobre as pessoas tolas o bastante para admitir que você entre no santuário delas em tal estado.

O embaraço que eu sentira momentos antes evoluiu para um profundo constrangimento.

— Isso é medieval.

— É muito mais velho que isso. Mas ainda válido. Então, você está menstruada?

— Bem, não exatamente. Minha menstruação, nos últimos meses, tem sido às vezes *irregular*.

---

* Seda de trama grossa. (N. da E.)

— Elas podem adivinhar olhando em seus olhos. Eu lhe peço para, por favor, ficar fora da cozinha. Aqui não se brinca com o que é sagrado.

Ela passa por mim, para alguns metros à frente, no jardim, e vira a cabeça e os ombros para dizer:

— O cântico sai da parte de trás da garganta, não do diafragma. Não tem nada a ver com cantar. Ah, e você está deslumbrante com as tranças.

O mínimo que ela poderia ter feito era me indicar a direção da tenda vermelha,* penso, enquanto observo sua longa silhueta negra, até que saia do meu campo visual. Aqui, sou duas vezes expatriada. Primeiro, da América. Agora, de Veneza. Aqui é como nenhum outro lugar. Uma vez mais, sou uma principiante.

* Referência à tradição bíblica de separar mulheres menstruadas em uma tenda vermelha, retratada no romance *A Tenda Vermelha,* de Anita Diamant. (N. da E.)

CAPÍTULO IV

Foi bom que eu não tivesse me preocupado com Fernando. Parece que Ágata foi buscá-lo logo depois que deixei o quarto. Sentou-o para tomar o café da manhã juntamente com alguns dos homens, o segundo turno a caminho dos pomares. O rapaz veneziano passou a manhã entre amendoeiras. Fez amizade com um jardineiro ruivo chamado Valentino, filho do antigo zelador da villa. Fernando diz que Valentino nasceu na villa em 1939, que viveu e trabalhou aqui durante a maior parte de sua vida, desde muito antes da época de Tosca. Ele me diz tudo isso com entusiasmo juvenil, um raro fluxo de alegria. Toma fôlego, então, olha para mim como se eu tivesse acabado de chegar, estica os lábios em um sorriso fino, beija-me na boca vigorosamente e me puxa na direção da sala de refeições.

— Eu sabia — diz ele, fixando o olhar em meus cabelos.

— Ah, minhas tranças. Estou com visão dupla, mas adoro elas. Fui banida da cozinha.

— Ótimo. Então não vai se importar muito se formos embora depois do almoço, não é?

— Por quê? Acabamos de chegar. Alguém lhe disse que devemos partir?

— Não. Ninguém disse nada. O que é um dos motivos pelo qual devemos partir. Eu ainda não sei nada a respeito deste lugar e ele me causa desconforto. Por exemplo, quanto custa dormir e comer aqui? Não há nenhuma tabela de preços visível; parece que não há outros "hóspedes", se é isso o que nós somos. Estou com uma terrível sensação de que todo mundo aqui era outra pessoa antes de chegar. Você sabe, como na ilha onde todos os meninos maus são transformados em jumentos. Fico esperando me olhar no espelho e descobrir que me tornei um jardineiro velho e calejado.

E você, com as tranças, já está a meio caminho da viuvez. Vamos embora enquanto podemos, amor. — Então ele ri de sua presença de espírito. — Aliás — continua ele —, já tivemos o repouso de que precisávamos. Nosso plano era *fugir* destas montanhas. Aqui apenas caímos num isolamento ainda mais profundo, embora as pessoas falem. Mas está na hora de continuarmos nossa viagem. — Outro sorriso fino. — Gostei das tranças.

Ele está me segurando gentilmente pelos ombros e, a seu modo, o que diz faz sentido. Mas eu não vou a lugar nenhum.

— Eu vi o pessoal preparando umas berinjelas maravilhosas e, para o jantar, assaram cordeiro na brasa. Vamos perguntar sobre os detalhes, financeiros, quero dizer, e então veremos. Vamos falar sobre isso mais tarde. Está bem?

— Está bem. Está bem no que diz respeito às berinjelas e ao cordeiro. Mas nada de vestido de luto.

— Nada de vestido de luto.

Embora ninguém responda às nossas perguntas diretas sobre preços, permanecemos na propriedade durante aquele dia. Permanecemos no dia seguinte e no dia depois desse. Nunca decidimos permanecer, mas apenas fomos capturados pelos eternos rituais e ritmos da villa. Há sinos para nos acordar, sinos para anunciar os horários de oração e trabalho, sinos que nos convocam para a mesa e de novo para as orações, e de novo para o trabalho. De volta à mesa. Uma vida agradável, harmoniosa e às vezes solene. Os limites entre conhecidos, amigos e família são tão firmemente fixados quanto os cabelos das viúvas. Ninguém parece contar com as atenções de uma só pessoa, mas com a benévola vigilância da tribo. Todos parecem viver bem. Há momentos que realmente me fazem recordar *A Tenda Vermelha*; outros — em especial quando Tosca está presente — me lembram *O Leopardo.** Mais frequentemente, parecem cenas de *Cinema Paradiso.***

---

* Romance de Giuseppe Tomasi di Lampedusa, publicado em 1958, é a história de um aristocrata siciliano de meia-idade no meio de uma revolução política e pessoal, durante a unificação da Itália. (N. da E.)

** Filme italiano de 1988 dirigido por Giuseppe Tornatore, sobre a infância paradisíaca de um cineasta. (N. da E.)

Inexpugnável matriarca e protetora de todos os que vivem sob sua tutela, Tosca detém um poder benigno e incondicional. O mistério, nela, é uma coisa quase palpável. Ela nunca aparece para o café da manhã. Vestida com a velha e estranha indumentária masculina que usava quando a vimos pela primeira vez, cavalga pelos campos mais distantes, no início da manhã; quando retorna, retira-se para algum lugar privado até quase meio-dia. Com os cabelos recém-retorcidos em laços e espirais, caminha imponente pela villa e pelos jardins, vestida com um dos belos vestidos pretos de um inesgotável repertório, a esmeralda quadrada repousando na base da garganta, pendurada em uma curta corrente de ouro vermelho, finamente trabalhada. Nos jardins, ou em algum canto do salão de refeições, Tosca conduz grande parte dos negócios da casa, juntamente com Mafalda, sua irmã, que é a supervisora das terras, e com duas viúvas que atuam como supervisora de contabilidade e gerente-geral da casa. Há sempre outras pessoas que se juntam a elas, aquelas que estiveram no vilarejo, ou em Enna, ou mesmo mais longe, e trazem notícias e mexericos. Discutem o modo mais eficiente de se produzir queijo, a reconstrução de um celeiro, a transformação de um espaço não utilizado na villa em novos quartos, a venda da produção de laranjas, a extração de néroli — óleo produzido pelas frágeis flores de laranjeiras, pelo qual os produtores de perfume estão dispostos a pagar somas extravagantes. Fala-se sempre em comida. Com representantes da cozinha e da panificadora, Tosca escreve menus, fala sobre o que está amadurecendo nos jardins, pensa em como vai servir os tomates à noite e concorda com o desejo coletivo para o almoço de sábado: cabrito temperado com cravo, assado no espeto sobre fogo feito com madeira de árvores frutíferas. Em volta delas — e em todos os lugares visíveis da villa — o movimento não para. Apenas quando anoitece, depois de todos terem jantado, depois que todos terminaram seus trabalhos, a villa mergulha em uma preciosa quietude. É então que Tosca costuma receber convidados.

Gente do vilarejo sobe a colina para visitar a villa. Com os cabelos firmemente enrolados sob lenços, aventais limpos sobre as roupas de trabalho, as mulheres se sentam sob a pérgula, com Tosca e as viúvas, enquanto seus homens, nas melhores roupas de domingo, jogam cartas na adega, com os fazendeiros.

— Como a nata, as mulheres sempre sobem até o topo — repete Tosca todas as noites, quando os homens se separam de suas esposas.

A maioria das mulheres aceita um dos charutos compridos e finos que Tosca lhes oferece em uma caixa. Cada uma acende o charuto da outra, do mesmo modo como um fiel acende a vela carregada pelo outro em uma procissão. Das fileiras de garrafas que estão sobre uma mesa em um canto, as mulheres escolhem uma bebida. A maioria se serve de uísque, ou de uma mistura preparada com mel e capim-limão, em cálices do tamanho de um dedal, apenas o bastante para molhar os lábios. Às vezes, apenas sentam-se em meio ao perfume quente e úmido dos jasmins crestados pelo sol, fumando e bebendo, sem querer ou precisar falar. Quando falam, é quase sempre sobre homens. Sobre se apaixonar, fazer amor, declarar o amor, sobre a diferença entre infidelidade e deslealdade. Muitas vezes, cantam a mesma canção que eu ouvi as viúvas cantarem quando chegamos. A que fala sobre tristeza e êxtase. Quando terminam — por um momento — de falar sobre os homens, falam sobre seus filhos.

Uma mulher chamada Nuruzzu fala sobre suas preocupações com a filha recém-casada.

— Ela é uma mulher. Como um camaleão, uma mulher se funde tranquilamente em todas as partes da vida. Às vezes, a gente nem sabe que ela está lá, ela é tão quieta com suas coisas. Alimenta o bebê. Limpa os estábulos. Faz de tudo. Transforma um lençol num vestido. Ela não conta com a sorte para nada. Sabe que suas próprias mãos, seus próprios braços, suas próprias coxas e seus seios é que têm que fazer o trabalho. A sorte na vida dos homens é maior. A sorte é um convidado bem-vindo na casa de um homem. Mal ela bate à porta, ele está lá para abri-la. *Sim, sim. Você faça isso*, ele diz para a sorte. E arrasta-se de volta à sua cadeira.

Quando uma mulher termina sua história, todas reiniciam os cânticos por alguns momentos. Então outra mulher começa a falar.

— Nossos bebês choravam quando nós os deixávamos e nós choramos quando eles nos deixam. Ecos. Orgulhosas, quase arrogantes, nós empurrávamos seus carrinhos. Agora, cansados e por obrigação, eles nos empurram em nossas cadeiras.

— Nossos filhos não nos conhecem como somos agora. E menos ainda como éramos. Ah, como eu queria que eles nos tivessem conhecido como nós éramos. Vocês acham que eles iriam reconhecer suas almas jovens em nossas almas jovens? Eu gostaria que eles tivessem nos conhecido, com toda nossa falta de jeito e nosso egoísmo, tudo tão parecido com a falta de jeito e o egoísmo deles agora. Esse é outro eco para vocês.

— Nós acreditávamos nos contos de fada que contávamos para nossos filhos e os amávamos mais do que tudo, mesmo quando nós éramos imaturas e desajeitadas. Éramos crianças amando nossas crianças. E é isso o que somos ainda.

Certa noite, em vez de se encontrarem na pérgula, todas as mulheres se reúnem à porta e na ala da maternidade. Embora não entenda a razão da mudança, eu vou com elas, andando mais ou menos sozinha. A área de maternidade está localizada no primeiro andar de uma ala da villa que eu ainda não conhecia. O espaço clínico não é tão grande quanto eu imaginava. A ala parece mais uma capela, exceto pelos leitos de hospital e uns poucos acessórios práticos. Janelas compridas e largas, com pesadas cortinas de seda, estão abertas para a noite agradável. Uma reprodução de Sant'Ana — protetora das gestantes — pintada por Ticiano, está pendurada em uma parede ocre, suavemente iluminada, próxima a uma reprodução da Madona, de Rafael, que embala o filho adormecido no colo coberto por um vestido vermelho. Uma estatueta de mármore danificada, representando Deméter, deusa grega da fertilidade e da maternidade, repousa sobre um pedestal em frente às duas pinturas. Indiferentes a contrastes e contradições, a reverência das viúvas a essas três imagens é igualmente fervorosa. Elas cantam, oram e se abençoam entre si.

— Todas nós somos mulheres — Nuruzzu diz para mim, dizendo tudo.

No canto mais afastado e escuro do quarto, dois leitos, lado a lado, estão ocupados. Em grupos de duas ou três, as viúvas vão até os leitos e falam suavemente com as mulheres que os ocupam. Mais uma vez, cantam, oram e se afastam discretamente, para que o próximo grupo de viúvas possa fazer sua visita. Espero Nuruzzu voltar ao lugar em que estou, em frente à estatueta e às pinturas, e saio do quarto com ela. Sem que eu lhe peça, ela me conta a história das duas mulheres nos leitos.

Uma delas é uma viúva chamada Cosettina, Nuruzzu começa. Eu acho estranho que uma viúva esteja na maternidade, mas nada digo.

Cosettina vive na villa há dez anos, ou mais. Juntamente com as tarefas na cozinha, dá aulas informais para as viúvas que nunca aprenderam a ler ou escrever, e que gostam de ouvi-la, à noite, enquanto lê em voz alta. Cosettina foi professora em Enna durante a maior parte da vida. E é amiga de Tosca há mais tempo ainda. Mas sua capacidade de trabalho, senão sua vontade, tem diminuído constantemente desde o ano passado. Desmaios súbitos. Leves ataques cardíacos. Um dos ataques não foi tão leve. A *dottoressa* Rosa, a jovem palermitana que veio trabalhar como clínica geral nas montanhas, fez o diagnóstico, medicou e cuidou de Cosettina, com esperanças até poucas semanas atrás, quando, depois de outros episódios e complicações, disse a Tosca que era hora de Cosettina ser transferida para o hospital de Enna. Cosettina se recusou a deixar a villa. Tosca consentiu. Queria esperar a morte "em casa". Um quarto perto do salão de refeições foi preparado para Cosettina. Com a porta aberta, ela se sentia quase como se estivesse fazendo suas refeições junto com a "família". Tosca e as outras viúvas cobriam Cosettina de amor. Ela se tornou o bebê coletivo. Alimentavam-na de colher e a surpreendiam, depois, dando-lhe um doce. E uma flor. Todas as noites à luz de velas, as viúvas massageavam seus membros encolhidos com tecidos macios e azeite morno. Vestiam-na como a uma boneca, em roupas bordadas, e amarravam suas tranças com fitas cortadas da camisola cor-de-rosa de uma delas.

No dia em que chegamos à villa, Cosettina estava bem perto do fim de sua vida. Entendi então que era por Cosettina que Carlotta tinha chorado naquele primeiro dia. Nuruzzu explicou que as viúvas se revezavam tomando conta de Cosettina todas as noites, e que a *dottoressa* Rosa continuava com suas visitas diárias. Quando chegou a vez de Tosca, Cosettina aproveitou a oportunidade para pedir um favor.

— Deixe-me ficar na ala da maternidade — pedira a Tosca. — Deixe-me ficar lá. Não vai demorar e eu vou partir em silêncio. Sem problemas. Nada. Eu prometo. Eu quero dar minha velha alma para o próximo bebê que nascer aqui. Eu acho que é justo que você me deixe ficar lá.

Creio que Cosettina estava esperando que Tosca fosse recusar, ou pelo menos resistir, Nuruzzu disse, mas nesta manhã ela foi carregada para a ala da maternidade, onde vai ficar na companhia de Sant'Ana, Deméter e da própria Madona. No leito ao lado, uma jovem do vilarejo, chamada Viola, espera o nascimento de seu primeiro bebê. A hora de ambas as mulheres estava chegando, segundo Nuruzzu.

Depois da visita à ala da maternidade, as mulheres ficaram pelo jardim. Tosca ofereceu a caixa de charutos e mandou servir bebidas. Então passou por onde eu estava com Nuruzzu e algumas outras mulheres, retornando à villa. Quando regressou, alguns momentos depois, anunciou calmamente que Cosettina havia partido. Tudo estava em paz, disse ela. E acrescentou que a filha de Viola, embora ainda não tivesse aparecido, parecia já estar fazendo alguns movimentos preparatórios nesse sentido. Tosca passou pelas mulheres e, em voz baixa, convidou-as a ir até o salão de refeições para rezar um rosário, juntas, pela alma de Cosettina. Os homens também foram convidados. A eletricidade nunca é muito usada na villa, em quaisquer circunstâncias, mas naquela noite Tosca pediu para que as luzes fossem acesas e as velas também. Fechou algumas janelas, abriu outras e virou os espelhos contra as paredes. Finalmente sentou-se, enquanto alguém começou a rezar o rosário. A meio caminho do terceiro grupo de Ave-Marias, um vento arrepiante soprou, vindo de um aposento. Tosca sorriu.

— *Ciao, Cosettina. Ti voglio tanto bene.* — Adeus, Cosettina. Eu te amo muito.

Ninguém tinha chorado até o momento, ao menos que se pudesse ouvir. Mas agora todas estavam chorando. Soluçavam e repetiam para Cosettina a mesma despedida. O barulho era tanto que foi um milagre ouvirmos o primeiro choro, vindo do quarto da maternidade. Viola batizou a filha de Cosettina.

* * *

O dia seguinte é sábado. Acordada há muito tempo, fico deitada, esperando pela luz da manhã. Esperando pelo Ângelus. Em vez do alegre clangor neblina afora, um plangente, pequeno sino geme. Por Cosettina. Com o lamento ainda dominando o ar, sobrevém um jubiloso estrondear de sinos. Por Cosettina.

Há poucas pessoas no café da manhã, pois muitas foram até o vilarejo assistir à missa fúnebre em San Salvatore. Muitas das que ficaram estão trabalhando, de uma forma ou de outra, na preparação da cerimônia batismal que será realizada ao meio-dia. Nestas montanhas, não se perde tempo quando uma alma é enviada ao paraíso, nem quando uma nova alma é preparada para a jornada na terra. Tudo é limpo e arrumado. Envolvente.

Levanto-me da cadeira depois de ter tomado o café da manhã, mas fico paralisada. Antonio Banderas está vindo em minha direção. Passa por mim. Cheira a fermento. Uma viúva anda depressa até ele e diz:

— *Ah, Furio. Hai già finito? Vieni a mangiare qualcosa adesso.* — Você já terminou? Agora venha comer alguma coisa.

É o padeiro itinerante. Então Antonio Banderas percorre as montanhas das Madonias fingindo ser um padeiro itinerante. Ótimo disfarce. Onde mais poderia ele descansar da pegajosa Melanie Griffith? Ele veste uma fina camiseta, jeans, botas de trabalho e um gorro de algodão preto, que cobre sua cabeça até pouco acima dos olhos árabes.

E eu me perguntava por que a casa precisaria de outro padeiro.

Sento-me de novo, apoiada sobre os cotovelos e batendo os dedos de uma das mãos vagarosamente sobre meu rosto. Carlotta vem sentar-se comigo.

— Você viu Furio? — quer saber.

Eu sorrio, sacudo a cabeça e ela começa a me falar sobre ele. Diz que Furio chega antes do alvorecer, todos os sábados, em um resfolegante *cinquecento*, rebocando um vagão que abriga sua máquina misturadora e sacos da única farinha que ele panifica. Um material que é cultivado e moído por um amigo, perto de Caltanissetta. Como uma relíquia sagrada, diz ela, ele mantém a seu lado, sobre uma almofada de veludo preto, um jarro de vidro contendo um fermento que borbulha furiosamente. Emoções conflitantes passam pelo rosto de Carlotta. Penso que ela está sentada comigo, falando sobre o padeiro, como distração. Coloco minha cadeira mais perto da dela. Ela diz que Furio viaja até as aldeias e os vilarejos mais remotos, onde quer que subsista um velho forno de pedra. Fica hospedado em cada lugar aonde vai, diz ela. Recebe uma ninharia pelo trabalho, se é que recebe alguma coisa. Come e dorme onde estiver fazendo pão. Um tipo de santo folclórico, segundo ela. É claro que tem uma mulher em cada vilarejo, diz ela. Filhos também, ela acha. Embora não aqui, assegura-me, varrendo o ar com os braços. Suas mulheres, pelo menos, ganham um bom pão e veem seu homem — feliz, amoroso e gentil — uma vez por semana. Acho que é mais do que muitas mulheres têm, ela diz.

— Você tem passado bem? Está se arranjando por aqui? — pergunta.

— Estou bem. Fernando também. Embora eu realmente me sinta, bem, ainda deslocada. Todos esses acontecimentos de *família*.

— Sim. Claro. Foi por isso que ninguém chamou você para vir à missa esta manhã. Um momento embaraçoso para você. Mas...

Carlotta para de falar. Olha para a estampa de rosas vermelhas e folhas verdes bordada na toalha de mesa. Segue o desenho com o dedo indicador.

— Eu acabei de chegar da missa. Na verdade, sempre me sinto um pouco envergonhada de mim mesma quando vou a um funeral. Por mais que tente evitar isso, sempre vem aquele momento em que, mesmo chorando sinceramente pela pessoa que se foi, eu digo: *Eu estou bem. Ela é quem se foi. Não sou eu quem está na caixa polida. Tudo bem. Isso nunca vai acontecer comigo. O mundo vai terminar antes que isso aconteça comigo.*

— A menos que seja um filho nosso que se foi, acho que todos nós comemoramos em silêncio a nossa sobrevivênca. Não é nada do que se envergonhar — eu digo.

Ela parece não ter me ouvido.

— Só uma vez. Há muito tempo. Houve um funeral em que isso não aconteceu. Só uma vez.

Permaneço em silêncio.

— Espero que essas coisas não façam vocês irem embora. Quer dizer, por favor, fiquem mais um pouco. Vocês vão ficar, não vão?

— Claro que ela vai ficar. — Tosca tinha se aproximado da mesa por trás de nós. Vai até o outro lado e senta à nossa frente. Uma viúva lhe traz café.

— Eu reparei que você se apaixonou pelos afrescos neste aposento. Estou certa?

— Eu acho que olho bastante para eles quando estou aqui — admito.

— Estou pensando em chamar você para vê-los sob a luz do fim da tarde. As cores ficam mais suaves e mais intensas, de alguma forma, à medida que o sol se desloca. Nessa época do ano, acho que eles ficam mais graciosos em torno das seis horas. Se você quiser dar uma olhada, é bem-vinda.

Pelo menos, não existe o medo de que mulheres menstruadas estraguem os deuses e deusas gorduchos, de olhos esbugalhados sob o sol cambiante.

— Adoraria. Obrigada.

Tosca e Carlotta devem ter coisas para conversar. Peço licença. A verdade é que não estou sendo tão sensível às necessidades delas quanto às minhas. Sinto-me desconfortável na presença de Tosca. Há uma austeridade nela que parece fora de lugar aqui. Seu olhar penetra, irrita. No entanto, como tenho sentido desde o primeiro dia, parece que falta alguma coisa quando ela não está presente.

CAPÍTULO V

EM SEU CONVINCENTE DISFARCE DE PÁROCO RURAL, CHRISTOPHER PLUMMER, que geralmente nos encontra à mesa, inesperadamente me para no hall, em minhas andanças, e procura saber se estou confortável.

— *Você gostaria de conhecer a capela?*

— *La signora e eu vamos estar no salão azul às quatro da tarde, se você quiser nos acompanhar para o chá.*

— *Terei prazer em lhe mostrar a biblioteca.*

— *Você monta a cavalo?*

Quando dom Cósimo me aborda, por alguns momentos, é sempre para oferecer algumas preciosidades sobre a história da villa. Quando foi construída. Que seu principal arquiteto era um descendente do projetista dos hospícios da cidade borgonhesa de Beune, construídos no século XV. Que seu particular amálgama de arquietura rural francesa do século XV com ornamentação italiana do século XVII faz da villa uma obra rara. Talvez única. O padre parece ansioso para falar. E me convida para encontrá-lo nos jardins, onde lê todas as tardes sob a magnólia, às cinco horas. Me assegura de que lá e naquele horário é o único lugar onde se pode ter sossego na villa, durante o dia.

Às cinco da tarde no dia seguinte, quando soa o Ângelus, como se fosse um grande navio preto navegando em mar tranquilo, Cósimo se aproxima da mesa sob a magnólia, onde o aguardo. Nenhum de nós diz uma palavra de cumprimento. Ele se instala em uma cadeira e solta um longo suspiro através de um largo sorriso; eu empurro minha garrafa de água na direção dele, por cima dos buracos e arranhões da mesa de mármore. Ele trouxe sua própria bebida. Em um rápido movimento, retira de algum lugar sob a batina uma garrafa achatada, envolta em couro, da qual tira a tampa. Inclinando-a sobre os lábios, bebe goles demorados e gorgolejantes de alguma coisa que tem mais cheiro de espinafre, ou grama, do que de uísque ou vinho.

— Licor de acelga — são as primeiras palavras que diz, enquanto repõe a garrafa no esconderijo.

Ele não trouxe nenhum livro, até onde eu possa ver. Fecho o meu. Espero. Ele me diz que tem 76 anos. Deve saber que seu rosto e porte aparentam pelo menos 15 anos a menos — talvez vinte —, pois faz uma pausa depois da declaração, esperando por meus cumprimentos. Não o decepciono. Ele diz que se estabeleceu como clérigo residente, na propriedade, e como motorista do príncipe, quando o príncipe trouxe Tosca para viver no palácio, 56 anos atrás.

— Neste palácio?

— Não, não. Isto não é um palácio. Tosca vivia no palácio de Anjou, com o príncipe e sua família. Um palácio barroco que os ancestrais do príncipe ergueram no meio dessas intermináveis plantações de limão-siciliano. Ninguém ainda se ofereceu para levar você lá? São umas poucas horas de carro, saindo daqui — diz ele.

Tendo pouca experiência com castelos, villas, pavilhões de caça e palácios, eu não disse ao padre que tenho dificuldade em definir suas diferenças. Vou tentar esconder também que, fundamentalmente, não conheço a história de Tosca e do príncipe, da qual, ao que parece, ele pensa que eu tomei conhecimento por outros meios. Me lembro, no entanto, de que Carlotta disse, durante o primeiro almoço: *La signora herdou a villa de um príncipe Anjou, sob cuja tutela esteve.* Não vou contar ao padre que não fui colocada a par de mais nada, além dessa provocante declaração. Vou ouvi-lo. Minha atenção será recompensada, pois aprenderei que ele viu tudo, sabe tudo e se lembra de tudo. Aprenderei que, se houver alguma lacuna nesse conhecimento, nessa memória, o padre juntará os fios com a destreza de um tecelão flamengo.

* * *

— Ela já possuía, mesmo naquela época, essa esplêndida arrogância; insolente, orgulhosa. Usava o cabelo em tranças grossas e negras, como uma coroa. Ninguém nunca tinha certeza se ela era amaldiçoada ou abençoada, mas certamente havia alguma coisa de feiticeira em Tosca. Leo a reivindicou quando ela estava, creio eu, com 9 anos. Sua beleza já era assombrosa. Eram sobretudo seus olhos, cor de jade claro, molhados, emoldurados por uma pele cor de amêndoas tostadas pelo sol. Olhos verdes tão grandes que pareciam invadir as maçãs salientes de seu rosto. Eu costumava pensar que eram os olhos que uma sereia teria. Os olhos de Tosca eram olhos de sereia. Sim, ela tinha 10, ou talvez ainda 9 anos quando ele a trouxe para viver no palácio. Um costume feudal bastante comum, dos nobres, que sancionava o rapto das filhas dos camponeses, ou de qualquer um, aliás, que vivesse dentro dos limites de uma província aristocrática. Era uma espécie de honra para a família da criança e um degrau promissor para a própria criança. Apesar dos abusos que aconteciam. No mínimo, a criança seria alimentada e vestida. Terá estudo. Abusos, a criança conheceria em qualquer lugar. Você pode perguntar: esse costume era motivado pela bondade? Pela luxúria? Os motivos variavam, misturavam-se. Quem poderia distinguir um do outro? Assim, era bem normal que todo mundo — inclusive eu — acreditasse que o príncipe tinha "requisitado" Tosca. Como se descobriu, foi o pai de Tosca quem a ofereceu ao príncipe. Ele era criador de cavalos. Ladrão de cavalos, de vez em quando, eu acho. De qualquer forma, o príncipe tinha um garanhão que o pai de Tosca queria mais do que queria a filha.

"Na manhã em que o príncipe foi apanhar Tosca — uma operação cuidadosamente combinada com o pai da garota —, ele a colocou na traseira de seu grande Chrysler aberto, ajeitou-a no pequeno espaço atrás de onde ele e eu estávamos sentados. Veja você, eu era o seu motorista. Um jovem padre, nascido na região e recém-ordenado pelos jesuítas em Palermo. Tinham me ensinado a dirigir, para que eu pudesse conduzir meu bispo para lá e para cá, de compromisso em compromisso. Creio que foi mais por minha habilidade ao volante do que por meus dotes espirituais que o príncipe requisitou minha presença no palácio e arranjou para que eu fosse designado para San Rocco, a igreja mais próxima. Como confessor-motorista, uma função me colocava a par dos imperativos da outra. Um uso eficiente do meu tempo. Bem, eu me lembro daquela manhã em que Tosca foi cortesmente sequestrada pelo príncipe. Eu me lembro do modo como ela se sentava naquele pequeno pedaço de couro curtido pelo sol, uma menina briguenta se preparando para a batalha. Quando seu pai se inclinou para beijá-la, com uma afeição falsa, ela o mordeu. Cuspiu nele com a força e a velocidade de um arruaceiro nato. Penso que foi a primeira rebeldia aberta de Tosca. E posso lhe dizer que não foi a última. Talvez ela não quisesse ir com o príncipe, mas com certeza não queria ficar com o pai. Dando um sorriso largo, saboreando a vingança, aquele pai não amado e não amoroso levantou um grande saco ensanguentado, contendo pássaros e coelhos mortos, e o jogou sobre as coxas da garotinha, finas e nuas. As cabeças dos bichos recém-abatidos caíram do saco e foram parar no colo dela, a carne já estava com cheiro de podre. Era um presente para demonstrar gratidão, porque o príncipe o estava livrando do peso de sua primeira filha. A caçada da manhã foi o dote de Tosca. *Foi bom me livrar de você*, ele disse em voz baixa, pensando que só Tosca poderia ouvir. Afinal de contas, ele tinha a outra filha — mais nova e mais obediente, embora não tão bela quanto Tosca. A filha mais nova iria cuidar bem dele. Carregaria e buscaria coisas, limparia os currais. E provavelmente ficaria em casa, sossegada, durante a noite. É claro que se a mãe de Tosca estivesse viva... mas essa é outra história."

O padre, então, se calou. Analisando, talvez, "a outra história". Como as coisas poderiam ter sido se a mãe de Tosca não tivesse morrido.

— Eu já contei essa história antes, mas foi há muito tempo. Nem tenho certeza se foi só para mim mesmo que a contei. Quer que eu prossiga? — pergunta ele, me olhando como se eu tivesse acabado de chegar.

Foi ele quem me pediu para vir aqui; foi ele quem começou, espontaneamente, a falar sobre o passado. Entretanto, sou eu que me sinto como uma intrusa — como tem acontecido quase sempre aqui na villa. Mas a verdade é que eu quero que ele continue.

— Só se o senhor quiser — digo eu.

Ele fecha os olhos.

— Quando nós chegamos, o príncipe livrou a garotinha do saco ensanguentado em seu colo, ele não tinha visto o pai dela colocá-lo lá, e o jogou no chão. Levantou Tosca do assento, limpou seu vestido com seu lenço e, como se ela fosse uma dama que ele estivesse cortejando, mostrou a ela os jardins do palácio. Ah, aqueles jardins! Uma maravilhosa comoção de rosas, lilases, glicínias e camélias, tão entrelaçadas que pareciam todas terem a mesma raiz, era um jardim onde deusas de bronze cuspiam água dos mamilos de seus altos e orgulhosos seios, onde os ramos superiores dos carvalhos eram abanados pelas copas das velhas palmeiras. Nesse lugar, Tosca seria educada por uma governanta francesa, junto com as filhas do príncipe. Nesse lugar, Tosca, com seus claros olhos verdes e pele sarracena, seria domada e moldada. Refinada. Mas muito tempo se passaria antes que a influência do príncipe a dominasse.

"Dias após sua chegada ao palácio, Tosca escalou o muro do arvoredo de limões e pegou um cavalo do estábulo, uma égua domada havia pouco tempo, que nunca tinha sido montada, pelo menos foi isso que os cavalariços contaram depois. Ela montou a égua sem sela. Estava determinada a ir até a casa do pai para pegar suas cabras. E também, como se descobriu, para presentear a irmã caçula com as novas botas pretas, de botões, e o avental de seda branca, agora rasgado e cheirando a suor de cavalo, com o qual tinha sido vestida naquela manhã por uma criada chamada Ágata. Apesar de saber que esses tesouros inimagináveis ficariam muito grandes na irmã, Tosca queria que ela ficasse com eles. Amuletos para o futuro, eu acho. E provas de amor, talvez, embora Mafalda já tivesse tido, com certeza, fartos sinais desse amor.

"Descalça e enrolada no vestido que sua falecida mãe usava em casa, Tosca, obedientemente, cavalgou de volta para o palácio. Suas cabras, que Mafalda detestava e das quais tinha medo, vieram com ela, amarradas em cordas que ela segurava com firmeza. Tosca sabia que teria que ficar no palácio, pelo menos por algum tempo. Até que pudesse engendrar outro plano. Aliás, o palácio era bem suprido de coisas a serem pilhadas e levadas para Mafalda. Isso era motivo suficiente para que Tosca ficasse. Ela alimentou e deu água para a égua, e fechou a porta da estrebaria. Amarrou suas cabras, por alguns momentos, nos tornozelos de uma das deusas que cuspiam água pelos seios, limpou o rosto com flores de magnólia caídas, um segredo de beleza que aprendera havia muito tempo com a mãe, e se apresentou na varanda a tempo de participar do almoço."

Eu não precisava ter me preocupado com minha intromissão, já que o padre parece ter contado a história para si mesmo, uma vez mais.

— Tudo isso me soa familiar, de alguma forma — digo eu. — É Lampedusa, com mais *ternura*.

— Familiar? Espero que seja familiar. É a história humana, que se repete infinitamente, provando que o passado não está morto. O passado usa roupas diferentes. Às vezes. Especialmente na Sicília. Sempre há um príncipe e um palácio. Há sempre um padre. E há sempre uma garota. Os protagonistas são eternos. Em cada performance, os personagens atuam como se fossem os primeiros a representarem aquilo. Como se eles não soubessem como a peça vai terminar. Sim, sombras de Lampedusa. Foi ele quem disse que todos os amantes representam os papéis de Romeu e Julieta, embora os fatos do envenenamento e do túmulo tenham sido escondidos deles. Ele nos lembra do poder do desejo sobre o sofrimento que ele pode causar. Sim, Lampedusa. Entre outros.

Ele olha para mim e diz:

— O tempo foi generoso com Tosca. O rosto dela ainda está quase como era no dia em que eu dirigi o carro do príncipe para apanhá-la na casa do pai, salvo que ela agora é mais adorável, mais amedrontadora. Mais adorável e mais amedrontadora do que quando tinha 18 anos e do que estava na noite em que eu lhe dei o casaco de montaria do príncipe.

— Quando foi isso? Quando foi que você levou a ela o casaco de montaria do príncipe?

Ele se levanta cuidadosamente, como se estivesse sentindo alguma dor, firma as mãos na mesa. Diz:

— Foi há muito tempo e em outra vida. Talvez em um sonho.

Penso que Christopher Plummer está, há muito tempo, apaixonado por Tosca.

No intuito de segurá-lo, eu digo:

— *Lei è una creatura affascinante.* — Ela é uma criatura fascinante. Você também a amou?

Olho para minhas mãos, as últimas palavras escaparam em um sussurro.

— Algumas vezes, um amor "não vivido" pode ser o melhor tipo de amor. Basta a gente colocar um rosto no amor para ser feliz com ele. O que provoca a loucura é não saber quem é seu amor, ou onde encontrar a mulher amada. Sendo o melhor amigo dela, seu confidente e protetor desde que ela tinha 10 anos, digo a você que sim, à minha moda eu estava apaixonado por Tosca. E posso dizer que ainda estou.

CAPÍTULO VI

Eu não me lembro se foi na tarde do dia em que Cósimo me contou sua história, ou na tarde seguinte, que decidi aceitar o convite de Tosca para observar os afrescos na luz cambiante. Sei que foi numa sexta-feira, e que Fernando e eu tínhamos combinado de partir na manhã seguinte.

Quando entro no salão de refeições, às seis da tarde, ela está lá, sentada ao lado de uma lareira apagada, com um livro aberto no colo. Cumprimentamo-nos, ela retoma a leitura e, sem falar mais nada, começo meu passeio. Perambulo pelo vasto salão, com a cabeça inclinada para trás, maravilhando-me com a beleza dos afrescos sob uma luz mais suave. Permaneço assim por vinte minutos, talvez, durante os quais não dizemos nada. Eu gostaria de lhe perguntar sobre os artistas, sobre as épocas dos trabalhos. Sobre as próprias alegorias. Perguntar por que há tantos espaços em branco nos afrescos. Permaneço em silêncio, porém, sentindo que ela é uma professora relutante. Perdida em uma última contemplação, de costas viradas para Tosca, ouço uma voz italiana, falando um inglês hesitante, que pergunta:

— Você bebe gim? Tenho uma boa genebra, se você quiser que eu lhe prepare um drinque. Está na hora, não? Quero dizer, para vocês, ingleses.

Perplexa, fico parada, ainda de costas para Tosca. E para a voz. Não pode ser ela quem está falando. No entanto, viro-me e compreendo que *é* ela. Começo a rir.

— Por que não me disse que sabia falar inglês?

— Por que deveria ter feito isso? — pergunta ela com fingida afetação. — Também falo francês e leio em grego. Além disso, eu danço, canto e toco piano. Qualquer dia lhe falo sobre alguma dessas proezas. Eu não senti, nem sinto agora, nenhuma necessidade de confortá-la ou impressioná-la com o som de sua própria língua. Nós *estamos* na Sicília, afinal. Eu apenas queria um gim-tônica e achei que você também poderia querer. O fato de eu lhe ter oferecido a bebida em sua própria língua foi totalmente involuntário. Um impulso.

Ela fala inglês maravilhosamente. Um contralto siciliano cantando o papel de uma matrona de Berkshire, penso eu.

— Você já morou na Inglaterra?

— Não. Nunca. Nunca pus os pés fora da ilha, nem uma vez na vida.

Ela diz isso sem orgulho nem arrependimento, e não me dá tempo de responder. Mas acho curioso que responda muito mais do que perguntei. Ela continua:

— Eu estudei inglês e francês quando era jovem e, desde então, tenho lido e relido os escritores ingleses do século XIX, durante a maior parte da minha vida. Eu não gosto das traduções.

— Entendo. Na verdade, eu não sou inglesa, mas americana, e prefiro vodca.

— Eu também tenho vodca.

Ela se levanta, caminha com seu andar viril até um canto distante do *salone* e para diante de um armário estreito, de madeira áspera, pintado de verde, claro e amarelado como o miolo do aipo. Abre a porta e revela um bar — espelhado, forrado de veludo azul, bem escuro — que poderia rivalizar com o bar de qualquer pequeno hotel de boa qualidade em Manhattan, Viena ou Roma. De um pequeno refrigerador esmaltado, retira uma garrafa com o rótulo escrito em russo e, generosamente, despeja o conteúdo em uma taça de cristal. Oferece-a para mim.

— Não tenho gelo — diz ela, sem se desculpar.

— Eu não gosto de gelo — respondo-lhe em tom gelado. O desdém refinado de Tosca tem alguma coisa de zombaria esta noite. Um desdém elegante que provoca o meu. Ela se ocupa com seu gim-tônica, enquanto eu fico parada atrás dela. Ela se volta para mim e ergue a taça.

— À sua saúde, *signora* — ela diz. Mais uma vez, as boas maneiras simuladas.

— *Alla vostra salute, signora* — desejo a ela. Um cubo de gelo a menos na minha voz.

Permanecemos de pé, olhando uma para a outra, avaliando-nos uma à outra. Seguro a vontade de rir. De mim mesma e dela. De nós, em pé no *salone grande* de uma gloriosa villa, construída nas montanhas desoladas do centro de uma ilha, onde apenas o passado parece estar presente. Usando um vestido de seda justo, uma esmeralda no pescoço, ela beberica, seus longos dedos morenos enlaçando o pé da taça de cristal bacará. Penso que ela, também, está com vontade de rir. De mim, de meus jeans, de minha camiseta não lavada há três dias, de minha grande cabeleira novamente à solta. Ela retorna à cadeira e faz um gesto para que eu me sente à sua frente.

— Eu realmente gosto de falar inglês. Não faço isso há anos. Temo que o que me reste sejam frases de Dickens ou das Brontë, que, agora, consigo papaguear. Não sei se vou conseguir encontrar palavras para sustentar uma conversa espontânea com você, mas gostaria de tentar.

— Mas acho que vamos embora amanhã, ou depois de amanhã...

Ela interrompe de forma rápida e resoluta o que não quer escutar.

— Sim, claro, você tem razão. Mal começamos e vocês já vão embora.

Como uma prova adicional de suas predileções anglo-saxônicas — ou apenas para prolongar o momento — ela diz:

— Há uma edição da revista do *New York Times* na gaveta de cima daquele console. Talvez você queira dar uma olhada.

— Obrigada. Vou levá-la comigo para o quarto, se você não tiver objeções — digo a ela, e vou procurar o jornal no móvel alto, em estilo imperial francês, indicado por ela.

— Ah, aqui está. Ótimo — digo eu, mas reparo no papel, que está desbotado e amarrotado. Olho a data. Janeiro de 1969. Então, de fato, dou uma risada.

— Mas *signora*, isso é uma peça de museu.

Retornando ao italiano, ela diz:

— De modo algum. O que você acha que mudou por aí em 25 anos? Na época, alguém deixou o jornal para trás, e eu o achei muito bem escrito. Creio que expõe as coisas de forma agradável ao abordar os assuntos do dia, que são, é claro, os mesmos assuntos de hoje. Pense nisso. Embora o cenário e as motivações tenham mudado, ainda existe guerra, não? Ainda existe cobiça, ódio, violência e medo. Pobreza e honradez ainda prosperam. Assim como revoluções, arrogância e mentiras. Sempre há perversões e sofrimentos, é claro. O que eu admirei particularmente nesse jornal foram os toques perspicazes de compaixão e pungência espalhados em meio à miséria e à depravação. As Boas Notícias. Então, quando eu quero me informar sobre os acontecimentos além destas montanhas, leio a revista do *New York Times*. A cada dois ou três anos, eu a releio, apenas para me certificar de que não perdi nada. O pessoal às vezes me vê remexendo nesse console, onde eu também guardo um aparelho de tevê Sony. Preto-e-branco, com sua própria antena e uma tela de 22 centímentros, onde, quando me sinto nostálgica, posso assistir ao jornal da noite, transmitido de Roma ou Milão. Como poderia assistir a um filme antigo. Mas, ao contrário de um filme antigo, o noticiário faz com que eu me sinta vazia, irritada. Tenho que dizer a mim mesma, novamente, que a gente só precisa assistir ao noticiário uma vez na vida para conhecer a história crônica do homem. Para saber como o mundo é injusto. Como o *tornaram* injusto. Eu não me escondo da injustiça. Nem a renego. Mas a injustiça ainda vai ter que encontrar o caminho para chegar aqui em cima. E eu faço o melhor que posso para confundir sua rota.

Ainda de pé, com a revista nas mãos, digo:

— Aprecio muito sua intenção, *signora*.

Volto para o "móvel da mídia", abro a gaveta do arquivo e, gentilmente, recoloco a revista no lugar; então retorno à minha cadeira, em frente à dela.

Compreendo que seu instrumento é o sarcasmo e sua mensagem é visceral. O passado é o presente. A condição humana persiste. Uma releitura venenosa da mesma máxima de Cósimo. Talvez eu prefira a dele. Não dizemos nada. Eu a olho, me perguntando por que resisto a ela. A autenticidade dela. A sabedoria. Sinto me repelida por ela. Sinto-me encantada com ela. Há tanta tristeza pouco abaixo de sua pele. Como muitos de nós, ela talvez seja avarenta com sua tristeza. O desdém e a zombaria são os muros que construiu para protegê-la.

Ainda estamos em silêncio quando três viúvas entram na sala para arrumar as mesas do jantar. Distraída, talvez constrangida pela presença delas, Tosca começa a brincar com a taça, ajeita sua perfeita coroa de tranças. Sorri espasmodicamente. Me levanto, coloco meu drinque, ainda inacabado, em uma pequena mesa e lhe agradeço. Digo-lhe que tenho trabalho a fazer antes do jantar.

Como se não tivesse me ouvido, ela pergunta, agora revertendo ao inglês:

— Você trouxe outras roupas? Alguma coisa elegante, quero dizer.

— Um bom vestido. Tule cinza — digo-lhe, curiosa em saber por que ela estaria interessada em meu guarda-roupa.

Como se "bom tule cinza", para ela, não significasse elegância, ela diz:

— Talvez eu tenha alguma coisa que Ágata possa ajeitar para você. De fato, acho que tenho. Às vezes temos convidados de fora para cear e todos nós nos vestimos a caráter.

— Como eu disse, creio que amanhã nós vamos embora...

Mais uma vez, ela não escuta o que não quer escutar.

— Não é sempre que temos alguém novo para apresentar, como você sabe. *Ágata, vieni qua, tesoro.*

Ágata chega, andando em passinhos rápidos, parando apenas o suficiente para receber a ordem de examinar o que está nos baús do velho quarto de vestir. E para me levar com ela.

Baús? Quarto de vestir? Sigo Ágata por três lances da larga e gasta escadaria de pedra. No topo, seguimos por um corredor com cheiro de mofo até um quarto totalmente mobiliado com armários, cômodas e baús, complementados, aqui e ali, com ratoeiras, algumas já acionadas, outras ainda com a isca. O cheiro de mofo é disfarçado pelo perfume de roedores em decomposição. Os bastidores de um teatro decrépito. Ágata se inclina e remexe em um grande baú. Vejo somente seu traseiro avantajado, guarnecido de seda negra, e ouço seus murmúrios e suas súplicas à Madona. Segurando uma espécie de vestido ou robe, de uma cor que talvez seja marrom-prateada, ela declara que a indumentária é *quella giusta*. A coisa certa.

— *Spogliati*. — Tire a roupa, diz ela.

Alguns momentos mais tarde, estou usando o que, antes da guerra, poderia ter sido um gracioso vestido. Ágata me faz rodopiar. O corpete está muito justo e a saia é muito comprida, mas Ágata dá início a uma implacável marcação, com alfinetes, ajeitando a bainha aqui e ali, dizendo-me para segurá-la exatamente como a coloca em minhas mãos. Dá um passo atrás para apreciar o efeito.

— *Non è male* — diz ela. — *Potrebbe essere molto carino.* — Nada mal. Pode ficar muito bonito.

O velho e elegante vestido foi tão abruptamente perturbado, após seu longo repouso, que, quando o largo, aparecem dois grandes buracos denteados nos lugares onde minhas mãos o tinham segurado. Dessa vez, Ágata reza para Santa Rosália.

— *Toglilo adesso e dammelo.* — Agora tire e me dê o vestido, é a ordem seguinte.

Ainda fechando o zíper da minha calça jeans e ajeitando o cabelo, corro para alcançar Ágata, que leva a peça marrom-prateada embaixo do braço; mas ela desaparece em algum corredor. Quando volto ao salão de refeições, Tosca não está mais lá entre as viúvas que preparam as mesas.

Mais tarde, enquanto nos vestimos para o jantar, conto a Fernando sobre minha visita para observar os afrescos e sobre os pensamentos de Tosca a respeito dos acontecimentos mundiais. Digo a ele que ela falou comigo em inglês.

— Depois de tantos dias, quanto tempo já faz... quase duas semanas que nós estamos aqui? O que você acha de Tosca? Qual será sua impressão quando for embora amanhã? — quero saber.

Estou enrolando as finas tiras de camurça das minhas novas sandálias pretas em volta dos tornozelos e panturrilhas. Também tirei da mala o vestido de tule cinza, que estava dobrado na bagagem desde Veneza. Um xale. A pergunta de Tosca sobre minhas roupas me inspirou.

— Em primeiro lugar, não acho que vamos embora amanhã, afinal de contas. Quando eu quis acertar nossas contas, poucos momentos atrás, ela me lembrou de que *ferragosto* não é uma época prudente para estarmos na estrada. Ela tem razão, é claro. Em qualquer direção que a gente vá, vamos estar no meio de hordas de veranistas ferozes. Ela diz que, dentro de poucos dias, talvez uma semana, as estradas estarão vazias. Até o tempo vai refrescar, segundo ela.

Mancando em uma sandália, vou até o banheiro e me sento na beira da banheira, atrás de onde ele está se barbeando.

— Então ela convenceu você facilmente a ficar por *mais uma semana*? Bastou uma informação sobre o trânsito e uma previsão do tempo? Você é mesmo uma presa fácil.

— Nem tanto. Ela nem tentou me *convencer* de nada. Só apresentou umas informações adicionais que me fizeram mudar de ideia. E por que você está tão arrumada esta noite?

— Tosca. Ela queria saber se eu tinha trazido roupas elegantes. Eu pensei em mostrar minha coleção.

— *Então ela convenceu você facilmente* — ele imita.

No dia seguinte e no próximo, não vejo Tosca, salvo em giros que dou pela villa e pelos jardins, ou em alguns vislumbres no almoço e no jantar. Ela nunca menciona o estado do vestido marrom-prateado, ou se e quando os convidados de fora aparecerão para cear. Permaneço um tanto curiosa a respeito de ambos os assuntos.

Certa noite, ao entrarmos no salão de refeições, Ágata se apressa em nos tirar de nossos lugares habituais, nos levando para perto de Tosca e Cósimo. Quase ao mesmo tempo, Tosca começa a falar comigo em inglês.

— Você teve um dia agradável? Amanhã vai estar um pouco mais fresco.

Ensaia algumas gentilezas. Pergunta-me se a forma gramatical está correta. Cósimo atrai a atenção de Fernando e fico entregue a ela.

— Eu gostaria de lhe contar uma história, Chou — diz ela. — Ah, não quero dizer agora, é claro. Mas brevemente. É uma longa história, veja bem. Não vou conseguir contar tudo de uma vez para você. Vai levar alguns dias. Uma semana. Não sei. Mas é uma boa história, eu acho. Eu nunca tentei contá-la do começo ao fim, mas quero contá-la a você e quero contá-la em inglês. Acho que, contando em uma língua diferente da minha, vou me sentir como se realmente não a tivesse contado. Isso faz sentido para você?

Ela sabe que faz.

— Sei que Cósimo tem lhe contado histórias no jardim todos os dias e... — Ela sorri. Joga as mãos para o alto em um gesto de incerteza. — Talvez seja só um desejo de falar inglês enquanto ainda tenho oportunidade. Não, não é isso. Não é só isso. Acho que é porque você é uma pessoa de fora. Sim, eu quero testar minha história com alguém de outro lugar. Quero contá-la para você, *deixá-la* com você, eu acho, sabendo que você vai embora. Sabendo que seu retorno aqui é *improvável* e, como meu meio de transporte preferido é o cavalo, a chance de que algum dia nós nos encontremos de novo, no seu território, é igualmente *improvável.*

No espaço ao lado de seu prato, Tosca enrola o guardanapo em um cilindro apertado, depois o desenrola e o alisa em cima da mesa. Repete a operação diversas vezes e, então, começa a enrolá-lo a partir de um canto, juntando as outras extremidades e dobrando-as em direção ao centro, formando uma espécie de bolsa. Um bolso. Um lugar para guardar sua história? Olho para ela e entendo por que, alguns dias antes, ela dissuadiu Fernando de sua resolução de partir. Hordas de turistas e trânsito à parte, era Tosca quem não estava preparada para nossa partida. Lembro-me da avaliação anterior que Fernando fez sobre a vida na villa. *Estou com uma terrível sensação de que todo mundo era outra pessoa antes de chegar aqui. Você sabe, como na ilha onde todos os meninos maus são transformados em jumentos.*

Por que Tosca quer que fiquemos? Será, realmente, porque quer contar sua história? Se for por isso, por que contá-la para mim? Ah, eu ouvi suas razões: sou alguém de fora, ela não me verá novamente, a história será contada, mas permanecerá como se nunca tivesse sido contada. Entretanto... Talvez seu desejo desapareça, como o velho tafetá do vestido marrom-prateado. Mas talvez não.

Na tarde seguinte, é Tosca, em vez de Cósimo, quem está me esperando na mesa sob a magnólia.

PARTE II

A história de Tosca

CAPÍTULO I

— *Se stai aspettando un racconto di uma cenerentola siciliana...* — Se você está esperando uma história de uma Cinderela siciliana...

— Eu não estou esperando qualquer tipo de história — respondo, ainda de pé, sem saber ao certo se quero ficar. — Geralmente, eu me sento com Cósimo, a essa hora. Para ler ou conversar.

Sentada em sua cadeira de espaldar alto, com almofada de veludo, ela arrasta uma cadeira não tão nobre, que coloca ao lado da sua, fazendo sinal para que eu me sente. Faço isso. Um assento. De um pequeno jarro, ela derrama um turvo fluxo de leite de amêndoas em um copo alto e estreito, adiciona água de outro jarro, tira a tampa do que parece ser um vidro de remédio com um dosador e mistura algumas gotas de néroli na mistura esbranquiçada. Essência de flor de laranjeira. Ela mexe a bebida com uma longa colher de prata, em movimentos ferozes, e remove a colher, deixando-a sobre a mesa com a concavidade para baixo. Seus movimentos parecem litúrgicos, como os de uma alta sacerdotisa em uma importante cerimônia. Ela coloca o copo à minha frente.

— O elixir da Sicília. Amargo. Doce — me diz. Me avisa.

Passo o dedo pela borda do copo. Sorrio para Tosca.

— É como você, então. Você também é o elixir da Sicília. Amargo. Doce.

Ela começa a rir e, penso eu, a corar, embora possa ser apenas uma réstia de luz que se filtra por entre as folhas e ruboriza sua pele.

— Eu sabia que você era a pessoa certa. Quero dizer, estou feliz por você estar aqui. Feliz porque você veio parar aqui. Exatamente aqui.

Dou um golinho na bebida. Gosto e bebo de novo, sentindo-a acariciar o nó em meu peito. Um aperto que, até agora, eu não sabia que estava lá; ou é a sensação a que me acostumei durante essas últimas semanas? Há mais tempo do que isso. Viro-me para Tosca, como se fosse ela quem tivesse a resposta, mas ela está ocupada, despejando e remexendo a poção em seu próprio copo. Bebe quase metade do copo em um gole longo. Então, como se estivesse indo embora, se levanta, anda um ou dois metros até outra mesa — de metal enferrujado — sobre a qual potinhos de ervas estão desordenadamente empilhados; apanha deles aqui e ali algumas folhas murchas, segurando as coisas ressecadas e amarronzadas com uma das mãos e as purgando com a outra.

— Simplesmente, nunca funciona — ela diz, sem que eu saiba se para mim ou para si mesma. — Quero dizer, tentar domesticar ervas selvagens.

Com certeza ela não está falando apenas das manjeronas ressequidas. Andando de volta para a mesa, onde ainda permaneço, ela se afunda na almofada vermelha de sua cadeira, como um navio naufragando, o naufrágio de si mesma, penso eu, e esmaga as folhas mortas com a mão, conservando o pó que se formou em sua palma, que me estende para cheirar. Faço a vontade dela, mas só sinto seu próprio perfume.

Tosca começa:

— Tive duas infâncias. A primeira foi passada com minha família. Minha mãe, meu pai e minha irmã. Minha mãe chamava minha irmã de *la-piccola-Mafalda*, A Pequena Mafalda — como uma só palavra —, desde o momento em que ela nasceu. Eu também a chamo assim, desde então. Quando minha mãe morreu, minha irmã e eu cuidamos de meu pai, da maneira que foi possível às idades de 5 e 8 anos. Meu pai nunca foi muito bom em cuidar de quem quer que seja, com exceção de seus cavalos. Com exceção dele mesmo. Mas eu era boa nisso, a Pequena Mafalda era boa nisso e, juntas, éramos ótimas. O que era bom o bastante. Em nosso vilarejo, você está bem se comer pelo menos uma vez por dia e dormir com menos de seis pessoas em uma cama quebrada, sem ninguém espancar ou violentar você. Foi somente com a perspectiva oferecida pela segunda infância que comecei a entender como eu era pobre e como minha família era pobre. Essa perspectiva não surgiu com espaços maiores, prataria, brocados ou leitos de plumas. Surgiu com a alimentação.

"Eu nunca tinha entendido como sempre vivera faminta até que me sentei à mesa do príncipe e comi, comi, até ficar cheia. Ah, isso não aconteceu no primeiro dia e talvez nem na primeira semana. Mas vou chegar lá.

"Acho que é verdade que, no dia em que o príncipe veio me buscar na casa de meu pai, eu me comportei como uma selvagem de 9 anos. Sei que Cósimo lhe disse isso. Eu estava usando a fúria e a irritação para esconder o medo. Medo de um novo diabo. Meu pai era o diabo conhecido, mas quem era esse diabo sorridente, de cabelos amarelos, que falava com voz tão suave? E então apareceram sua esposa e suas filhas, outros tipos de diabos. Sua esposa. A princesa Simona. Nem bondosa nem cruel, nem linda nem feia, ela era uma presença errática que me interessava muito menos do que as jovens princesas, Yolande e Charlotte. Elas, também, eram diferentes de qualquer pessoa que eu tivesse conhecido ou visto. Tinham nomes que eu nunca ouvira. Usavam meias brancas bordadas com borboletas, sapatos de couro branco amarrados com tiras de cetim e, embora tivessem 7 e 8 anos, enquanto eu acabara de completar 9, pareciam muito mais velhas, ao se deslocarem rapidamente por aquele lugar enorme, parecendo saber aonde iam, fazendo mesuras para aquele diabo alto, de cabelos amarelos e voz suave, que era o pai delas. Era como se aquela família tivesse vindo de outro canto da terra, em vez de duas colinas além, depois de uns poucos quilômetros por uma estrada estreita de terra branca. Sim, eis como eu me sentia. Como se eles tivessem vindo de outro canto do planeta. Éramos vizinhos geográficos, do modo como os sicilianos são vizinhos, ainda assim uma de suas menores salas de estar era maior do que a igreja que eu frequentara; e a casa onde eu vivera ficaria perdida no espaço de sua despensa. E havia tanta gente. Não apenas a mãe, o pai e as filhas, mas primos, tias, uma governanta que falava de forma ainda mais estranha do que a família, um professor de música, um professor de latim, um professor de arte. Um padre. Outros de quem não consigo me lembrar agora. Por toda parte, havia criados. E convidados chegando e partindo, era como se vivêssemos no teatro de marionetes que eu vira uma vez no mercado, em Enna. As constantes entradas e saídas de pessoas esplendidamente vestidas, recitando suas falas com tanta perfeição. Eu observava. Observava todos e, pouco a pouco, a selvagem criança de olhos verdes, sem mãe, vinda da fazenda de cavalos, ficou mais calma. Calma o suficiente para ficar curiosa. E calma o suficiente para participar do espetáculo.

"Com sinos, gongos e Ave-Marias para assinalar as horas, o regime na casa era rigoroso, coercitivo. Nós, as três garotas, éramos acordadas, lavadas, penteadas com tranças nos cabelos e vestidas por uma criada de 13 anos chamada Ágata. A nossa Ágata. Sim, era ela. A mesma. Você vai saber mais sobre Ágata.

"Os moradores da casa se reuniam na capela às 7h45, para as orações e bênçãos, e tomavam o café da manhã às oito, em uma das menores salas de refeições. Andávamos pelo jardim até as nove, quando as lições começavam na sala de aula. À uma hora da tarde, moradores e convidados se reuniam em outra das menores salas de refeição para o almoço — uma procissão de terrinas, travessas e bandejas carregadas por criados, em meio ao abafado tilintar que fazem os cristais se entrechocando nos infindáveis desejos de *salute, salute*. Sem se arriscar a atrair a má sorte trazida por braços que se entrecruzam, cada um andava ao redor da mesa até que ele, ou ela, ficava certo de ter tocado os copos de todos pelo menos uma vez. Duas vezes era melhor. Apenas o diabo de cabelos amarelos permanecia em seu lugar, imóvel, enquanto todos iam até ele. Até a princesa Simona parecia *allegra* ao se movimentar ao redor da mesa, desejando saúde, algumas vezes dando alguns tapinhas quase afetuosos em um rosto ou um braço. Eu não lembro se ela tocou em meu rosto naquela época. Lembro-me, porém, de um vestido cinzento que ela tinha, com contas brilhantes bordadas na parte superior, de como seus cabelos curtos eram frisados em ondas, de como suas bochechas ficavam vermelhas e de como ela ficava quase bonita nessa hora do dia.

"Havia um *riposo* obrigatório até as quatro e meia, quando o chá era servido no jardim ou, no inverno, na sala de aulas. Embora as aulas recomeçassem às cinco, nós, garotas, em algumas tardes, éramos autorizadas a fechar nossos livros e costurar ao pé do fogo até as sete, quando Ágata vinha nos buscar para ajudar em nossa troca de roupas para o jantar. *Aperitivi* eram servidos na sala onde tínhamos tomado o café da manhã. Então caminhávamos pelos longos e escuros corredores — às vezes em um grupo de mais de vinte pessoas —, até o salão de jantar.

"Comparado com a comilança que era o almoço, o jantar parecia bastante frugal — sopa, queijo, frutas cristalizadas, biscoitos. Vinho. Um silêncio soturno e geral prevalecia. Um dia inteiro de mágoas acumuladas, levadas até a mesa forrada de seda, e servidas como se fossem leite azedo. Simona talvez tivesse discutido com a governanta, ou a governanta com o professor de arte; com certeza havia dramas entre eles, não muito perceptíveis para mim. Mas pareciam ser sempre representados à noite. Eu me sentava lá, em meu vestido branco, minhas tranças enroladas tão firmemente sobre as orelhas que minha cabeça doía. E pensava em como o ato de jantar, no palácio, era parecido com o que fora em minha casa. Sempre preocupada em saber se meu pai estava zangado ou não, ou se era eu a causadora da raiva. O pior era decidir se era eu quem deveria fazer sua raiva passar. Entretanto aqui, em meio a esse elenco refinado, o jogo de *mea culpa*, tua culpa, era representado de modo muito mais furtivo. Como eu ansiava por estar sozinha com a Pequena Mafalda no catre que era nossa cama. Como custa caro esse fino vestido branco. Essa ceia."

— Eu tinha um quarto na ala das crianças, dois quartos na verdade; o mobiliário, as paredes, tudo era branco e amarelo-claro. Até os pisos eram amarelo e branco, grandes quadrados de mármore dispostos em um padrão que me deixava tonta. Tinha um banheiro próprio, com uma banheira grande o suficiente para nadar, ou assim parecia, pois eu nada sabia a respeito de natação. Também não sabia muita coisa a respeito de banhos. Nunca tomara banho em uma banheira, exceto quando minha mãe jogava a Pequena Mafalda e eu numa tina de lavar roupas no jardim, quando a água não estava suja demais. Eu sentia saudades da Pequena Mafalda.

"Havia uma alcova atrás do meu leito, onde Ágata dormia. Eu falava com ela sobre minha irmã. Isso ajudava, mas o que mais ajudava era quando eu dava uma fugida até minha casa, muitas vezes a cavalo. Tenho certeza de que Cósimo lhe contou sobre minhas escapadas, pois acredito que elas sejam uma de suas recordações favoritas a meu respeito. Minhas escapadas e meus furtos. As duas coisas estavam ligadas, é claro. Ligadas à fome, assim como quase todos os crimes, a meu ver, estão ligados à fome. Um tipo ou outro tipo de fome.

"Sempre que me sentava à mesa com os moradores da casa, eu só conseguia pensar em minha irmã. O que ela estaria comendo no almoço? Será que estava comendo alguma coisa? Será que meu pai se lembrara de deixar dinheiro para que ela fosse às compras? As preocupações a respeito dela me torturavam. De tempos em tempos, eu esperava até que Ágata e o restante dos moradores estivessem dormindo, esgueirava-me do quarto, descia lentamente as escadas e atravessava o que me pareciam salões e corredores imensos, passando por uma porta e outra, uma passagem e outra. Livre. O intervalo úmido e frio do jardim. Empurre o grande portão rangente e não olhe para trás. Agora corra. Mais depressa. Carregando um saco ou sacola, alguma coisa boa para minha irmã. Eu me sentia bem em correr, suar, sentir o saco batendo em minhas pernas. Mais devagar, então, quando alcançava a estrada. Marchando pela estrada branca, cruzando as colinas, de volta para casa.

"Sem anunciar meu retorno, como se nada de extraordinário tivesse acontecido, eu simplesmente retomava os afazeres; olhava o armário e as cestas, verificando o que havia para cozinhar, e punha mãos à obra. A Pequena Mafalda dançava em volta de mim, me beijando, levantando os braços para me abraçar pela cintura e me apertando com toda a sua força de menininha. Eu começava a chorar, ela também, e então chorávamos e ríamos ao mesmo tempo. Meu pai entrava e, sem uma palavra dele ou minha, jogava-me no piso de sua caminhonete. Enquanto Mafalda, na porta de casa, batia os pés e gritava com todas as forças para que ele me deixasse ficar, ele dirigia estouvadamente pelas colinas. De volta à estrada branca. De volta ao palácio.

"Depois desses episódios, eu sabia que meu pai, tendo que punir alguém, seria ainda menos tolerante com minha irmã. Fiquei sabendo que, às vezes, à noite, ele comia o que houvesse e não dava nada a ela. Não creio que ele jamais tenha imaginado que a primeira coisa que Mafalda e eu fazíamos naqueles dias, quando eu voltava para casa, era esconder os alimentos que eu furtara do palácio. Ou será que ele pensou nisso? E, se sim, seria por isso que ele comia o repolho e o pão sem nunca separar um pedaço para ela? Sabia ele que, sentada em sua pequena enxerga, ela mastigava ao mesmo tempo que fungava?

"Depois de ser devolvida ao palácio, desesperada como só uma criança pode ficar, eu ia para a cama. Tremia, a raiva dentro de meu peito me sufocava, até que ouvia a voz de Ágata, como se viesse de um lugar distante. Até que sentia suas mãos acariciando meus cabelos molhados e embaraçados. Ela tirava minhas roupas, enchia a grande banheira com água sempre bem quente, escaldava-me, esfregava-me até que eu ficava vermelha e esfolada, e me vestia uma camisola. Depois, punha-me para dormir.

"O dia seguinte não me trazia arrependimento. A verdade é que eu adorava roubar aquela comida para levá-la à minha irmã. Não sei se sentiria metade desse bem-estar se a pilhagem fosse para mim mesma; mas furtar para Mafalda era emocionante. Eu imaginava a luz que iluminaria seus olhos grandes e tristes, e continuava a fazer planos e a roubar. Roubava mais. Sempre mais. Ah, conseguir alimento não dava muito trabalho. Ágata logo entendeu o que e por que eu estava fazendo e começou a me ajudar, com o auxílio de outra criada. Em uma caixa de madeira, na despensa, juntavam queijo, linguiças e frutas secas. Até mesmo dois dos cozinheiros se tornaram conspiradores. Qualquer torta, bolo ou biscoitos que assavam, preparavam também uma versão "tamanho Mafalda", embrulhada em um pano limpo, que colocavam na caixa de madeira. Enquanto eu começara a separar parte do meu pão nas refeições, suplementando-o com os escassos produtos que furtava dos armários — um punhado de arroz embrulhado em um lenço, duas batatas, coisas assim —, não tardou para que o suprimento de uma ou duas semanas excedesse a quantidade que eu conseguia carregar. Outros cúmplices vieram em meu socorro.

"Os cozinheiros e Ágata convenceram o cavalariço a me deixar usar um dos cavalos. O cavalariço — esguio corpo de jóquei sob um rosto moreno e envelhecido — ficava me esperando no lado oeste, o lado oculto da estrebaria, segurando as rédeas de uma ou outra beleza. Selada e pronta. Eu me tornara uma espécie de heroína, desde o dia, logo no início de minha vida no palácio, em que roubara uma égua mal domada e a cavalgara sem sela atá a casa de meu pai. Rindo e me olhando com uma expressão beatífica, o cavalariço me ajudava a prender os mantimentos, ajeitava-me na sela, como uma pequena rainha guerreira, dava um bom tapa no traseiro do cavalo e gritava sua bênção para a jornada. Eu saía trotando pela estrada branca.

"E assim meu plano para fugir, para escapar do diabo de cabelos amarelos e seus figos cristalizados, suas Ave-Marias, sua esposa com as contas no vestido, suas filhas com borboletas nas meias, o plano para escapar do palácio e voltar a viver com a Pequena Mafalda se alterou. Como eu ainda não conseguiria fugir do palácio de forma definitiva, minha cavalgada duas vezes por semana para visitar Mafalda, levando comida, era o suficiente. Enquanto eu tivesse certeza de que minha irmã não estava com fome, minha alma de 9 anos teria alguma paz. Não sei por que nunca me preocupei com a segurança dela. Eu sabia que meu pai — apesar do seu coração negro e frio — não machucaria Mafalda. Mesmo tantos anos depois, ainda não sei por que confiava nele, mas confiava.

"Logo comecei a reforçar a coleta de alimentos com a coleta de roupas para minha irmã. Nada tão espalhafatoso como o que eu fizera na primeira semana, quando deixei meu novo avental branco com Mafalda e retornei ao palácio usando o vestido azul com rosas vermelhas de minha falecida mãe. Nada assim. Adotando uma bem-educada sutileza, eu às vezes tirava meias da cesta em que Ágata deixava as roupas que estava consertando; ou uma camisola. Um par de calças. Uma camisa de baixo em seda, com uma fita cor-de-rosa em volta do pescoço. Às vezes eu levava minhas próprias roupas. Às vezes eu subtraía o melhor que conseguia encontrar no cesto de roupas para lavar, que ficava do lado de fora dos quartos de Charlotte e Yolande. Suéteres, xales e cobertores eu roubava dos salões, da sala de aulas e até da capela. Nunca tirei nada dos aposentos privados; pegava coisas que eram deixadas para trás, esquecidas ou colocadas fora de lugar nos cômodos onde ficávamos todos. A coleta era maravilhosa. A Pequena Mafalda e eu escondíamos de meu pai os tesouros femininos, feitos de seda ou algodão, no pequeno quarto onde eram mantidas as tinas de lavar, os esfregões e as vassouras. Onde ele nunca punha os pés.

"Quando minha irmã estava com 7 anos e eu acabara de completar 10, tínhamos feito um verdadeiro enxoval para ela. Pelos menos aos nossos olhos deslumbrados. Ela tinha comida, roupas, cobertores, livros e bijuterias suficientes para uma princesa rústica. Foi quando a árabe dentro de mim começou a instigar a Pequena Mafalda a vender o excedente nos mercados. Com o mesmo comedimento que eu utilizara ao obter os bens, ela ofereceria um único item de cada vez. E somente de vez em quando. As mulheres começaram a procurá-la, perguntando se ela teria, talvez, um vestido de baile. Ou mais um xale com um longo debrum de seda. É claro que se meu pai soubesse que sua filha estava desovando nos mercados objetos roubados, juntando liras nas bainhas de suas anáguas, não sei que horrível castigo lhe aplicaria; não pelo que ela tinha feito, e sim por não ter lhe trazido os lucros. Mas pouco nos preocupávamos que alguém fosse contar alguma coisa para nosso pai. Ser siciliano tem isso de bom. De maravilhoso. O silêncio, quero dizer. Meu pai nunca encontrou os alimentos escondidos, ou as roupas, ou o bolso secreto na bainha da anágua. Ou, se encontrou, nunca cobrou satisfações da Pequena Mafalda, nem mexeu em seus tesouros.

"Arranjei minhas visitas de modo a não ver meu pai; o ponto alto de minha esperteza, acho eu. Semana após semana, mês após mês. Uma sensata Joana D'Arc galopando rapidamente na estrada branca. Batatas, açúcar e culotes rendados eram minhas armas contra as carências de Mafalda. Eu era uma garotinha tão presunçosa que nunca percebi o dedo do diabo de cabelos amarelos em todos os meus empreendimentos. Era Leo. Muito tempo depois, soube que foi ele quem aplainou meu caminho até Mafalda. Foi ele quem entendeu que sentíamos falta uma da outra. Foi ele quem deu a Ágata e ao cavalariço ordens para que facilitassem minhas missões. Para esconderem a boneca com tranças de palha de milho e longo vestido branco na caixa de madeira que ficava na despensa. Para semear a capela e os salões com xales e suéteres. Foi Leo."

CAPÍTULO II

— E FOI LEO QUEM, DEPOIS DE ALGUM TEMPO, COMEÇOU A CONVIDAR A Pequena Mafalda para vir ao palácio para o almoço de domingo, com a intenção — era fácil perceber — de que ela viesse a residir no local. Ele enviava um motorista para buscá-la de manhã. Assim, ela se via envolvida nos rituais da *Buona Domenica*, bom domingo, do palácio. Logo se tornou a mascote dos criados e até mesmo Yolande parecia encantada com ela. Pequenina e rosada, era chamada de *una pupetta*, uma bonequinha. Mas minha irmã, aterrorizada com o número de pessoas que se moviam pelo palácio, pelo modo como falavam, pelo aspecto delas, por todas aquelas faces que se inclinavam sobre ela, as mãos desconhecidas que alisavam seus cachos, não correspondia à afeição. Enquanto eu adorava as exageradas proporções do palácio, a Pequena Mafalda se aninhava e se escondia. Agarrando-se a mim, falando somente comigo, a Pequena Mafalda era tímida, taciturna. Na missa, chorava. À mesa, chorava, as lágrimas escorrendo através de suas mãos gorduchas e infantis, com as quais ela tapava os olhos.

"'*Amore mio, cos'hai?* Meu amor, o que está havendo?', eu lhe perguntava sem parar. Ela deslizava das almofadas de cetim do banco da igreja, ou do travesseiro de damasco colocado em sua cadeira, e ia chorar em algum lugar seguro.

"'Mas você não quer viver aqui comigo?', eu lhe perguntava. 'Aqui você vai ter *três lindos vestidos e comer bolos com glacê violeta todo dia, às onze da manhã*, como a princesa da história. Você não se lembra?'

"'Eu não gosto mais de vestidos bonitos. E não gosto de bolo. Eu quero que a mamãe volte, que você volte e que o papai também volte. Quer dizer, eu quero que ele deixe de ser tão zangado o tempo todo. Por que todo mundo foi embora, Tosca? Você não vê que, se eu for embora também, não vai haver mais ninguém em casa quando todo mundo voltar? Você não entende isso?'

"A reação de minha irmã àquele período em nossas vidas foi sempre um símbolo para mim, demonstrando que não são os acontecimentos, nem os traumas, nem os causadores desses traumas que moldam a gente. São as pedras. O modo como caem as runas, quando nós nascemos. Eu era eu. Ela era ela. Nós nascemos do mesmo homem e da mesma mulher. Vivemos a mesma vida. Apesar de nós nos amarmos demais, éramos dia e noite. Então foi a Pequena Mafalda, ela mesma, quem frustrou os planos de meu pai e de Leo para que ela vivesse no palácio. Ela se autonomeou a guardiã da pequena casa à beira da estrada branca, entre duas colinas. Ela sabia qual era o seu lugar, mesmo que o restante de nós tivesse esquecido."

— Mas o que aconteceu com Mafalda? Ela veio viver no palácio, afinal de contas? Ela está aqui agora; quando foi que ela...

— Você não deve continuar me interrompendo. Seja paciente e suas perguntas serão respondidas a seu tempo. Deixe-me contar a história como me lembro dela.

Continuar interrompendo? Eu mal respirei, disse a mim mesma. Aceno com a cabeça. Ela continua.

— A vida no palácio, geralmente disciplinada, harmoniosa, às vezes tumultuada, desconcertante, começou a ser, cada vez mais, a minha vida. Além dos prazeres materiais da mesa e dos encantos estéticos do lugar em si, foi na sala de aulas que eu me senti em casa pela primeira vez. Era lá que eu era uma *diva.*

"Veja você, eu aprendi a ler quando tinha 5 anos. Um feito raro para uma criança em nosso vilarejo, mais raro ainda para uma menina do que para um menino. Minha mãe tinha me enviado para a escola do convento, onde *suor* Diana, uma freira pequena e gorducha, com fios de barba no queixo e hálito de alcaçuz, era a *maestra.* Acho que não deveria haver mais de vinte alunos, ao todo, em todas as séries. Era ela, a irmã Diana, quem me mandava sentar com as crianças mais velhas, que estavam aprendendo a ler, em vez de me sentar com as crianças da minha faixa etária, que ainda estavam decorando o alfabeto. Todos os sábados, quando eu ia com as freiras limpar a igreja e arrumar o altar para a missa de domingo, *suor* Diana e eu passávamos uma ou duas horas juntas, o tempo que estivesse disponível, e ela me ajudava a ler. Lia em voz alta para mim. Mandava que eu lesse em voz alta para ela. Quando fui levada para viver no palácio, já conhecia cada livro escolar, cada livro sem capa e de páginas amarrotadas da biblioteca infantil do convento, além de todos os folhetos sobre as missões em Guadalajara e na África Ocidental. Sempre que conseguia obter algum jornal, eu o lia de cabo a rabo, marcando as páginas com um gordo lápis de cera, quando não conseguia entender alguma coisa. Levava então o documento profano às minhas sessões de sábados com *suor* Diana e, entre mistérios e fábulas, ela traduzia para mim a estranha linguagem do jornalismo, revelando-me as histórias ainda mais fantásticas da política e das artes, assim como os delitos de um grupo de homens muito malvados, que o jornal chava de *o clã*.

"Então, com 9 anos, eu conseguia ler muito melhor do que Yolande, que tinha quase 9, enquanto Charlotte, com 7, ainda enfrentava livros ilustrados de vinte palavras. Não que as princesas fossem menos inteligentes do que eu; mas sua educação era tão ampla que elas não haviam se tornado proficientes em nenhum assunto em particular. No currículo delas, arranhar um pouco de francês e quase nada de inglês era o bastante. Tinham vagas noções de geografia mundial e história italiana. O latim, o catecismo, *As Vidas dos Santos*, a música, a pintura e o bordado — além de comportamento e dicção — ocupavam a maior parte do aprendizado das princesas. Era eu quem tinha que me adaptar a esse tipo de instrução. Logo no início, comecei a pedir mais coisas para ler. Devorava o que me davam e ainda pedia mais. Duvidando da minha capacidade de compreensão, os professores me pediam para recontar as histórias dos livros que eu lera; era *un divertissement* — como dizia *mademoiselle* Clothilde, a instrutora de francês/governanta/*professoressa* geral — para colorir nossos curtos intervalos entre os estudos. Ágata nos trazia leite, pingado com café, e biscoitos doces e duros; eu ficava em pé e falava sobre esse ou aquele livro. Um dia, o diabo de cabelos louros foi convidado a ouvir minha sinopse de *Cuore*, obra de Edmundo de Amicis. Inspirada por sua presença, acredito eu, ou mais, por alguma dádiva dos deuses, falei durante mais tempo e com mais confiança do que jamais fizera antes, expressando meus pensamentos com gestos enfáticos, e fazendo comparações com outros livros do gênero, para embelezar o discurso. De vez em quando, eu citava uma ou duas passagens do texto, alguma frase. Quando finalmente fiz uma mesura a Leo, como fora ensinada por *mademoiselle* Clothilde, e me sentei em meu lugar entre as princesas, houve silêncio. Nenhum aplauso polido ou murmúrios de "brava" se ouviu entre as mordidas nos doces. As princesas permaneceram sentadas, rígidas, rostos tão retesados quanto seus corpetes de xantungue; os outros professores, igualmente, permaneceram sem se mexer por um tempo tão longo que eu — sem fôlego, eufórica em saber que me saíra bem — fiquei me sentindo como o único ser ainda vivo entre os paralisados atores que estavam na sala de aula. Até que Leo se levantou. Agradeceu-me com um rápido aceno de cabeça e levou os professores para um canto da sala, onde lhes deu instruções sucintas para que intensificassem meus estudos — instruções que iriam alterar minha vida. Então foi embora. Mais uma vez, foi Leo."

CAPÍTULO III

— DESDE AQUELE DIA, PASSEI A LER E A ESCREVER COMO UM ACÓLITO jesuíta, enquanto me afastava cada vez mais da vida afetada e superficial do palácio. O próprio Leo se incumbiu de me ensinar latim, acrescentando aulas de grego, e encheu minha mesa de leituras com volume após volume de mitologia grega; assim, fiquei sabendo mais a respeito dos deuses antigos do que jamais soube sobre os santos. Uma vez lhe perguntei se eu não estava cometendo um pecado estudando os deuses pagãos, enquanto deveria estar lendo *As Vidas dos Santos*. Ele, que estava de pé, se sentou ao meu lado e disse, em tom confidencial, que um dia eu entenderia que não havia diferença entre os santos e os deuses pagãos; eram os mesmos personagens, embora certas partes de suas biografias e de suas personalidades fossem mais enaltecidas em uma época do que em outra. Essa explicação informal, dita em voz baixa, foi uma revelação que me fez cair em um silêncio embasbacado. Mas o príncipe tinha mais a dizer.

"'Quem retirou os deuses do Olimpo e os colocou na igreja foi o homem, Tosca. E lhes deu novos nomes. Mudou as histórias deles para adequá-las a, digamos, necessidades contemporâneas. Isso não é uma coisa boa nem ruim, é apenas o que aconteceu. À medida que você avançar em seus estudos, tanto de mitologia quanto de religião, você mesma vai encontrar as similaridades. Fique aberta a elas. Creio que Deméter, deusa da agricultura e da maternidade, irá lembrá-la da vida de *la Madonna*. Aprenda tudo o que puder sobre Deméter, Tosca. Ela está muito presente em nossas vidas. Especialmente para nós, que vivemos aqui onde ela viveu.'

"Fico trêmula com a revelação de que a deusa grega da agricultura, que se parece tanto com a mãe de Deus, segundo o príncipe me informara, vive em alguma ala remota do palácio.

"'Onde, exatamente, são os aposentos dela?'

"'O templo dela, Tosca. As ruínas do templo de Deméter ficam em uma montanha em frente aos muros de Enna. E também há ruínas de outro de seus templos aqui em nossas terras.'

"Os quilômetros de distância que me separam da deusa me deixam tranquila. Preocupo-me, então, com o fato de que ela mora em ruínas.

"'Você um dia vai entender o esplendor de todos os deuses, sua importância para nossa compreensão de nós mesmos. Eles são nós, Tosca. E nós somos eles.'

"Sinto vontade de perguntar a ele se dom Cósimo concorda com essa história de Deméter se parecer tanto com Maria; e por que não existe estátua da deusa na capela; e por que não há uma santa Deméter. Mas ele está andando de um lado para outro, agitando os braços, falando em grego, depois em latim, depois em francês, até que, retornando ao italiano, volta a falar comigo.

'Você já conhece Safo, Tosca?'

"Eu me encolho, pensando que essa Safo deve ser a irmã gêmea de santa Rosália, mas ele me diz que ela era uma *poetessa*.

Saia de Creta e venha para este templo sagrado
onde o gracioso pomar de macieiras
circunda um altar de incenso fumegante

ele recita, sem nenhum efeito dramático. Recita os versos mais uma vez. Pede-me para repeti-los com ele. Eu tento. Mais do que me lembrar das palavras, sinto o cheiro do incenso. Digo isso a ele. Ele me diz que sabe que eu posso.

"O príncipe constantemente consultava os outros professores a respeito do meu progresso e orientava o processo geral de minha educação. Permitiu-me acesso ilimitado à sua biblioteca. E parecia estar lá, sempre que eu subia a espiral de degraus de pedra da torre que a abrigava. Eu abria as pesadas portas e o via, descabelado em meio ao caos de volumes. Eu fazia uma mesura. Ele acenava com a cabeça. Abajures colocados atrás de cada cadeira jogavam uma luz melancólica sobre a mesa onde ele estava. A luz era tão fraca e amarelada que as lombadas dos livros encadernados em couro, nas estantes que nos circundavam, pareciam sombras. Mas eu podia sentir o cheiro deles, aquele cheiro suave e bom de livros velhos e, pegando a lanterna na mesa, subia a escada para buscar o que queria. Então me sentava à mesa, sempre deixando uma cadeira entre Leo e eu, mas ainda perto o bastante. Perto o bastante para sentir seu perfume, um perfume de néroli, *tweed* úmido e lama, ainda em suas botas. Com alegria contida, eu mergulhava na obra de Safo.

"Havia dias em que as orações, os passeios pelo jardim e até as refeições pareciam interrupções em meus estudos. Eu preferia meus livros aos almoços que duravam duas horas — com toda aquela cerimônia de me vestir e me despir, para me vestir novamente, os comentariozinhos de admiração dirigidos às princesas, por parte dos convidados e parentes em visita, o jogo de luz e sombra sobre os ânimos de Simona e Leo. Havia também um crescente fluxo de visitantes, gente que vinha para ficar, por conta do que Leo e Cósimo chamavam *la grande guerra*. A região da ilha onde estávamos, ao que parecia, ficava relativamente a salvo de problemas; assim, o palácio se tornou uma espécie de refúgio. Eu estudava mais.

"Quando o tempo estava quente, eu lia nos jardins ou nas plantações de limoeiros, estirada em um banco de mármore, cujos pés, em forma de patas de leão, enroscavam-se nas raízes das árvores e meio que afundavam na terra preta e fofa. Segurando o livro acima da cabeça, eu permanecia naquele caramanchão secreto, sob a cortina formada pelas folhas das árvores, que faziam entardecer ao meio-dia.

"Sempre que conseguia dispensa dos afazeres, por estar doente, por exemplo, eu levava os livros para o quarto. O entusiasmo inicial que eu sentira no palácio foi substituído por uma espécie de gratidão pelo amparo, por estar sendo sustentada, sem preocupações ou obrigações, tendo a possibilidade de aprender.

"Os únicos rivais de meus estudos eram os cavalos. Eu adorava uma das éguas egípcias mais do que todas as outras no estábulo; Leo ordenou que ela fosse guardada para mim, preparada para mim todas as manhãs. Eu cavalgava com qualquer um que fosse cavalgar em qualquer dia. Leo e Cósimo estavam sempre no grupo, sempre à frente. Sobretudo quando eu não conhecia os demais cavaleiros muito bem, se fossem hóspedes recém-chegados, por exemplo, permanecia junto a Leo e Cósimo. Embora os dias em que eu montava sem sela já tivessem ficado para trás, Leo sabia que eu preferia dispensar a formalidade de uma sela. Então, frequentemente, ele desmontava, verificava os estribos e as cilhas e me dizia para sentar mais ereta. Às vezes, colocava a mão na concavidade das minhas costas.

"'Curve-se aqui. Aumente a curva', dizia ele, pressionando com força.

"Eu gostava daquilo. Gostava muito daquilo. Então, no dia seguinte, eu relaxava a postura ainda mais. Esperava por sua mão. Embora começasse a cavalgada com o grupo, logo me desgarrava. Ansiava por velocidade. Risco."

— No inverno de 1942, ao fim de uma tarde, Leo me perguntou se eu gostaria de caminhar com ele no jardim. Ser convocada por ele, dessa forma, era um raro acontecimento. Lembro que estava muito frio e que eu saíra protegida apenas pelo xale de Ágata, que ela sempre deixava pendurado em um gancho perto da porta do jardim. Passei o xale descuidadamente sobre meu vestido de lã cinza; Leo o apertou em volta de mim, me repreendendo por ter esquecido o casaco. Lembro que ele fez isso. Me lembro de pensar que, se ele queria que eu estivesse agasalhada, significava que tinha más notícias para me contar.

"'Mafalda foi enviada para viver com a irmã de sua mãe, minha querida. Seu pai veio me ver esta manhã para me dizer isso, para que eu pudesse contar a você. Veja, ela não estava bem; e como seu pai não pode ficar em casa para tomar conta dela... e como Mafalda escolheu, escolheu energicamente, não vir morar aqui conosco...'

"Ele se interrompe, sabendo que eu sei o que Mafalda escolheu.

"'Mas nós demos um jeito de você manter contato com ela, com sua tia e os outros em Vicari. Eu vou arranjar para que você possa visitá-la assim que as coisas estiverem mais seguras. Enquanto isso, sua irmã está em boas mãos e você também, e isso é o que importa. Nestes tempos...'

"Ele fala cada vez mais rápido, dizendo bobagens, como se eu fosse uma criança. Como se tivesse esquecido de que eu tinha 12 anos, a caminho de completar 13. Como se não soubesse o que eu sabia muito bem. Que meu pai estava há muito tempo tentando entregar Mafalda a algum parente. Como se tivesse esquecido de que eu me conformara com a necessidade de meu pai viver sem minha irmã, tanto quanto com a necessidade que ele tinha de viver sem mim. Que Mafalda também tivesse se conformado em viver sem mim, dói muito mais. Pois nos últimos três anos, eu acreditara que nossa separação era apenas física. Agora não mais.

"'Por favor, não pense que você pode cavalgar esses 80 quilômetros até Vicari como você cavalgava os poucos quilômetros até sua casa. Sua outra casa, quero dizer.'

"Mesmo embaraçada com a simples menção à minha vida antes de vir para o palácio, eu o ajudo.

"'Não vou fazer isso. Eu poderia. Acho que poderia, mas não vou.'

"'Eu tenho o endereço para que você possa escrever uma carta, enviar alguma coisa se quiser.'

"'Está bem. Obrigada.'

"Descobrimos mais tarde que o endereço que meu pai deu a Leo não era do lugar aonde minha irmã fora enviada. Ou, pelo menos, ela não ficou lá por muito tempo. E quando Leo mandou um recado para meu pai, dizendo que precisava vê-lo, descobriu que ele não vivia mais na fazenda de cavalos, as estrebarias estavam vazias e a casa, abandonada."

CAPÍTULO IV

— Pode parecer estranho, Chou, mas nem antes nem naquele tempo nem depois daquele outono e inverno, aconteceu alguma coisa na minha vida que sugerisse que o mundo fora do palácio estava em guerra. Com exceção de alguns relatos no jornal e das transmissões de rádio que Leo, Cósimo e os homens que estivessem no palácio ouviam com tanta atenção, tudo parecia notaveimente igual. Na verdade, fiquei chocada, certa manhã, quando nós, as três garotas, estávamos indo para a sala de aulas e Yolande disse: "Ah, como estou enfadada dessa guerra e das privações."

"Até Charlotte pareceu surpresa, e eu certamente nada sabia sobre tais privações. Yolande explicou que os suprimentos semanais de doces, que vinham de Palermo, seriam interrompidos, porque não havia mais açúcar. Disse que sua mãe lhe contara isso. Era possível imaginar uma coisa dessas? Sem açúcar?

"Depois de algum tempo, além dos doces, já não havia mais nenhum suprimento a ser trazido de Palermo. Eu também nunca soube disso. Nunca ouvi nada sobre racionamento ou bombardeios; ou sobre os muitos rapazes italianos que estavam sendo mortos ou aprisionados na frente russa; ou sobre os que morriam congelados em seus uniformes, confeccionados para o clima mediterrâneo; ou sobre os que morriam de fome, antes mesmo que o inverno russo os matasse. Exceto pelo deserto de açúcar, não havia nenhuma verdade que pudesse macular, para as três meninas, a pontual rotina do palácio. Mesmo a verdade mais próxima nunca era mencionada. A verdade era que, no *borghetto*, a 600 metros dos reluzentes portões dourados do palácio, crianças estavam indo e continuariam a ir para a cama sem jantar. Ou que os estoques dos *magazzini* dos lavradores estavam terrivelmente reduzidos, senão esgotados; que não haveria pão em suas mesas esfregadas e cobertas de oleado, até que o trigo fosse colhido na primavera. O que comecei a entender foi que Leo andava um tanto triste e distraído. Ainda mais silencioso do que o habitual. Durante o último período da guerra, ele, Cósimo e mais alguns homens da casa frequentemente se ausentavam por alguns dias. Desapareciam. Se diziam alguma coisa para Simona, não diziam nada para mais ninguém. Quando retornavam, era em algum estranho caminhão, ou carroça de fazendeiro, carregada de azeite, latas de vegetais e carne, sacos de arroz e alimentos para os animais que ainda restavam. Tudo era coberto com linóleos e trapos, de modo que os volumes embaixo se pareciam, assustadoramente, com corpos. Dormindo. Mortos. Eles iam negociar com os operadores do mercado negro, em Palermo ou onde quer que houvesse mercadorias disponíveis. Mais tarde eu saberia que Leo gastara enormes quantidades de lindas notas de dez, vinte e cinquenta liras, para que seus agricultores pudessem comer. Finalmente, quando ainda faltavam muitas semanas para que as hortas e os campos começassem a produzir, e não se encontrava mais nada no mercado negro, Leo abriu para os lavradores as despensas do palácio. Quando os lavradores hesitaram, diante do último barril de azeite, o príncipe lhes assegurou que havia mais. Não havia mais. Cósimo ainda conta a história da engenhosidade de Leo, ordenando aos cozinheiros do palácio que usassem toucinho quando não havia azeite.

'Mas o toucinho está rançoso, senhor. Verde como grama.'

'É quando o gosto fica melhor. Vá em frente e faça uma boa torta de toucinho. Ainda há ameixas? Ponha algumas ameixas.'

"Cósimo adora falar sobre essa conversa! Pobre Simona. Não só não tinha doces, como lhe serviram ameixas e toucinho para o almoço, enquanto os lavradores abençoavam o que quer que tivessem para comer com o melhor azeite extravirgem; e seu confessor sufocava o riso, enquanto remexia os pedaços da maldita torta que estavam em seu prato. Com sua dedicação ao bem-estar de seus lavradores, durante a guerra, Leo exultava.

"Em 1943, os americanos desembarcaram na ilha. Os alemães já estavam aqui havia mais de um ano, protegendo a pátria de seus aliados italianos. Seu quartel-general era em Enna. Mas quando enormes quantidades de americanos, com seus canhões e blindados pesados, atravessaram as ondas do mar Tirreno e chegaram às margens da Sicília, naquele dia de maio, as tropas dos *tedeschi*, já muito reduzidas e não tão bem abastecidas, decidiram se retirar. Dias depois da chegada dos americanos, o rei Vittorio Emanuele anulou os poderes governamentais de Mussolini e nomeou um general chamado Badoglio a cargo do governo. O que ainda restava do governo. No início de setembro de 1943, a Itália, oficialmente, entregou um pedido de armistício aos americanos. A partir daí, para nós, a guerra terminou. Como já disse, eu nem sabia que tinha começado.

"O único incidente que penetrou os muros do palácio veio na forma de três americanos. Eu não sei quantas centenas ou milhares de soldados americanos estavam aquartelados em Enna, primeiramente como libertadores — ou seria como conquistadores? Há controvérsias a respeito. Depois, após o armistício, como guardiães da paz. Hotéis, casas particulares, mansões, conventos e acampamentos militares foram requistados para alojá-los. Leo foi visitar o comandante e fez um convite para almoçar. *Noblesse oblige*. Cósimo tentou dissuadi-lo de fazer isso, alertando-o de que, se os americanos vissem a beleza do palácio, certamente iriam requisitá-lo também; mas Leo estava convencido a mostrar para os americanos como era a vida e a cultura da nobreza siciliana. Orgulhoso de que suas filhas e sua protegida podiam se dirigir aos americanos em sua própria língua. Fomos extraordinariamente preparadas e enfeitadas para a ocasião. Segurando ramalhetes de rosas brancas e repetindo nosso mantra de *Good afternoon, sir, and welcome to our home*, aguardamos na varanda. Eu não sei o que Yolande ou Charlotte esperavam dos soldados ianques, mas com certeza era algo diferente do que eram. Um deles era muito gordo e alto, creio que era o general. Dos outros dois, só me lembro das vozes, altas e agudas, no tranquilo santuário da grande sala de jantar. Nós os achamos mal-educados, pelos barulhos que faziam enquanto comiam, e porque riam com as bocas abertas e cheias. Leo se encolhia horrorizado. Cósimo bebia e disfarçava risadas ao beber. Eu não lembro se Simona estava à mesa conosco. Quando tudo acabou, eu, particularmente, achei os americanos simpáticos, a seu modo, talvez porque fossem o único símbolo que conheci de perto daquela época confusa. Somente uma década mais tarde e em outra vida, eu viria a entender um pouco do que fora *la grande guerra*."

— Píndaro e César; o inevitável *As Vidas dos Santos*; francês, inglês, literatura italiana. Geometria, astrologia. Piano. Eu assistia à missa nos bancos da família, comia minhas tortas à mesa da família, andava de braços dados com as princesas pelo jardim. Eu era um deles. Eu não era um deles. Deve ter sido nessa época, quando eu tinha 14 anos, que comecei a ser incluída na admiração dos visitantes. A família aumentou. A selvagem criança órfã de olhos verdes se tornara uma jovem mulher. Bem-falante, graciosa, inteligente. Os murmúrios começaram.

"Você já a ouviu tocando Brahms?"

"Dizem que ela decorou Virgílio."

"Tem um perfeito sotaque parisiense."

"É uma amazona espetacular."

"Poverina, *e pensar no que poderia ter sido a vida dela se não fosse por Leo!"*

"O príncipe tem um coração tão bom."

"O príncipe tem tanto bom gosto."

CAPÍTULO V

— ASSIM QUE A PAZ FOI FIRMADA, LEO E SIMONA DERAM UMA FESTA. NÃO tínhamos perdido nenhum dos homens ou rapazes convocados para lutar na guerra, ou que foram voluntários. Onze eram do *borghetto* e seis da criadagem do palácio. Embora três tivessem sofrido ferimentos graves, todos os 17 retornaram.

"Foi no dia 3 de maio de 1945. Para inciar a festa, Cósimo rezou a missa para as congregações combinadas do palácio e do *borghetto*, em vez das habituais celebrações separadas. Ao nascer do sol, nos jardins, sob a sombra cambiante e não consagrada dos carvalhos, Cósimo rezou a missa para todos. Depois, andamos em fila única, pelas trilhas de terra batida em meio aos trigais, até um bosque de cedros à beira do rio.

"Na noite anterior, alguns homens tinham saído para dispor a lenha das fogueiras. Também limparam a terra embaixo das árvores e cravaram tochas no chão. Caminhamos sob o sol, ainda baixo, mas já quente. Cada homem carregava alguma caixa com alimentos — laranjas, alcachofras, batatas — ou embrulhos com toalhas de mesa, um banco, uma cadeira; ou conduzia um par de cordeiros ou cabras para o sacrifício. Dois deles traziam bandolins a tiracolo e sacos com gravetos às costas. Eu me lembro deles especialmente porque, na época, comecei a pensar que estava loucamente apaixonada por um dos trovadores, embora nunca conseguisse me decidir por qual dos dois. Naquele dia, ambos estavam usando calças de um preto brilhante, com uma faixa de cetim ao longo da perna, tão esplendorosas que seus companheiros disseram que eles tinham roubado sepulturas e tirado as calças dos mortos, para ficarem arrumados para a festa. A insinuação pode ter sido verdadeira. E as mulheres?

"Confiantes como cabras nas montanhas, com os largos e poderosos quadris balançando para lá e para cá sob finas batas de algodão, algumas amamentando bebês amarrados ao peito, carregavam jarras de água ou vinho sobre as cabeças e cantavam alguma velha canção sobre fraternidade entre irmãs, sobre um pacto de uma contar à outra quando um marido fosse infiel. E depois ajudar a esposa traída a matar o marido traidor. Cantavam isso o tempo todo.

"Você deve se lembrar de que estávamos em 1945, e havia mais veículos no palácio do que eu conseguia contar. E nessa época havia gasolina para alimentar os caminhões, os jipes e os carros. Mas mesmo assim nós caminhavamos. Simona e as princesas caminharam. Todos queriam caminhar.

"Quando chegamos ao rio, a guarda avançada já acendera as fogueiras. Além disso, matara, estripara e colocara cordeiros e cabras em espetos, esfregando as pequenas carcaças com azeite e recheando-as com punhados de ervas selvagens. Como se os setenta ou oitenta presentes estivessem seguindo os passos de uma dança primeva, todos começaram a trabalhar. Achei adorável a cena. Ainda mais linda que os sonhos que me consolavam quando eu era criança, onde eu imaginava tias de seios fartos, cheirando a sabonete e açúcar, e tios com sapatos brilhantes, trazendo caramelos para mim. Eu inventara um avô em cujo colo me sentava, traçando com as mãos as rugas de seu rosto queimado de sol, enquanto ele cantava para mim. Nesses sonhos, minha mãe nunca chorava e meu pai era um sábio e sensato *capo famiglia* que nos protegia a todas. Mas as personagens que eu criava nesses velhos sonhos se pareciam tanto com as personagens reais, com as quais eu convivia, quanto grandes corujas brancas. Meu sonho, porém, era o sonho de toda criança, não? Não era o seu sonho, Chou?"

Eu sei que ela não espera uma resposta.

— Como cada um de nós ajusta o sonho para acomodar a realidade. Isso é o que nos separa. Um culpa e se lamenta, enquanto outro põe mãos à obra. No fim de toda história humana, acho que a única coisa que separa as personagens é a capacidade de reconciliar o sonho com a realidade. Bem, àquela altura, com 15 anos, eu ainda tinha o hábito de juntar peças daqueles velhos sonhos e as deixava me dominar. Mas a visão daquele festival às margens do rio rasgou uma abertura no pequeno lugar interior onde eu amontoava as velhas imagens. Limpou-o e abriu espaço para alguma coisa real. Percebi que o que eu via e cobiçava naquela cena ribeirinha já era meu. Mesmo não tendo vivido naquela raça de criaturas graciosas, eu era uma *delas*. Seus legados eram os meus, sua cultura era a minha. Senti isso tão fortemente quanto senti que a vida de faz-de-conta do palácio não era a minha. Mas estou indo rápido demais com essa história, sei que estou. Deixe-me voltar à festa.

"Um grupo de mulheres estava batendo alcachofras contra umas pedras lisas para recheá-las com uma pasta de azeite e ervas, exatamente como fazemos aqui na villa. Alguém estava arrumando sardinhas e grandes pedaços de tomate em largas frigideiras rasas, com buracos no fundo, colocando-as para defumar sobre brasas obtidas com talos de funcho seco. Mesas feitas de tábuas e barris estavam cobertas de toalhas bordadas e pratos de metal; os homens bebiam enquanto faziam seu trabalho e as mulheres cantavam enquanto faziam o seu. Era difícil dizer quem morava no castelo e quem morava no *borghetto*. Todos pareciam felizes juntos. Eu estava feliz. Leo parecia feliz. Parecia entusiasmado, na verdade, andando de um grupo para outro, dando palpites na preparação dos pratos, provando um molho, enchendo e tornando a encher as canecas de seus lavradores. Em mangas de camisa, calças de montaria, botas, o cabelo louro alisado para trás com óleo de néroli e suor, ele era lindo, e nenhuma das mulheres presentes — exceto sua própria esposa e suas filhas — pensava o contrário. E essa foi a segunda coisa que eu compreendi, naquele dia 3 de maio. Compreendi que quem eu queria não era um dos trovadores em calças de *smoking*. Eu estava apaixonada pelo príncipe."

— A festa evoluiu do almoço ao *riposo*, para a colheita de frutos nos bosques, pescarias no rio e de volta à mesa. Houve música o dia todo, mas quando o sol começou a se pôr e as tochas recém-acesas brilharam na neblina branca emanada pelo rio, os trovadores trocaram as canções altas e alegres por lamentos em surdina, dedilhando os instrumentos suavemente, o tilintar metálico das cordas esticadas se misturando com o vento. Duas garotas começaram a dançar. Eu conhecia uma delas. Chamava-se Lidia, eu a vira algumas vezes, quando viera ajudar as criadas do palácio. Não conhecia a outra garota. Era diferente de Lidia. Diferente de todas nós. Sua pele tinha a cor de pêssegos maduros em uma tigela de vidro vermelho e seus olhos eram árabes, grandes e escuros. Seus seios altos e soltos se moviam sob seu vestido branco solto, enquanto ela se balançava suavemente, com os olhos olhando para algum ponto distante. Acho que tudo o que via eram as estrelas.

"Face a face, as garotas se seguraram pelos cotovelos, seus corpos iluminados por duas pequenas fogueiras, acesas ao lado delas. Como os trovadores tinham largado seus bandolins, não havia música. Ninguém a teria ouvido, de qualquer forma, já que todos estavam sentados ou agachados em círculo em volta das garotas, mal respirando, encantados com a que tinha pele de pêssego. Lidia se sentou, depois de algum tempo, deixando sua parceira dançar sozinha. Um velho com uma harpa de boca emitiu um lamento triste e hipnótico, que pareceu tirar do transe a garota com pele de pêssego. Ela moveu os braços e as pernas, como se tivesse acabado de acordar de um longo sono. Esticando-se, se testando até que, com uma lenta e deliberada pirueta, apanhando a saia, que enrolou e fixou com um nó na altura das coxas, começou a rodopiar no lugar. Rodopios tensos e contidos, com o pescoço orgulhosamente levantado, os braços abertos em um grande abraço, ela se movimentava devagar, parecendo esperar a próxima deixa do velho com a gaita, até que, ao ouvi-la, começou a girar mais depressa. Mais depressa ainda. Agora, na posição clássica de uma bailarina — uma perna dobrada, o pequeno pé apoiado no joelho —, ela rodopiou sobre uma perna comprida e poderosa. Mais depressa, mais depressa, até que era ela quem comandava o homem com a gaita, cujo lamento se transformou em um grito febril e apaixonado, enquanto ela girava mais depressa, lançando contra os ombros os anéis escuros de seus cabelos, sempre levando os olhos para o mesmo ponto crítico ao completar mais uma volta. Mais depressa, sempre mais depressa, ela girava seu esplêndido corpo até que, como um dervixe, pareceu se dissover na noite escura e estrelada. Fumaça branca com pretos olhos árabes, que ela sempre voltava para ele. Para Leo."

— Não havia nada mais para fazermos depois da apresentação da garota de pele de pêssego e, pouco a pouco, a festa terminou. As coisas foram guardadas. Voltamos para casa, andando em fila única, sobre as trilhas de terra batida entre os trigais. Meio louca de inveja da garota que — até para meus olhos de 15 anos — tinha com toda certeza se oferecido a Leo, recusei o banho perfumado de jasmim que Ágata preparara para mim e me atirei de bruços sobre o leito amarelo e branco. Chorei. Chorei durante toda a noite, angustiada com aquela inveja, mas com alguma coisa mais. Alguma coisa que pensei ser um final. Veja bem, enquanto a garota com pele de pêssego dançava na luz tênue das últimas chamas, eu me sentia como se ela tivesse tirado alguma coisa de mim. A cada volta que dava, ela me tirava mais. E, enquanto ela rodopiava rapidamente naquela noite escura, minha infância foi embora com ela. Quebrada, vazia, eu era menos do que fora antes; ou estaria apenas diferente? Ágata tomou conta de mim durante a noite, embalou-me em seus braços até que a alvorada se infiltrou por entre as persianas e, como se a nova luz fosse estancar a dor, disse-me: "Agora acabou, pequenina." Lembro-me de que ela disse isso, seus pequenos olhos ovais inchados por lágrimas de compaixão, seu corpo magro tremendo de exaustão.

"Sim, acabou, eu disse também a mim mesma. Fiquei repetindo a frase. Repeti, ainda, o que dissera a mim mesma no dia anterior, à beira do rio. *A cena rasgou uma abertura no pequeno lugar interior onde eu amontoava as velhas imagens. Limpou-o e abriu espaço para alguma coisa real.* Mas o que era real? Meu amor por Leo era real? A vida no palácio era real? A festa à beira do rio era real? Talvez os sonhos sejam tudo o que a gente possui. Tentar vivê-los talvez seja jogá-los contra as pedras.

"Três revelações competiam por minha atenção. Eu amava Leo. Eu invejava a garota de pele de pêssego, a quem comecei a ver como símbolo de todas as mulheres, de qualquer mulher que pudesse despertar a afeição de Leo. Fiquei chocada ao perceber que essa inveja teria que incluir a própria Simona. Enquanto analisava isso, a lista de coisas potencialmente irritantes foi se tornando bastante longa. Mas a terceira revelação era, creio, a mais chocante de todas. Eu não mais poderia me sentir em casa no palácio. Agora que eu vira como viviam os lavradores, era no *borghetto*, com eles, que eu queria estar. Eu não me importava com meias bordadas, tortas ornamentadas, grego, latim, Brahms, ou mesmo *As Vidas dos Santos*; queria trabalhar nos campos, carregar vinho sobre a cabeça, balançar os quadris e cantar canções tristes sobre o amor. Queria montar sem arreios novamente, queria sentir aquele vazio no estômago ao meio-dia e enchê-lo com sopa e pão, e queria beijar Leo. Gritando no fundo de minha alma estava o desejo de beijar o príncipe. Cada revelação lutava contra a outra, até que as pedras caíram no lugar. Primeiro eu tenho que chegar a Leo.

"Tenho que chegar a Leo antes que a garota com pele de pêssego chegue a ele. Antes que ele chegue a ela."

— Nesse meio-tempo, Ágata se lavara, vestira-se e fora informar a todos que eu não me sentia bem naquela manhã, depois da festa; disse a eles que tomaria conta de mim, mantendo-me em repouso em meus aposentos. Comecei a fazer planos.

"Em parte, foi Flaubert quem me guiou naquela manhã. Flaubert por intermédio de *mademoiselle* Clothilde. Enquanto Charlotte, Yolande e eu fazíamos nossos exercícios escritos, *mademoiselle* frequentemente lia ao lado da lareira, na sala de aulas, ou em sua cadeira sob as magnólias. Durante certa época, parecia que ela só lia os livros de alguém chamado Flaubert e, com mais frequência, um livro em particular. Seu título era *Education Sentimentale*. Era impresso com letras de um marrom delicado, com encadernação em camurça, de um tom marrom queimado. Eu ansiava para ler o livro. Depois de várias incursões para roubar roupas e alimentos destinados à Pequena Mafalda, minhas habilidades estavam desenvolvidas o suficiente para que eu fizesse um empréstimo não autorizado dos livros de *mademoiselle* Clothilde. Nunca ficava com eles tempo bastante para afligi-la indevidamente, pois, em uma tarde, ou durante a noite, devorava um deles; depois, ligeiramente, posicionava o livro à esquerda, à direita, abaixo ou acima do lugar onde ela o deixara no dia anterior. Quando peguei *Education Sentimentale* pela terceira vez, *mademoiselle* me perguntou o que eu achara dele. E revelou que não era muito mais velha do que eu quando o lera pela primeira vez. Lembro que rimos um riso quase cúmplice, embora nenhuma de nós — ou seria apenas eu? — imaginasse que poderia utilizar certas passagens do livro para seduzir o príncipe. Mas foram exatamente as memórias de Flaubert que iluminaram minha cabeça, naquela manhã depois da festa, e me colocaram no caminho para Leo.

"Somente Ágata foi colocada a par de meu plano. Quando o ouviu, ficou sentada em silêncio, engolindo a seco algumas vezes, olhando para mim como se eu fosse outra pessoa. Avaliando-me.

"'Entre na banheira' — foi sua primeira instrução.

"Colocou-me de molho e, enquanto isso, esfregou meus cabelos com sabonete francês, enxaguando-os com água fria, vinagre de vinho branco e suco de limão; então esfregou cada centímetro meu com uma sacola de filó, cheia de cascas de amêndoas quebradas. Enrolada em uma toalha, fiquei sentada, enquanto ela escovava meus cabelos, retorcendo as madeixas e amarrando-as com tiras cortadas de um velho lençol. Então friccionou meu corpo de alto a baixo, com óleo de néroli, polindo minha pele com um pedaço de linho, até que fiquei brilhante como cetim à luz do fogo. Então dormi. Com um pedaço de pano frio sobre os olhos, eu dormi, enquanto Ágata, sentada ao lado, transformava uma saia de organdi em uma camisola, adornando-a com renda removida de algumas fronhas de Simona. Depois, Ágata dormiu também, com a camisola atravessada no colo; ainda dormia quando eu acordei, pulei da cama e fui até o toucador para observar-me nua no grande espelho de moldura dourada.

"Magricela e comprida onde ela era gorducha e compacta, imitei a pose assumida pela garota de pele de pêssego. Uma perna dobrada, repousando sobre a outra, braços estendidos em semicírculo, pescoço esticado, queixo levantado, só me faltava o velho com a gaita para que eu começasse a dançar. Tentei dar uma volta. Caí na metade do caminho, sobre meu traseiro ossudo; reassumi a pose. Ágata viera até a porta, mas, enlevada como eu estava, tentando imitar os rodopios da garota com pele de pêssego, não percebi. Quando não conseguiu mais guardar o riso para si mesma, ela tirou o vestido, a combinação e o corpeto, e juntou-se a mim em frente ao espelho. Ela iria me mostrar como se fazia. Como era uma bailarina ainda mais desajeitada que eu, deixamos a dança para lá, em favor do beijo-pétalas-de-rosa. Um beijo como o que Roseannette deu em Frédéric, em *Education Sentimentale*.

"Eu disse a Ágata como Roseannette tinha segurado uma pétala de rosa com seus dentes dianteiros, convidando Frédéric a mordiscá-la, um aperitivo antes de seus lábios. Praticamos. Sim, funcionaria. Ágata vestiu-se e desapareceu pela porta; quando retornou, retirou um pequeno pote de ouro do bolso interno de seu vestido. O potinho de ouro de Simona. As fronhas de Simona. O marido de Simona. Aplicou ruge em meus mamilos e na parte macia e carnuda de meu lábio inferior. Depois disse que iria me trazer alguma coisa para jantar e retornou aos afazeres. Ágata também tinha feito algumas leituras, pensei. Deitei-me e revi o plano.

"Eu ficaria descansando até que a casa estivesse em silêncio, até que Ágata viesse à minha porta para me dizer que Leo fora para seus aposentos. Ela ficaria trabalhando em sua ala por mais trinta minutos, para se assegurar de que ele *permanecia* em seus aposentos. Que estava sozinho. Então voltaria para remover os trapos de meus cabelos, escová-los, abotoar o vestido de noite e me enviar até ele. Com uma pétala de rosa entre os dentes.

"Mas o que Leo pensaria enquanto eu estivesse diante dele? O que o príncipe faria a respeito da pétala de rosa? A meu respeito?

"Era verdade que eu tinha ficado mais alta do que cheia, mas também era verdade que minha nubilidade florescera. Eu notara a percepção disso nos olhos de Simona. Nos olhos das princesas e nos do jovem padre que ajudava Cósimo. Nos olhos e no rubor dos adolescentes do *borghetto*, que eu vira jogar moedas para decidir qual deles iria levar lenha para a sala de aulas, ou arrearia meu cavalo ou, durante meio segundo, iria me segurar pelo tronco enquanto eu montava. As mudanças em mim eram refletidas nos olhares de todos, menos nos de Leo.

"A verdade é que eu vinha lentamente me apaixonando pelo príncipe desde os 9 anos. Eu gostava de tudo nele. Gostava de sua voz, do formato de seu queixo e do contato áspero de seu casaco roçando meus ombros, quando ele ajeitava minha cadeira à mesa. Durante meses, anos, eu vivera em uma constante expectativa de vê-lo, mesmo que apenas quando passava pela porta da sala de música; ou de ouvi-lo, quando conferenciava com Cósimo ou um dos capatazes, ou um dos advogados ou políticos locais, enquanto eu corria de um *salone* para outro. Quantas mensagens e tarefas eu inventara somente para me colocar em seu caminho?

"Enquanto eu estava lá deitada, esperando o tempo passar, pensei em coisas que, antes daquele momento, eu sempre tentara evitar. Por que Leo me trouxe para o palácio? Por que as pessoas cochichavam quando eu saía de algum aposento, ou paravam de cochichar quando eu entrava? Minha sensação de exilada — de não pertencer a lugar nenhum nem a ninguém — teria base na realidade ou seria apenas uma casca vazia que eu acalentava, a prova de que eu fora um dia a selvagem criança sem mãe? Uma prova de que ainda o era? Fiquei deitada, com os mamilos duros e cobertos de ruge, a pele sedosa e o cabelo amarrado com trapos cheirando a limão. Como se algum fantasma inquisidor tivesse entrado em meus aposentos, se postando à vontade ao pé da cama, fui assaltada por perguntas. Quem era eu para cobiçar o marido de outra mulher? Os cochichadores teriam razão? Teria eu sido trazida ao palácio, entre outras razões, talvez nobres, para ser a prostituta do príncipe? E nesse primeiro dia do que eu julgava ser minha fase adulta, estaria eu me comportando com a paixão de uma mulher ou apenas com a extravagância de uma criança teimosa? Eu não sabia.

"Ouvi cada pesarosa badalada dos sinos da capela, com os pensamentos avançando e recuando a cada quarto de hora, desde as quatro horas da tarde até quase meia-noite, o coração estremecendo a cada badalada, a vergonha se igualando à excitação.

"Ágata não retornara, senão para deixar a bandeja com o jantar. Leo devia ter convidados, ou talvez estivesse na biblioteca. Talvez tivesse saído, mas não; se assim fosse, Ágata teria vindo me contar. Sim, teria vindo me contar. Certamente, estaria aqui a qualquer momento para me dizer que estava tudo bem. Para escovar meus cabelos. Mas não. Nada de Ágata, quando os sinos bateram a meia-noite. Nem quando recomeçaram sua impiedosa contagem, novamente a partir de uma hora. Com as bordas do cobertor, limpei o ruge da boca e dos mamilos, e dormi."

— Estava dormindo havia poucos momentos quando Ágata veio me acordar, para me dizer que era hora. Leo estava em seus aposentos. Os corredores estavam vazios.

"'Depressa', ela ficava repetindo, tanto para si mesma quanto para mim. Atrapalhando-se com os trapos e a escova, e abotoando o vestido com dois botões na casa errada, empurrou-me até o saguão, fez o sinal da cruz sobre mim e bateu a porta na minha cara. Comecei a correr. No primeiro lance de escadas, hesitei. Esquecera a pétala de rosa. Estava sem o ruge. Sem sapatos ou chinelos, e a pedra estava fria. Mesmo em maio, a pedra estava fria. Eu mal a tocava, e mal tocava o corrimão enquanto dobrava o próximo lance de escadas. Eu nunca estivera nos aposentos de Leo, não oficialmente, embora no meu reconhecimento inicial do palácio tivesse subido até seu apartamento. Para andar de lá para cá em frente ao lugar onde ele dormia. Para ficar, por um momento, onde ele estava. Para escutar através de sua porta. Escutei através de sua porta. Nada. Bati.

"'*Avanti* — entre.'

"Gélido. Silencioso. Eu espero. Bato de novo.

"'*Avanti, Cósimo. Sono ancora in piedi.* — Entre, Cósimo. Ainda estou acordado.'

"Abro a porta e, de pé ao lado do fogo, sua figura meio vestida parece estar a um quilômetro de mim.

"'Tosca. Você está doente? O que houve?'

"Ele anda rapidamente em minha direção e eu ando ainda mais rápido na direção dele. Estamos quase colidindo, mas eu, filha de um ladrão de cavalos, acostumada a montar sem arreios desde os 3 anos, eu, soberba amazona, pulo no colo do príncipe, monto nele, enrolo minhas pernas ao redor dele como o faria em um cavalo. Seu topete de cabelos amarelos é uma crina. Beijo o príncipe. Com meus lábios sem ruge, cubro seu rosto de beijos. Seu rosto, sua cabeça, suas orelhas, seus olhos. Ele está puxando meus braços, empurrando meu rosto para longe do dele, e enquanto isso eu o beijo. Ele afasta meu corpo do dele, pondo-me no chão. Com a mão aberta, ajeita o cabelo. Pega um roupão vermelho. Eu me levanto. A porta ainda está escancarada e, amarrando o cinto do roupão vermelho, ele passa por mim. Abre a porta mais ainda. Seus olhos se fixam em algum lugar além de mim. Caminho até a porta e paro diante dele. Olho para ele, desafiando-o a olhar para mim, e ele o faz. Seu olhar é ao mesmo tempo vago e penetrante, sou eu quem primeiro desvia os olhos. Saio pela porta, andando soberbamente pelo corredor, como se dois pagens estivessem segurando a longa cauda do meu vestido. Ele me observa. Certamente deve estar me observando, mas não. Ouço a porta fechar e, então, saio correndo."

CAPÍTULO VI

— Na manhã seguinte, nada mudou. Eu beijei Leo, mesmo que ele não tenha retribuído os beijos. Aplaquei a inveja que tinha da garota de pele de pêssego, ou fingi que tinha aplacado. Nada mudou, exceto que, usando um dos severos vestidos de trabalho de Ágata, com meus cabelos presos em uma única trança, que cai até minha cintura, me sento para o café da manhã, ingerindo vorazmente enormes quantidades de pão, manteiga e leite quente, polidamente pedindo mais. E mais. Além desses símbolos de metamorfose, nada mudou, em absoluto.

"'Tosca, você está usando um dos vestidos de Ágata?', pergunta Simona, alegremente demais, olhando mais ou menos na minha direção.

"'Sim. Troquei alguns vestidos com ela', digo eu, como se fosse uma permuta razoável.

"'Mas se os seus precisam de ajuste, a *sarta* vai ajeitá-los para você. Não há necessidade de usar as coisas de Ágata.'

"'Não. Não é que os meus precisem de ajuste, eu apenas prefiro usar as roupas de Ágata.'

"Leo nada diz. As princesas dão risadinhas. Enquanto dobra o guardanapo e o coloca no anel de prata, Simona declara que eu não devo mais vir à mesa vestindo outra coisa que não minhas próprias roupas. Era essa, claro, essa frase mesmo que eu esperava ouvir... *você nunca mais deve vir à mesa vestindo outra coisa que não suas próprias roupas.* Veja, eu não queria mais ir à mesa. Não essa mesa.

"Depois do chá, peço para dar uma palavra com Leo. Caminhamos até os limoeiros; lá começo a lhe falar a respeito do meu desejo de me mudar para o *borghetto*. Agradeço a ele pela ótima vida que me proporcionou por seis anos; explico a ele que penso estar na hora de começar a trabalhar de outra forma.

"'Acho que sou mais talhada para trabalhar nos campos, para ajudar nas cozinhas, para tomar conta das crianças pequenas do que para *essa* vida.' Aponto na direção do palácio. 'Não é um pedido impulsivo, senhor. Já venho pensando nisso há bastante tempo. Na verdade, acho que, em algum lugar da minha mente, venho pensando nisso desde o início.' Ele pensa que estou sendo falsa, que quero deixar o palácio porque me rejeitou. Acha que estou constrangida. Tento abordar os sentimentos que ele ainda não expressou.

"'Meu pedido não tem nada a ver com nosso encontro da noite passada.'

"'Nosso encontro? Sim. Quer dizer, não. Claro, nosso encontro. Não pensei que você estivesse querendo partir por causa disso.' Como fez na noite anterior, ele passa a mão aberta nos cabelos. 'E seus estudos? Você terá poucas horas para ler e, me atrevo a dizer, nenhuma privacidade por lá. E suas cavalgadas? Creio que você é uma jovem muito romântica, Tosca. E creio que você vê tudo e todos de um jeito romântico. A vida no *borghetto* não é fácil.'

"'Acho que no palácio também não.'

"Ele ri agora. Realmente ri. Senta-se no banco de pedra, onde eu me deitara para ler tantas manhãs.

"'*Acho que no palácio também não.*'

"Ele estará me imitando ou falando de si mesmo? Fica então em silêncio. Sorrindo um pouco, ou tentando não sorrir, penso.

"'Veja, senhor, quando eu vim morar aqui, reconheço que fiquei admirada com o palácio e com todos vocês. Fiquei admirada com tudo. Eu adorava desfilar pelos salões em meus belos vestidos e adorava todas as rotinas cerimoniosas. Mas gostaria de lhe dizer que, exceto quando estava estudando ou lendo, logo comecei a me sentir como se estivesse representando uma personagem. Sabe, como se todos nós estivéssemos lendo as falas de uma longa, longa fábula que parecia não ter fim. Nem um final triste, nem um final feliz. Com o tempo, a vida começou, cada vez menos, a ter o aspecto de vida *real*. Eu me lembro de como costumava viver antes de vir para cá, e essas lembranças me fazem sentir solitária. Não é que eu queira ser pobre de novo, ou queira ter fome de novo, mas por incrível que possa parecer, acho que era mais feliz naquela época. Principalmente, antes de minha mãe morrer. E principalmente, quando eu tinha a Pequena Mafalda para cuidar. Era a *minha* vida. Desde então, durante todos esses anos, eu tenho vivido a vida de outra pessoa. A sua vida e a vida das princesas. Perdoe-me, senhor, mas às vezes eu não me sinto tão grata ao senhor por ter me tirado da antiga vida, porque tudo o que eu fiz foi trocar um tipo de pobreza por outro. O senhor entende, não? É essa pobreza que a gente sente *por dentro.*'

"Leo não está sorrindo agora, mas me olhando como se tivesse visto alguma coisa nova em meu rosto. Ele me estuda.

"'Permita-me algum tempo. Talvez haja um modo de você ter tanto o palácio quanto o *borghetto.*'

"Faço um aceno com a cabeça, uma mesura, e começo a andar de volta pelo jardim. Penso que mais do que o palácio e até mais do que o *borghetto*, o que eu quero, realmente, é o amor dele."

— Durante dias, acho que até mesmo semanas, reassumi meu lugar na sala de aulas, na capela, à mesa. Só usei minhas próprias roupas. Decidi ser gentil enquanto ganhava tempo. Então, ao fim de uma tarde, quando entro na biblioteca, Leo está lá, como se estivesse me esperando. Não há livros espalhados; nem mesmo o abajur está aceso. Faço menção de ir embora, como se o tivesse interrompido, mas ele me convida a sentar ao lado dele.

"'Tenho pensado em uma coisa que parece, agora, incluir você, e acredito que é hora, sim, é a hora certa para falarmos sobre isso.'

"Ele diz as palavras *uma coisa* e *isso* em tom desgostoso, como se significassem algo desagradável. Ou talvez embaraçoso. De qualquer forma, é estranho sentar ao lado dele, sem nenhuma cadeira entre nós, como costumamos sentar. Sem a fraca luz amarela e sem os livros. O príncipe gira uma caneta-tinteiro verde e preta entre os dedos e, naquele curto silêncio, entendi qual seria a natureza da conversa. Aliso minha saia e me sento ereta, com as mãos cruzadas repousando em minhas coxas. Leo vai falar sobre sexo.

"'Você conhece o significado do termo *latifondo*?'

"Nem *Education Sentimentale* nem qualquer outro livro que li, com certeza, tratou desse *latifondo*. Analiso as raízes latinas e chego a 'cama ampla'. Temo que ele esteja me propondo alguma coisa fora do normal e me levanto para ir embora.

"Ele parece não notar minha mudança de posição e continua:

"'*Latifondo* é o termo utilizado para descrever grandes extensões de terra. Um indivíduo que possua essas grandes extensões de terra é conhecido como *latifondista*. Eu sou um *latifondista*, Tosca.'

"Bem, pelo menos ele admitiu que é um *latifondista*. Embora eu não entenda o que a posse de grandes extensões de terra tem a ver com a sua predileção por 'camas grandes'. Ele está falando, girando a caneta-tinteiro. Eu tento escutar.

"'Eu herdei terras de meu pai e de meu tio e, nesses últimos 18 anos, desde que a propriedade ficou sob meu controle total, tenho feito muito pouca coisa para aproveitá-la o melhor possível. Nós plantamos em uma porção relativamente pequena dos campos, usamos uma parte como pastagem e deixamos o restante sem cultivo. A verdade é que a maior parte da terra está abandonada. Não investi em equipamentos e sistemas de irrigação. Não construí nem mesmo estradas simples, para facilitar o transporte das colheitas, supondo que as colheitas existissem.

"Com certeza, ele está tendo dificuldades em chegar ao ponto. *Pastagem, abandonada* e *irrigação* são três palavras que soam mais altas que as outras, mas eu ainda não encontro meu lugar no que ele está dizendo. Olho para ele atentamente, porém, como se estivesse entendendo tudo. Sabiamente e com os lábios apertados, eu aceno com a cabeça de vez em quando. Ele continua.

"'Muitos *latifondisti* são contra as reformas que o Estado está começando a apresentar, como solução para a miséria de tantos sicilianos que estão tentando sobreviver. A devastação provocada pela guerra não terá solução sem as reformas, mas Roma é abominavelmente lenta. Vão se passar anos antes que as leis sejam promulgadas e anos depois disso, antes que alguém se submeta a elas. Se é que um dia alguém se submeterá a elas. Não há Estado, não há governo italiano determinado a alimentar os pobres. Nós que temos *posses* devemos mudar as coisas.'

"Ele agora tem minha atenção. Sua voz é baixa, quase um sussurro.

"'Camponeses de todas as partes da ilha, de todas as partes do *mezzogiorno*, o sul, estão se rebelando. Estão morrendo de fome, estão vendo seus bebês morrerem de fome e no entanto nós, *eles*, todos estamos cercados por nada mais do que terras. Terras sem cultivo. Terras ricas e sem cultivo, onde se poderia cultivar mais alimentos, mais do que os lavradores jamais sonharam. Ainda sim, a fome é histórica nesta ilha, Tosca. Séculos de fome, interrompidos somente, de vez em quando, pela inanição. E os ditos afortunados, os meeiros, como os meus meeiros, estão em situação pouco melhor. *Mezzadria* é um flagelo medieval. Os meeiros são mais escravos do que agricultores, raramente obtêm a metade que, pelo próprio significado da palavra, a *mezzadria* promete. A maioria dos proprietários de terras, os *latifondisti*, só oferece aos seus lavradores o suficiente para se manterem de pé. O bastante para se manterem produtivos. Os nobres fazem banquetes, os lavradores proveem. Eu quero o fim disso. Pelo menos nas minhas próprias terras. Minha mulher diz que sou um fanático. Acho que Cósimo concorda com ela.'

"Estou surpresa com a familiaridade com que ele fala de Simona. Ele não diz que ela está esperando na capela, ou que chegará tarde para o jantar, mas fala sobre algo que conversaram em particular.

"'Não estou pregando o fim da nobreza, mas o fim de minha *própria* exploração, embora involuntária, de meus *próprios* lavradores. O que os outros membros indiferentes dessa minha classe vão fazer ou deixar de fazer, isso é com eles. Se o absolutismo e a repressão lhes agradam, que assim seja.'

"Ele repete *que assim seja*. Várias vezes.

"'*Tosca, tu ricordi quel ragazzo che suonava il mandolino durante la feste vicino al fiume?* — Você se lembra daquele rapaz que tocava o bandolim na festa à beira do rio?'

"'Sim, me lembro dos dois', digo a ele, pensando nas calças de *smoking* roubadas.

"'Aquele chamado Filiberto, você sabe de quem estou falando?'

"'Sim', repito enfaticamente.

"'Bem, há pouco tempo, não sei, talvez duas ou três semanas, alguém, não sei quem, andou pelo *borghetto* conversando com vários homens. Os rapazes. Ele estava recrutando. Estava procurando pelos que pareciam mais desesperados entre os camponeses. Esses recrutadores conhecem os sinais. Ele escolheu Filiberto. Filiberto, cujos pais estão doentes, os dois, e cujos irmãos e irmãs, todos os cinco, estão sempre com fome. Sim, os recrutadores conhecem os sinais. Sim, escolheu Filiberto. Veja, os desesperados dão bons bandidos. O recrutador ofereceu comida e remédios a Filiberto, comida e remédio que eu deveria estar fornecendo, comida e remédio que o rapaz era muito orgulhoso para me pedir, para me implorar, eles oferecem em troca de uma pequena tarefa. Uns poucos minutos de trabalho. Mas primeiro convidou Filiberto a juntar-se a ele e a seus amigos em algum lugar nas colinas, sentou-o à sua mesa, onde, juntos, comeram, beberam, riram e fumaram charutos. Seduziram completamente o desesperado Filiberto. Ele foi convidado a fazer parte de um *clube*; a *pertencer* a um clube. Faria trabalho de homem. Isso parecia bom, parecia direito. Afinal de contas, ele estaria trabalhando por sua família, não?

"Eu posso ouvi-los, Tosca. Sei o que disseram. *Deite calmamente embaixo da oliveira cujo tronco está partido em dois,* disseram a ele, *e quando o homem de camisa verde passar, mire no rosto dele. Sim, destruir o rosto de um homem é o maior desrespeito. Mire no rosto. A lua vai estar brilhante, Filiberto. Você vai ver o alvo com clareza. Você vai estar posicionado bem no caminho dele. Mire no rosto. Você sabe atirar, Filiberto? Todo bom lavrador sabe atirar. Aqui, esta é a sua* lupara, *sua espingarda. Quando o homem de camisa verde atravessar o caminho que leva ao bosque, esse é o momento. Aperte o gatilho. Espere cinco segundos. Escute. Aperte o gatilho mais uma vez. Fuja para o bosque. Corra para casa. Durma. Amanhã os sacos vão estar do lado de fora da sua porta. Feijão, arroz, batatas, açúcar, café. Cigarros. Remédios em uma caixa branca. Antes do amanhecer.'*

"Ele se levantou da cadeira, para andar. Tinha gritado quando não estava murmurando. Quando olha em minha direção, vê que estou sentada de cabeça baixa. Pensa que estou chorando. Eu estou chorando. Engolindo os soluços quase em silêncio.

"'Tosca, perdoe-me. Eu não queria ter contado isso tudo a você. Só queria falar sobre você, sobre você. Sobre você e o *borghetto.*'

"'Foi bom que você tenha me contado.' Agora eu soluço sem disfarçar. 'Mas Filiberto, o que aconteceu com ele?'

"'Será enterrado amanhã. Não havia sacos diante de sua porta ontem, antes da alvorada. Quando ele tentou voltar ao lugar nas colinas, onde estivera, alguém atirou nele. Ele foi jogado na porta da casa de sua mãe. Um amontoado grotesco, sem rosto.'

"Agora o príncipe está chorando.

"'Deus me ajude, por que lhe contei isso? Ninguém no palácio sabe disso, ou ninguém sabe ainda, ou talvez saibam, mas isso é assunto do *borghetto*. Eles vão lidar com isso sozinhos, não querem nada de mim. A dor é muito grande. A tragédia é somente deles.'

"'Por quê?'

"'Você está perguntando a razão, o motivo? Pode ter sido a facilidade com que Filiberto foi convencido a fazer o serviço, talvez aqueles homens o tenham considerado fraco. Ele podia ser comprado com arroz e cigarros, sim, eles podem ter pensado que ele era fraco. Então o usaram e o descartaram. Não era um bom material.'

"'Mas se aqueles homens eram matadores, por que eles mesmos não mataram o homem com a camisa verde? Por que tinham que achar alguém como Filiberto para fazer isso por eles?'

"'Isso foi uma expressão do *sicilianismo* deles. Eles se colocam do lado de fora e, assim, são indiferentes a qualquer forma de razão ou lei, que não as deles. Não existe Estado na Sicília. O fracote que está no governo, indicado por Roma, nunca conseguiu transpor a estreita faixa de água que separa a Sicília da península. Os sicilianos das áreas rurais são salteadores desde que começaram a ter fome. Não há Estado para proteger os sicilianos. Os homens daqui fizeram seu próprio Estado. Talvez seja a própria Cila quem mantenha os chefes de Estado sob as águas, enquanto canta sua canção de sereia. Joga-os contra as rochas por prazer. Sim, talvez seja Cila quem tenha impedido que o Estado chegue até a Sicília. Os homens que mataram *Filiberto*, e podem não ter sido os mesmos com quem ele fez o pacto, decidiram que ele, de alguma forma, era um problema. Nenhuma esperteza. Nenhuma coragem. É possível que o indivíduo que ordenou a morte de Filiberto tenha pensado que ele não era *bom*. Sabe, esses clãs, esses bandidos, acreditam em sua própria bondade, em seu senso de justiça.' Ele anda até minha cadeira e coloca suas mãos em meu rosto. 'Eu e minha pobre revolução estamos atrasados. Eu estou atrasado, não estou, Tosca?'

"'Não. Nem mesmo um príncipe poderia ter mudado o destino de Filiberto. E não acho que o senhor possa mudar o meu também. Se o senhor pensa que, por causa disso, desse *acontecimento*, eu não vou mais querer viver no *borghetto*, pense de novo. Isso me faz querer ir para lá mais ainda.'

"'Sim. *Sempre di più*. Sempre mais. Mesmo agora, os efeitos da festa ainda estão afetando o seu romantismo. Estranhamente, mesmo depois de tudo o que aconteceu, ainda estão me influenciando também. Mas, como a história de Filiberto nos lembrou claramente, a festa não foi um exemplo da vida cotidiana do *borghetto*. Nem mesmo enquanto meu pai estava vivo, houve algum acontecimento assim.'

"'Em vez de deixá-los reunir recursos para alguma celebração simples, que eu melhoraria com algum doce ou o que eu pudesse convencer os cozinheiros a fornecer, desta vez eu enviei um motorista para trazer sardinhas frescas de Trapani. Cósimo e eu fomos até os mercados, em Enna, e trouxemos as melhores hortaliças e frutos que conseguimos encontrar. Abri alguns barris da adega do palácio, mandei trazer lenha. Fiz o que deveria ter feito durante esses 15 ou vinte anos, desde que meu pai se foi. Mas eu não segui seu exemplo. Seu exemplo de afeto e generosidade. Optei por aceitar a ideia de que uns têm e outros não têm. Aceitei-a como uma verdade social, dizendo às pessoas famintas que trabalhavam para mim para comerem do bolo proverbial. Satisfiz minhas paixões sentando-me em minha sela, na minha cadeira de leitura ou à mesa. De vez em quando, ia até o *borghetto* para fingir comiseração ou apresentar rápidos cumprimentos em uma cerimônia de batismo ou sacramento. Para jogar flores em um caixão. E, sim, às vezes eu ia até lá para beber vinho com o pai de alguma garota recém-desabrochada, para examiná-la como a um cavalo que eu quisesse comprar. Frequentemente, saía de lá com um encontro marcado para exercer o *jus primae noctis*, o direito à primeira noite. Não estou lhe dizendo que sou mau, ou mesmo que não sinto compaixão. Estou lhe dizendo que fui ignóbil; admitir a ignobilidade pode ser a maior danação de um homem. Fui presunçoso, cheio de pretensão e futilidade. Fui corrupto em minha passividade. Foi preciso uma guerra, Tosca, para me acordar. Há coisas que vi no *borghetto*, nesses últimos anos, coisas que Cósimo e eu testemunhamos, que nunca poderei esquecer. Embora eu possa não ter sido o causador direto dos sofrimentos, não deixo de ter uma parcela de culpa. Do que aconteceu a Filiberto, eu *sou* a causa. E terei que viver com isso o melhor que puder.'

"'Filiberto fez sua escolha.'

"'Filiberto fez uma escolha *desesperada*.'

"'Talvez. Mas a minha escolha não é desesperada. Não foi a festa que me despertou o desejo de viver no *borghetto*. Foram as pessoas, senhor. Os próprios camponeses. Eu sou um deles e quero estar no meio de meu próprio povo.'

"Ele fica em silêncio por um tempo que parece longo. Como se a caneta verde e preta o absorvesse inteiramente.

"'É uma conclusão interessante. O que você está dizendo é que quer voltar para casa. Não é isso?'

"'Eu não pensei exatamente desse modo, mas sim. Agora que o senhor disse isso, é o meu modo de voltar para casa. O *borghetto* é a minha casa.'

"Digo isso lentamente, testando as palavras, perguntando-me se são verdadeiras.

"'Você acha que qualquer uma das jovens de sua idade, ou mais velha, ou mais jovem, quase qualquer pessoa do *borghetto*, se tivesse oportunidade, não trocaria de lugar com você?'

"'Talvez qualquer uma delas trocasse. Pelo menos por algum tempo. Até que o apelo dos iguais se faça sentir. A necessidade de estar no meio da própria tribo. As coisas indispensáveis para o senhor não são as coisas indispensáveis para nós. Minha irmãzinha entendeu isso antes de mim.'

"'Mas você entende isso agora? Compreendo. Mais uma vez, você está sendo romântica. Mas vamos em frente. Você sabe que os camponeses não dançam e cantam todos os dias. Bom. E você deve saber que eles trabalham por mais tempo do que descansam. Você sabe disso, não? Mas você sabia que, muitas vezes, não há comida suficiente em suas mesas? Meus próprios agricultores estão famintos, Tosca, enquanto estamos aqui sentados, já saciados, esperando que daqui a pouco nos sirvam alguma torta imensa que vamos mordiscar como se fosse feita de geleia envenenada.'

"'Mas eu sei que os cozinheiros enviam cestos e caixas cheios de comida para o *borghetto*.'

"'Sim, as sobras de nossas mesas são doadas aos camponeses. Alimentamos os animais. Dar aquilo que não se quer não é doar. Posso fazer melhor do que isso. Farei melhor do que isso, Tosca. Nunca mais vou manter qualquer coisa que valha a pena ser doada. Não sou tão romântico a ponto de pensar que poderei compensar essas pessoas dos sofrimentos, ou da pobreza histórica que é sua herança. *Era*. Era sua herança. Mas posso ajudá-las agora. Posso acabar com o mau uso. Você vai me ajudar?'

"'Ajudar o senhor quer dizer que não vou poder viver lá? Minha ajuda significa me afastar desse desejo? Por favor, não me trate como criança. Eu não sou criança, senhor. Acho que nunca fui. Aliás, o que eu poderia fazer para ajudar o senhor?'

"'Vou dizer o que você pode fazer. A seu tempo, vou lhe dizer, mas, por favor, procure entender que, se não quero que você vá viver no *borghetto*, é pelo seu próprio bem. Mais do que pelo meu. Se você for, tudo o que ganhou estudando e lendo se tornará parte do seu passado. O livre reinado de sua curiosidade vai terminar. Não haverá tempo para ler, Tosca. Você pode imaginar uma vida sem tempo para leitura? Se o *borghetto* é onde você quer estar, você pode ficar lá, mas sem encerrar sua vida aqui. Você pode ter as duas coisas.'

"'Senhor, eu não quero as duas coisas. Eu quero ir para casa. Como isso não é possível, acho que *posso encontrar* uma casa no *borghetto*.'

"'Talvez você possa. Confiante como é, você pode conseguir, Tosca, mas eu me recuso a fazer parte disso.'

"'O senhor está dizendo que não vai me permitir viver no *borghetto*?'

"Ele olha para mim e diz, em pouco mais que um murmúrio:

"'Não. Claro que não estou dizendo isso.' Então ele ri. 'Você não é minha prisioneira.'

"'Então quem sou eu? Quem sou eu *para você*?'

"Leo permanece em silêncio. Pega a caneta verde e preta e a acaricia com o polegar. Eu quero ser acariciada.

"'Acho que você é uma jovem extraordinária, a quem eu fiquei muito afeiçoado. Gostaria muito de ter você sempre por perto.'

"Ele diz as últimas palavras lentamente.

"Por que não me pergunta quem ele é para mim? Porque sabe? Ele fica em silêncio, absorvido pela caneta verde e preta. E continua:

"'Mesmo se eu não fosse tão egoísta, querendo manter você perto de mim, eu ainda a aconselharia a não ir viver lá. Embora você imagine que pertence à tribo dos camponeses — como você disse —, eles não a reconhecem como um deles. Você é vista por muitos deles como mais uma filha minha. Por outros, é vista de outra forma. *Una bella puttanina.* Uma bela putinha. Sei que você ouviu os cochichos nos salões. Queriam que você escutasse. E que eu escutasse. Nada iria agradá-los mais do que me ver negando isso, ou, melhor ainda, confessando isso. Mas eu falo apenas de colheitadeiras e do preço do carvão, provocando-os com minha discrição. Mas há cochichos em todo lugar. No *borghetto*, haveria cochichos. Como minha filha ou como minha amante, de qualquer maneira, os camponeses iriam evitar qualquer sugestão de intimidade com você. No entanto, se você fosse colocada — se eu a colocasse —, ou melhor, *se lhe agradasse ser colocada* em uma posição de autoridade, os camponeses iriam recebê-la bem. Você estaria suficientemente distante para que eles se sentissem confortáveis. Poderiam interagir com você dentro dos limites de sua posição.'

"'Mas que *posição*?'

"'Como professora de suas crianças. A *maestra* delas. Todo mundo sabe que você recebeu uma educação rigorosa. Todo mundo sabe que você é uma aluna destacada. Onde você poderia não ser aceita como igual, poderia ser acolhida como alguém de posição superior, que veio ensinar às crianças.'

"'E quanto ao meu status de *bella puttanina*? O senhor está dizendo que, se eu me tornar *la maestra*, os cochichos vão terminar?'

"'Não. A verdade é que você vai ter que aceitar os cochichos com espírito esportivo, não importa o que você faça. E, acho eu, não importa aonde vá. O fato de eu ter ido buscar você há muito tempo, para colocá-la sob a minha tutela, garantiu isso. Apesar de minhas intenções e de minhas ações posteriores, *eu* garanti isso.'

"'Então eu estou marcada. Desonrada. Tanto no palácio quanto no *borghetto*.'

"'Marcada sim. Desonrada não. Mas isso tudo é muita coisa para você ouvir de uma vez. O que eu levei meses para decidir, coloquei diante de você em uma tarde. Vamos parar agora. Conversaremos um pouco todos os dias. Sobre as ideias. Sobre tudo isso.

"Pela primeira vez desde que começou a falar, ele sorri. A biblioteca está quase escura; ele se levanta para acender dois abajures, mas mesmo a fraca claridade que projetam parece rude. Um final inesperado. Ele deve estar sentindo isso, também, pois rapidamente apaga as lâmpadas, acende uma vela e um cigarro com um único fósforo. Pede desculpas por não me oferecer um cigarro.

"'O senhor sabe que eu não fumo', digo a ele, contente por estarmos conversando de alguma coisa tão adulta como um cigarro.

"'Você pode querer começar quando eu lhe disser o que vamos fazer.'

"Ele diz isso enquanto volta a sentar-se em sua cadeira e estica os braços por sobre a mesa, com o cigarro nos lábios. Mais do que o cachimbo, eu gosto de vê-lo fumar cigarros. Ele estava fumando um cigarro naquela outra noite. Também o trazia nos lábios. Vi quando abri sua porta. Ele o tirou dos lábios e o jogou no fogo. Andou rápido, quase correu em minha direção. *Tosca, o que foi?* Vi seu tronco nu sobre suas calças de montaria. Sua voz interrompe meus pensamentos agora. Está falando sobre uma cavalgada que fez com Cósimo, há pouco. Ele gostaria que todos fôssemos juntos por aquela mesma trilha um dia desses. Talvez no domingo. Uma longa cavalgada, diz. Até o pavilhão de caça. Um lugar antigo, muito agradável, ele me informa. Alguns primos estão alojados lá, no momento. Aves selvagens. Lebres selvagens. *Potremo pranzare là con loro*. Podemos almoçar lá com eles. Vamos ver o que vai acontecer no domingo, diz. Soam os sinos da capela. Quinze minutos para as vésperas.

"'Saiba que é verdade, Tosca.'

"Eu tinha dito *a dopo*, até mais tarde. Tinha feito uma mesura e me virado para sair. Viro-me e olho para ele, quero saber *o que* é verdade.

"'É verdade que eu quero muito ter você sempre por perto.'

CAPÍTULO VII

— Alguns dias mais tarde, Leo, Cósimo e eu vamos de carro até o *borghetto*. Eu não voltara a andar de automóvel desde aquele primeiro dia, quando ambos vieram me buscar na casa de meu pai para me levar ao palácio. Uma garotinha desengonçada, cujas coxas finas e suadas, que apareciam sob um vestido curto demais, grudavam no assento de couro. Meio deitada, por entre dobras do vestido cor-de-rosa, ajeito minhas pernas, agora compridas, no minúsculo assento traseiro. Cósimo estava dirigindo naquele dia já tão distante, como dirige agora, com Leo no banco do carona. *É o mesmo automóvel?* Acredito que ele vai entender a pergunta. Ele entende. Responde-me que *é* o mesmo. Sacode a cabeça; com uma espécie de admiração, sorri. Já chegamos.

"Nos quase sete anos que vivi no palácio, vi pouca coisa além dos quintais do *borghetto*, onde perambulam as cabras, as galinhas e os gansos, onde o sapateiro às vezes trabalha, onde a coelheira se ergue à sombra de um pequeno bosque de choupos. Nada além disso, mas agora, na companhia de um grupo de homens que Leo apresenta como empreiteiros, passamos por todas as construções da pequena comunidade, olhando para dentro de algumas. Estruturas de um andar, construídas em pedra, algum *pasticcio*, tijolos e madeira; não há sinais de conforto. Há dignidade. Intenção de harmonia. A *mensa*, sala de refeições, cheira a luz do sol e tomates cozidos em uma panela onde os tomates são cozidos desde sempre. Nas mesas cobertas com linóleos de todas as cores, e nos bancos simples ao lado delas, é onde eu gostaria de me sentar. Há um dormitório onde dormem alguns dos homens solteiros. Uma panificadora, uma cabana para o preparo de queijos, um defumadouro e uma capela. Uma sala de aulas. As estruturas restantes são alojamentos pequenos, de teto baixo e piso de terra, onde famílias, e frequentemente animais, dormem juntos. Há um cocho largo e comprido, onde os animais bebem, na mesma fonte de água em que as roupas são lavadas, esfregadas em pedras achatadas. Não há instalações de banho ou sanitárias. Penso na casa de minha infância e em seu relativo esplendor. Penso em Leo me dizendo que sou romântica.

"Há poucas pessoas visíveis — apenas as jovens demais ou velhas demais para estarem nos campos e aquelas ocupadas na panificadora ou na cozinha. Paro um pouco para observar as mulheres no trabalho. Sem nada daquela alegria altiva que demonstraram na festa, fazem seu trabalho quase em silêncio. Não é um corre-corre mundano, é um trabalho de sobrevivência. Sento-me perto de um velho — é o mesmo velho que tocou harpa de boca na festa, pelo menos eu acho que é. Sobre seus joelhos magros, ele segura um bebê que grita, em parte por deleite, em parte querendo que a papa, que o velho lhe dá de colher, seja servida com mais rapidez. Quero ficar junto ao velho e ao bebê. Eu daria um bom banho nos dois e os colocaria para dormir, enquanto cozinho para eles. Leo me chama para perto do grupo.

"Falam sobre abrir janelas nas paredes externas, sobre dar acabamento às paredes internas, sobre telhas, chaminés e currais separados para os animais; um banheiro coletivo, uma lavanderia, uma latrina. Haveria leitos de verdade nos dormitórios. Haveria um fogão a carvão com dez queimadores na cozinha. Tento seguir as discussões, mas sigo Cósimo com os olhos, enquanto ele anda pelo lugar, abrindo e fechando portas que abriu e fechou antes, como se quisesse compreender a miséria. Deixo os outros homens e me junto a ele.

"'Vai levar um ano, talvez dois, Tosca, mas Leo transformará este lugar. Transformá-lo em um modelo, um exemplo que outros proprietários de terra irão seguir. Ou isso ou farão *dele* um exemplo. Vão matá-lo a tiros, por querer interromper o curso das coisas.'

"Eu sei que o padre está brincando, quando diz *matá-lo a tiros*. Mas a frase soa grosseira aqui, onde o corpo de Filiberto foi jogado há poucos dias. O padre me perturba. Talvez essa seja sua intenção. Eu não vou deixá-lo perceber que teve êxito.

"'O senhor quer dizer outros *latifondisti*.'

"Ele olha para mim, sustenta meu olhar, então sorri.

"'Sim, outros *latifondisti*.'

"'O que o senhor vai fazer para ajudar?', pergunto a Cósimo, curiosa em saber se Leo falou com ele sobre a ideia de eu me tornar professora.

"'Principalmente socorrer Leo quando ele vacilar. Ele vai vacilar. O que vai ser feito aqui é a menor parte do plano. É o trabalho de preparar a terra inculta para o plantio, o trabalho de encorajar os agricultores a usar novos equipamentos e a aceitar novos métodos de plantio que vai desanimá-lo. Mas nem isso é a maior parte do plano. Veja bem, Leo jura que, ao longo de sua vida, vai distribuir a terra aos lavradores e aos filhos deles, torná-los agricultores independentes, que trabalharão para se alimentar, vendendo o excedente e conhecendo as terríveis alegrias de lidar com dinheiro. Essa será a sua obra-prima. Sua grande imprudência, talvez. Não estou convencido de que os camponeses que se elevam acima de sua posição social encontram a felicidade. Em vez disso, encontram outro tipo de miséria. Descartam sua humanidade ou a dão em troca de mais pão. As pessoas devem ser o que nasceram para ser, Tosca. Há os que nasceram para trabalhar na terra. Há os que nasceram para possuir terra.

"Chocado com sua própria gafe, o padre interrompe seu solilóquio, coloca a mão em meu ombro e diz:

"'Você é tão parte da família do príncipe que esqueço que — quero dizer, é como se você sempre tivesse estado aqui, Tosca.'

"'*Va bene, dom Cósimo. Capisco.* Está bem. Eu entendo', digo a ele.

"Mais uma vez, ele me olha como se eu estivesse mudada ou diferente de alguma forma. Eu *estou* diferente. Não apenas porque a saia de tafetá grosseiro, que eu usava, foi substituída por esta saia de seda, que vai até meus tornozelos; não apenas porque minhas tranças estão cuidadosamente aninhadas no alto da cabeça, em vez de estarem enroladas por cima das orelhas. Não são apenas essas coisas que me tornam diferente. Cósimo fica surpreendentemente silencioso, como se estivesse tentando ligar essa Tosca, com quase 16 anos, com aquela outra de 9 anos. Essa *maestra*, que está desabrochando, com a selvagem ladra de cavalos. Leo, com certeza, não falou com ele sobre mim. Cósimo recomeça a falar.

"'Como eu dizia, alguns nascem para trabalhar na terra. Outros, para possuir terras. Encurtar as distâncias enormes e históricas que existem entre suas mesas, seus leitos, seus nascimentos e suas mortes, as reformas que Leo tem em mente são justas. Mas eu gostaria que ele parasse aí. Não há necessidade de distribuir as terras. Essa é uma iniciativa estouvada, minha querida. Estouvada no sentido de arriscada. Seria ótimo se ele, ao menos, conseguisse entender que os lavradores já ficariam felizes em dormir longe de seus porcos.'

"Por que ele me fala dessas coisas? *Estouvada no sentido de arriscada*. Será que ele pensa que tenho alguma influência sobre Leo? Claro que não pensa isso. Mas por que então... Ele retoma sua história.

"'O príncipe é um homem complicado, Tosca. Tão complicado que suas ideias parecem simples. Especialmente para ele mesmo. Ele diz que não existem vilões nem heróis. Diz que todos nós somos vis e todos nós somos bons, embora não em proporções iguais. Ele lembra o Cristo. Às vezes. Quando não está sendo Tolstoi. Mas é sempre Cândido.* Ele insiste em que o que está fazendo aqui não o torna um liberal, um progressista. Ele se diz um aristocrata com um desapego aristocrático às coisas que não lhe pertencem, diz que não está tentando mudar as coisas em nenhum outro lugar, apenas aqui. Em outras palavras: o mundo de Leo é pequeno. Suas terras. Seus lavradores. Homens e mulheres que, por sinal, ele não idealiza. Mas pelos quais se sente responsável. Ele quer que eles mesmos se enobreçam, trabalhem com toda a capacidade, tenham a segurança de uma mesa servida e de um leito decente. Quer tomar conta de todos, como se fossem seus filhos.'

"Cósimo não deve estar esperando que eu entenda esse negócio de reformas, dormir longe dos porcos e desapego aristocrático, assim como Leo não deve ter esperado que eu entendesse tudo o que me disse aquele dia na biblioteca. No entanto, eu entendi Leo. E acho que realmente entendo o padre. Principalmente, eu entendo que Leo é bom.

---

* Romance de 1759 de autoria do filósofo francês Voltaire, que retrata questões de otimismo e realidade. (N. da E.)

"Eu ando, olho o *borghetto* com Cósimo, mas tudo o que ouço é a voz de Leo. *É verdade, Tosca. É verdade que quero muito ter você sempre por perto.* Palavras de amor. Não eram palavras de amor? Amor paternal? Amor romântico? Converso com Cósimo mal reparando no que digo. Menos ainda no que ele diz. Decido incorporar as revelações de Leo à minha vida no palácio. As que eu entendi e as que ele deixou à meia-luz na mesa da biblioteca. O que sei com certeza é que, quando Leo hesitar, serei eu quem virá em seu socorro."

CAPÍTULO VIII

— O grande trabalho no Borghetto começou no verão de 1946. Os agricultores saíam para os campos, como de hábito, enquanto caminhões cheios de operários, a maioria soldados que haviam acabado de dar baixa, iniciaram o serviço de reformar as construções. Os lavradores colocaram seus catres e objetos pessoais na cozinha ou os alinharam contra paredes da sala, ou mesmo os deixaram ao relento, enquanto os homens trabalhavam para que os chalés, como Leo começou a chamar os dormitórios, ficassem prontos no fim do outono. Os progressos feitos em cada dia arrancavam gritos de alegria dos lavradores, ao retornarem dos campos e verem mais uma fileira de janelas, ou mais uma parte do telhado coberta por telhas de cerâmica. Talvez mais que o banheiro coletivo, a lavanderia e os currais, foram os fogões da cozinha que suscitaram as maiores exclamações. Os fogões e a abundância que prometiam.

"Meu entusiasmo por poder observar o trabalho foi semelhante ao que senti quando Leo tomou a si a direção do ritmo e do conteúdo de meus estudos. Todas as manhãs, eu cavalgava com Leo e Cósimo até o *borghetto*. No fim da tarde, dispensando o chá habitual com as princesas, Simona e as professoras, voltava lá. Quase não pensava em mais nada, a não ser em como a restauração do vilarejo estava bonita. Até a sala de aulas. Quando ninguém estava me observando, eu ficava de pé na porta, imaginando-me andando por entre as mesas e carteiras, lendo para as crianças, assim como a *suor* Diana lera para mim, com Leo aparecendo para ouvi-las recitar o alfabeto grego, ou para lhes contar a história de sua amada Deméter. A sala de aulas ficou pronta no dia do meu 17º aniversário. Sem que ele o dissesse, eu sabia que era o presente de Leo para mim.

* * *

— Seu comando sobre a vida no palácio, antes permanente, deu lugar a frequentes ausências. Ele passou a almoçar nos campos, junto com os camponeses. Pão, azeite, tomates e vinho. Domingo de manhã, como um andarilho errante, era visto descabelado e ofegante, subindo a escada de dois em dois degraus para tomar banho antes da missa. E quando estava presente no palácio, parecia sempre estar olhando para algum ponto distante. Distante da grande terrina azul e branca, da qual já não extraía sopa para servir aos comensais. Distante do cabelo curto de Simona, frisado em ondas, e de suas bochechas avermelhadas. Distante das princesas e distante de mim, também. Apaixonado pelo seu trabalho com os lavradores e por eles, o príncipe era um homem vivendo um grande amor.

"Delicados como rendas, os espaços entre Leo e Simona eram tecidos com a mesma *politesse* com que fora tecido o superficial e obrigatório arranjo de sua união. Assim, quando havia alguma desavença, o padrão de suas vidas, na aparência, quase não mudava. Ajustes refinados. Concessões tácitas. Um ano se passou, talvez mais, sem muitas indicações de que a farsa do casamento deles, habilmente representada, sofrera uma revisão.

"Simona começou a dirigir a casa como se Leo não mais vivesse no próprio palácio. Aumentando a frequência de sua já lendária arte de entreter convidados, ela se investiu do triplo papel de grande dama, mártir e mulher fatal, com cada encenação mais frenética que a outra, e todas destinadas a reunir ao seu redor aqueles que a defendiam, ridicularizando o comportamento supostamente amalucado de Leo. Encontrou um grande número de intrigantes dispostos a rezar pela mesma cartilha. *A hora em que descemos até eles é a hora em que eles passarão por cima de nós*. Simona recitava a crença dos nobres com voz de mártir, e os grupos cobertos de joias que recebia repetiam a mesma coisa em voz baixa e gutural.

"Em qual dos infernos ela me colocou naquela época? Foi mais gentil comigo do que nunca, eu era o alvo perfeito, a evidência jovem e bonita de seu enorme sofrimento. Eu não prestava muita atenção aos seus dramas, pois, como Leo, estava vivendo um amor. Tinha me tornado, oficialmente, a *maestra* do *borghetto*.

"Sem nenhuma credencial nem diploma, mas com a orientação de professoras de uma escola em Enna que Leo e Cósimo consultaram, comecei a trabalhar. Um único currículo, rudimentar, foi oferecido a crianças de 5 a 12 anos. Acima de 12 anos, as crianças precisavam trabalhar junto com os pais. *Per ora, per ora.* Por enquanto, por enquanto, Leo vivia dizendo.

"Minha turma era composta por nove alunos. Três com 5 anos, um com 6, quatro que variavam de 7 a 9, e uma adorável menina de 13 anos chamada Cosettina."

"Quebrei o pacto de não fazer perguntas.

— Era *essa* Cosettina? A que...?

— Era essa Cosettina. Tinha 61 anos quando morreu.

Arrependo-me de ter interrompido, pois agora Tosca fica em silêncio. Peço a ela que, por favor, prossiga.

"Cósimo me encontrava na sala de aulas todas as manhãs, às oito horas, para cumprimentar os alunos junto comigo. *Buongiorno, monsignore. Buongiorno, professoressa* — suas réplicas cantadas tinham tanto de ameaça quanto de saudação. Alguns dias, Cósimo rezava o rosário com eles, ou lia trechos de *As Vidas dos Santos.* Sempre os abençoava. Beijava o alto de suas cabeças, enquanto formavam uma fileira diante dele, então ficava parado, para receber seus abraços apertados e votos de bom dia. Então começávamos. Literalmente. O alfabeto. O nome das letras e como escrevê-las. Logo isso se provou difícil demais. Quem conseguiria ficar sentado e quieto por tanto tempo? Quem conseguiria ficar sem rir e dizer palavras feias por tanto tempo? Havia as saídas para ir até a latrina. Cosettina, que tinha que procurar umas cabras desgarradas. Gritos tenebrosos, na disputa por um toco de lápis. Era verdade que eu trazia na bolsa *cioccolatini* e pão e queijo para eles? Eles estavam famintos e eu sabia o que era a fome. Eu me lembrava disso como se fosse o rosto de meu pai. O rosto deles. Mesmo enquanto gritam para que eu observe alguma proeza, que realizam entre as rochas quentes, ou sobre a areia em brasa, seus rostos famélicos e perturbadores aparecem sob a máscara. Estão apenas disfarçados de crianças.

"Mas eles seguram os lápis, tocam no papel e escutam o que você lhes ensina, mesmo que por apenas um ou dois minutos de cada vez. Paciência. É um começo — dizia Leo.

"Às vezes as crianças puxavam minhas mãos, puxavam-me para o lado de fora, pediam-me para ir até a *mensa* com elas e brigavam para disputar quem iria se sentar ao meu lado — caso eu concordasse em ir. Mas eu nunca fui, até que uma das mulheres me convidou. Era a mãe de Cosettina. Me lembrei de quando, meses antes, eu vira a *mensa* pela primeira vez, e de como desejara me sentar lá. Ser parte deles. Eu sabia agora que Leo estava certo. O único modo de ser parte deles era manter certa distância. Ser útil, mas permanecer separada. A garota com pele de pêssego estava lá. Chamava-se Olga.

"'*Olga, vieni più vicino.* — Olga, chegue mais perto', os homens a chamavam.

"Como se fosse uma russa, ela amarrara um lenço vermelho e verde brilhante na cabeça, como um turbante, de onde escapavam cachos que se colavam em suas bochechas úmidas.

"'*Pazienza, pazienza, c'è abbastanza.* — Paciência, há o bastante', diz a garota com pele de pêssego.

"Carregando um grande cesto repleto de cebolinhas, com terra ainda presa na teia de suas raízes recém-arrancadas, Olga percorre as mesas cobertas com linóleo, distribuindo as cebolinhas como se fossem joias. Duas para cada um. Uma para cada criança. Em meu prato, ela coloca três, curvando a cabeça para beijar minha testa. Diz:

"'*Benvenuta.* — Bem-vinda.'

"Cosettina está servindo *maccheroni e ceci*, alguém coloca pão à minha frente, outra pessoa enche minha caneca, meio a meio dos jarros de água e vinho. Batem com as cebolas na beirada da mesa, para tirar a terra, e esfregam cada uma na lata de sal grosso que está sobre cada mesa. É o mais próximo que esses montanheses jamais estiveram do mar. Mordem o bulbo salgado e crocante, deixam que queime suas bocas. Uma colherada de macarrão, uma mordida na cebola. Provoque a fome. Satisfaça a fome. Os pobres são mestres nas duas coisas. Fiz o que eles faziam. Fiz o que eu fazia. Fiz o que, durante longo tempo, eu quis fazer."

CAPÍTULO IX

— A REVITALIZAÇÃO DOS CAMPOS NÃO CULTIVADOS E A ABERTURA DE estradas rudimentares foram realizadas em uma primavera e um verão. Era 1948. Um ano após a reconstrução do próprio *borghetto*. Mais uma vez, operários foram importados de muitas partes da ilha; assim, os lavradores puderam manter suas rotinas. Manter a atividade de alimentar a si mesmos. O volume que Leo retirava das safras de frutas e hortaliças, plantadas pelos agricultores, era cada vez menor. Assim como a parcela retirada das caprichosas dádivas das oliveiras e das vinhas. Para atender às necessidades do palácio, Leo convocou os lavradores mais velhos para transformar grandes áreas dos jardins formais em *orti*, hortas. Abóboras e alcachofras passaram a florescer onde antes brotavam roseiras. Leo adorava essa alegoria. Os velhos também mudaram. Estavam fazendo alguma coisa pelo príncipe, especialmente por ele. Ternamente, como um bando de querubins enrugados, cavaram, plantaram e irrigaram as mudas, agrupados entre as fileiras imaculadas, torcendo para que as sementes inchassem e as folhas brotassem. E foi o que aconteceu.

"O mesmo ocorreu com os primeiros plantios dos novos campos. Trigo, milho, cevada e favas brotaram sob o suave sol de inverno e, plantados novamente na primavera, floresceram sob o sol inclemente. O mesmo aconteceu, misteriosamente, com *la novara* — tomates e melancias, que não precisaram das chuvas, ou da água levada a elas pelos novos canos azuis colocados sob a terra. Suculentas em pleno deserto, *la novara* vicejou na terra ressequida. Sob o sorriso brilhante de Deméter, segundo os agricultores. Deméter, santo Isidoro, santa Rosália e o próprio Zeus eram alternadamente invocados e — conforme a devoção de cada um — presenteados com um pequeno sacrifício. Um pão. Uma coroa de papoulas silvestres. Um grande fogo sob a lua cheia, alimentado durante toda a noite.

"Mudanças significativas já haviam amenizado as vidas dos lavradores e essa primeira colheita constituía um bom presságio. As mulheres varriam e limpavam os dormitórios. Em cada soleira de janela, durante as manhãs, um colchão era colocado para arejar e tomar sol. A partir de grossas peças de lona e fustão de algodão, as mulheres confeccionavam cortinas para suas portas, e colocavam vasos de flores silvestres nos umbrais. Elas se sentiam em casa. Cordas de varais se entrecruzavam no pátio, exibindo roupas escuras e lençóis brancos, que tremulavam como bandeiras de piratas. A panificadora produzia duas fornadas diariamente. A cada sábado alternado, crianças faziam fila do lado de fora do pequeno aposento caiado que abrigava a enfermaria, para receber as visitas compulsórias de um médico itinerante. Um quarto ao lado foi transformado em maternidade, onde a parteira oficial do *borghetto* cuidava dos equipamentos e, sempre que podia, contava as toalhas novas, dobrando-as e redobrando-as. Naquele verão de 1948, o estado de espírito no *borghetto* era jubilante. Um comedido júbilo siciliano. *Não deixe os deuses saberem como as coisas estão bem, para que não fiquem tentados a nos pregar alguma peça, só para fazer as coisas ficarem mais interessantes. S-h-h-h.*"

CAPÍTULO X

— MAS ELES ROUBARAM *DELES MESMOS*. ISSO É IMPENSÁVEL.

"'Nada é impensável, se você ao menos parar de se limitar às fronteiras do intelecto. Você insiste em pensar racionalmente em uma situação irracional, Leo.'

"Leo e Cósimo estão sozinhos no salão do café da manhã, quando eu e as princesas nos aproximamos da porta. Ouvimos o diálogo. Olhamos uma para a outra, pensando se devemos entrar. Ninguém mais parece estar à mesa com os dois homens. Yolande entra primeiro, Charlotte e eu a seguimos. Os dois homens estão sentados no canto mais afastado da mesa. Não notam nossa presença. Sentamos e Yolande toca a sineta. A criada traz café, leite, pão e biscoitos, mas somente Yolande começa a comer e beber.

"'Papà?', chama Charlotte.

"'*Si. Buongiorno, ragazze. Tutto bene?*' Ele mal olha em nossa direção, levanta, espera que Cósimo se levante e ambos deixam o aposento sem qualquer outra palavra.

"'Você não sabe?', Yolande me pergunta.

"Yolande está com quase 17 anos, mas seu rosto e corpo permanecem em uma espécie de puberdade frustrada. Ela usa pasta de amido de milho em suas bochechas e queixo para disfarçar os estragos que costuma fazer em sua pele manchada. É desajeitadamente gorda e, quando fala, é sempre com petulância infantil, projetando à frente seu grande queixo quadrado. O mesmo queixo quadrado de Leo. Ela também tem os olhos de Leo. Uma dádiva para qualquer um. Como as violetas sob os limoeiros. Olho para ela.

"'Eu não sei o quê?'

"'Sobre o problema no *borghetto*. Fui até a cozinha esta manhã, para pedir que o cozinheiro fizesse umas *fritelle*, e ouvi o pessoal dizendo: *Qualcuno ha rubato tutto*. — Alguém roubou tudo.

"'Talvez você tenha entendido mal. Não se preocupe', eu digo.

"'Só estou preocupada porque ninguém trouxe as *fritelle*', assegura-me ela.

"Charlotte permanece sentada, segurando cuidadosamente seu pão com manteiga. Com seus olhos de corça, olha alternadamente de sua irmã para mim.

"'Não se preocupe, Tosca. *Papà* vai cuidar deles.'

"Charlotte, uma linda *infanta* em seu vestido branco e tranças loiras, é o gracioso produto da fria união de seus pais. Um transbordamento de seus encantos combinados. Penso em minha irmã, um ano mais jovem que Charlotte. Pela décima vez, nesta manhã, penso na Pequena Mafalda. Charlotte e eu temos sido amigas íntimas ultimamente. Algo diferente do relacionamento superficial imposto a nós três, no início. Raramente falo mais que algumas palavras com Yolande. Mas Charlotte, sempre que pode, vem me visitar à noite, em meus aposentos. Esse ritual começou há anos — ela tinha 9 ou 10 anos —, quando me apareceu uma noite e, sem ser convidada, sem uma palavra, enfiou-se ao meu lado na cama.

"'É verdade que você é a *puttanina* do Papà?'

"'Você sabe o que essa palavra significa, Charlotte?'

"'Sim, acho que quer dizer *muito boa amiga*. Ou *bonequinha*, como *puppeta*. O som é parecido com *pupetta*. Mamãe disse: Oh, Leo, por que você não vai visitar sua *puttanina*? Eu sei que ela estava falando de você, Tosca, porque eles estavam falando de você. Então eu quero saber como posso me tornar a bonequinha do papai, como você. Acho que o papai não gosta muito de mim. Mas eu gosto muito dele, Tosca.'

"Contei a Leo sobre essa conversa com sua filha mais nova e ele riu até caírem lágrimas. Então surgiu outro tipo de lágrimas.

"'Durante todos esses anos, tenho tentado passar mais tempo com minhas filhas, principalmente com Charlotte, mas Simona não permite', disse ele. 'Algum dia, explico isso a você.'

"Desperto de meu sonho acordada para ver Yolande, exasperada com o cozinheiro, ocupando-se com a sineta. Atiro na direção de Charlotte um beijinho disfarçado. Levanto para pegar minhas coisas. Atrasada para as aulas. Da porta, eu sussurro.

"'Eu sei que ele vai. Sei que seu papai vai cuidar deles.'

"Mas não haverá aulas naquele dia. E ninguém foi trabalhar nas plantações.

"Todos estão no pátio do *borghetto*. Os lavradores estão em torno de Leo, assim como algumas galinhas. Crianças se agarram às pernas das mães ou dormem em seus braços. O sol está fraco, em um céu cor de pedra.

"Ninguém fala nada. Movendo apenas a mão, Cosettina me convida a ficar ao seu lado.

"'Eu não estou zangado e não quero nenhum tipo de vingança. Mas tenho que saber qual de vocês *fez isso*. Quem foi que, logo agora que nós estávamos começando a ver os resultados de nosso trabalho, resolveu nos roubar. Roubar a si mesmo. Porque eu estou convencido de que quem resolveu levar as provisões foi um de nós. Um de nós em colaboração com gente de fora. Há sinais e provas de que esse foi o caso. Tudo o que eu peço é que você se revele a mim. Não vai haver nenhuma punição. Quero entender o que pode levar um membro desta família a se voltar contra o resto de nós.'

"O silêncio permanece. O denso e implacável silêncio da *omertà* só é quebrado pelo ciscar das galinhas e pelos murmúrios dos bebês inquietos.

"'Estarei no meu escritório até as vésperas. Vou esperar por você', diz Leo, como se estivesse se dirigindo a uma só pessoa. Então vai embora.

"Leo tinha destinado um novo prédio para ser o armazém. Feito de tijolos e pedras, ganhou um teto apropriado, de telhas novas e avermelhadas; o piso de cimento foi pintado de cinza metálico, como o casco de um navio de guerra. Ele o abasteceu com tambores de azeite, garrafões de vinho, sacos e mais sacos de leguminosas. Em um canto, colocou mesas e um pequeno forno. Seria o laboratório, uma sala de trabalho, onde algumas das mulheres preparariam conservas e geleias com as laranjas e os limões dos *agrumeti*, e com as peras, maçãs e amêndoas que Leo trouxera. O que teria sido um luxo inimaginável. Até o fogão foi roubado. O piso cinzento, ainda brilhante, está vazio, salvo por dois garrafões de vinho e o caldeirão no qual as geleias teriam sido preparadas.

"Vou até o escritório de Leo. A porta está aberta e ele está lendo em uma poltrona de couro preto.

"'Não foi tanta coisa, Tosca. Um sinal do meu apoio. Um pequeno conluio, podemos dizer.'

"'Como aquilo pôde ter sido roubado sem ninguém saber?'

"'Alguém sabe. Talvez a maioria. Eles são sicilianos. Não teria sido difícil colocar tudo na carroceria de um só caminhão. Três, talvez quatro homens fortes levariam menos de uma hora. Já encomendei mais mercadorias. Sei que ninguém virá me ver antes das vésperas.'

"'Eu vim. Vim dizer que o senhor vai se sentir bem melhor se pensar mais nos lavradores do que em si mesmo. Nesse momento. *Loro sono vergognati.* — Estão envergonhados. — O senhor está magoado, como um pai estaria. O senhor deu presentes a seus filhos e um desses filhos não queria esses presentes, mas o que esses presentes poderiam comprar. Pense em como os outros filhos estão sofrendo com o que fez um dos seus irmãos.'

"Ele olha para mim. Começa a se levantar da poltrona, mas não espero. Faço uma mesura e saio pela porta, um tanto mais rapidamente que o habitual."

— Há uma trilha que divide as pastagens baixas, onde os carneiros pastam no verão. Leo, Cósimo e eu temos cavalgado por ela durante as últimas manhãs, cumprimentando os agricultores que se dirigem às plantações. Nesta manhã, dois homens estão deitados à beira da trilha, meio ocultos pelo capim alto e pelos penachos de cenouras bravas. Leo desmonta e Cósimo faz o mesmo. Ambos me dizem para permanecer montada, mas não seguir adiante. Olho para os homens; parecem estar dormindo, e inteiros, exceto pelos profundos cortes vermelho-escuros em suas gargantas. Perto de uma moita de manjeronas silvestres, o velho da harpa de boca está sentado em uma pedra avermelhada. Quando olho para ele, ele tira do bolso a pequena peça de metal e começa a tocar.

— Cósimo se adianta a nós. Para chegar à igreja, penso eu. Leo e eu cavalgamos lentamente e em silêncio, até nos aproximarmos dos estábulos. Então ele diz:

"'Eles não me queriam como juiz, e não precisavam de mim. Foi como quando Filiberto foi assassinado; eles queriam que eu mantivesse minha nobre distância. *Cose nostra.* Coisas nossas. Essa foi mais uma das coisas *deles.* Eles cuidaram do assunto. Tenho certeza de que nenhum deles teve sequer uma dúvida a respeito do que deveria ser feito. E foi feito. Com habilidade, de forma impiedosa e desdenhosa.'"

CAPÍTULO XI

— Meu avô costumava ficar de pé ao lado das plantações, quando os agricultores estavam semeando ou plantando, e cantava hinos a Deméter.

— Isso é o que o senhor vai fazer?

"É domingo de manhã, no final de setembro de 1948. Após galoparmos pelos campos recém-ceifados, pertencentes a um vizinho, Leo e eu paramos para esperar pelos outros cavaleiros. Mais de um ano tinha se passado, desde que ele me falara pela primeira vez sobre o pavilhão de caça. Em um grupo de 12 pessoas, íamos para aquele lugar, onde éramos aguardados por primos de Leo, seus companheiros de caça às aves, e uma equipe do palácio, que fora na frente para ajudar o zelador do pavilhão — um homem a quem Leo chamava de Lullo — a preparar para o almoço um banquete de *colombacci*, pombos selvagens. Na semana anterior, os pássaros tinham sido pendurados no beiral do celeiro, para chegar à putrescência, explica-me Leo, prometendo que as vísceras apodrecidas seriam transformadas em suaves patês, misturados com ervas e grapa, uma pasta suculenta para ser passada em pão feito na lenha. Uma *leccarda, in salmi*, assada com toucinho e zimbro. Ele recita uma ladainha de pratos, mas eu lhe digo, estragando sua alegria de caçador, que tudo o que irei comer é sopa.

"Das altas colinas sobre o campo onde aguardamos, caem fragmentos de xisto e pequenas pedras. Carneiros pastam lá em cima; talvez um deles tenha se desgarrado até a borda, abalando a rocha frágil. Ou não seria um carneiro perdido? Ouvimos o farfalhar das asas de um gavião, que não vemos. Penso que somente ele viu o que moveu as pedras, enquanto permanecemos sentados em nossas selas, lado a lado, com os cavalos pastando tocos de trigo. É o meu 18º aniversário. Leo ainda não me deu os parabéns. Nem ninguém mais. A tradição diz que, no aniversário de alguém, um pequeno presente deve ser colocado ao lado do prato do aniversariante, no café da manhã. E todos os criados se juntam à família para cantar *tanti auguri*. Nesta manhã, nada. Terei 18 anos sem ninguém. Desmonto e, sem pedir permissão, amarro meus arreios na maçaneta da sela de Leo. Afasto-me um pouco de Leo e de sua desagradável conversa sobre pássaros apodrecidos. Ele me segue.

"'Estive pensando em fazer o mesmo. Quer dizer, fazer o mesmo que meu avô fazia. Cantar os velhos hinos durante a colheita. A ideia me veio dos *ortolani*, que cuidam das hortas do palácio. Sempre que posso, sento-me perto deles, enquanto trabalham, e abro um livro para ler. Mas, em vez disso, fico escutando, enquanto eles falam sobre Deméter e santo Isidoro, como se tivessem crescido com eles, o que, suponho, foi o que ocorreu. Durante anos, passei muito pouco tempo com os lavradores, nas plantações ou em qualquer outro lugar; então foi uma revelação para mim ouvir esses velhos discorrendo sobre história grega, contando um ao outro, com seu jeito rústico, histórias sobre Deméter, Perséfone, Hades, Zeus e o Filho de Cronos, embelezando as histórias em alguns pontos, sacudindo os braços e erguendo os punhos, às vezes gritando, às vezes falando baixo, como se estivessem representando os dramas. O que, na verdade, estão.'

"Ele diz isso como se fosse mais uma revelação.

"'Essa história pertence tanto a eles quanto a história de suas próprias famílias. Tanto quanto a história de Jesus e Maria. Eles são descendentes dos antigos, que, com Deméter à frente, cultivaram a primeira plantação de trigo nos campos vazios. Foi como tudo começou, Tosca. Com Deméter e os ancestrais deles. Eu os invejo, por essa aliança com o passado. Eu me sento e leio sobre isso, mas eles vivem isso. Eu me sento com meus livros, enquanto eles, que não sabem ler, representam as histórias. E as passam adiante. Tanto quanto podem. Acho que, se pudessem, muitos deles ficariam felizes em voltar aos tempos das geórgicas, dos cantos homéricos, das foices, dos arados puxados por cavalos e da distribuição do santo. Você está pensando que esqueci que dia é hoje, não está?'

"Ignoro a pergunta. Finjo ignorar.

"'Distribuindo que santo?'

"'O santo odre de vinho. Ou melhor, o jarro. Sete vezes, entre o nascer e o pôr do sol, as mulheres e as donzelas andavam por entre as fileiras de ceifadores, carregando sobre as cabeças jarros cheios de vinho. E os homens bebiam. Há muitos anos, quando todo o trabalho era feito à mão, a semeadura e a colheita eram tão ritualizadas quanto uma dança folclórica. Todos os movimentos eram coreografados. Havia tocadores de flauta, para que os agricultores pudessem mover as foices de forma ritmada.'

"'Assim?' Ando a passos largos pelo campo, torcendo meu pulso como se estivesse segurando uma foice, gingando meu corpo como se estivesse ceifando trigo. Como se fosse uma dança.

"'Sim. Alguma coisa assim', diz ele.

"Corro até ele.

"'Uma plantação. Vamos ceifar uma plantação à maneira antiga. Para trazer boa sorte. Como uma prece. As outras plantações podem ser colhidas com as máquinas. Você faria isso?'

"'É isso o que você quer como presente de aniversário? Uma colheita cerimonial? Não vou conseguir reunir todas as peças até amanhã, quando o trabalho começa, mas posso tentar me preparar para o último campo. Cinco, talvez seis dias, a partir de agora. É isso? É o presente que você quer?'

"Olho para Leo, observando-o retirar de sua sela um pacote de pão frito com açúcar. Enquanto ele alimenta os cavalos, eu me pergunto, pela enésima vez: *quem sou eu para você?* Sim, respondo a mim mesma, vou gostar dessa colheita cerimonial como presente, mas acima de tudo eu gostaria de entender: *quem sou eu para você?*

"Desde aquela tarde na biblioteca, quando Leo começou a me falar sobre seus planos para o *borghetto*, para os camponeses — no dia seguinte ao que Filiberto foi assassinado —, nós dois trabalhamos em uma espécie de parceria. Tornou-se natural nos encontrarmos uma ou duas vezes a cada dia para discutirmos seus progressos e os meus. Era um acontecimento já esperado.

"'*O campo do norte foi plantado. As máquinas quebraram e quebraram de novo, mas, de alguma forma, as últimas fileiras foram terminadas antes do pôr do sol. Eu dirigi o trator.*'

"*Cosettina leu de forma magnífica hoje e as crianças ficaram tão quietas... Encantadas com a história. Encantadas com Cosettina, intrigadas com o fato de que uma delas, uma das suas, conseguiu dominar aquela mixórdia de letras que formam palavras. Elas levantaram as mãos, fizeram perguntas. Foi maravilhoso.*

"'*Você pode passar algum tempo na enfermaria amanhã de manhã? O médico vai lhe ensinar o que deve fazer. As crianças têm medo dele. E ficam tímidas na minha presença. Elas confiam em você.*'

"Como um casal faria, como um pai e uma filha fariam, nós colaboramos. Na maior parte do tempo, isso basta. Satisfaz. Os empregados da casa e os lavradores se acostumaram a ver essa colaboração com benigna neutralidade. Somente os cochichos nos cansam, os espectadores ansiosos por um espetáculo, que comparecem para assistir à peça erótica do príncipe e da *puttanina*. Mas tudo o que conseguem é a audição de um poema bucólico, lido pelo herói e por sua musa. Mas Simona está nos bastidores, pronta para representar um *intermezzo* lascivo, trazendo amantes para se hospedar no palácio. Às vezes os apresentava ao círculo familiar como primos distantes ou filhos de velhos amigos. Eles se sentavam à mesa conosco, iam à missa conosco. Perambulavam pelos salões. Davam ordens aos criados. Leo era cortês. As princesas ficavam mortificadas; outros convidados, visitando a família, mostravam-se ofendidos. Os papéis se inverteram. Os bisbilhoteiros sempre sabem dizer a coisa certa.

Eu, de minha parte, sempre fiquei do lado de Leo. Por nascimento e por comportamento, ele quem é o nobre. Simona só é rica.

"'*De caráter, ela sempre foi, digamos assim, histérica.*'

"'*Frenética.*'

"'*Despótica.*'

"'*Coitadas das princesas.*'

"'*Coitado do Leo.*'

"'*E essa encantadora Tosca. Onde ela se encaixa nessa grande confusão?*'

"Eles querem saber. Eu quero saber."

* * *

"Cavalgamos até o pavilhão, pela longa estrada de cascalho, e entregamos os cavalos aos cavalariços, enquanto os primos e os companheiros de caçada vêm nos cumprimentar. Tudo o que vejo é esse lugar que Leo chama de pavilhão de caça. Na verdade, é um castelo. Uma torre dentada, ou melhor, duas torres, com sacadas de ferro moldado nas janelas, como se fossem os suportes de uma saia rodada. Os grandes portais de mármore, assim como os do palácio, são ornamentados com as insígnias dos ilustres Anjou. Abaixo, *loggias* abobadadas são sustentadas por colunas de mármore vermelho; os capitéis talhados de cada uma representam o rosto de uma deusa. Uma santa. Estou começando a compreender. O telhado, inclinado e arrematado de uma forma que eu nunca vira, está coberto de pequenas formas ovais que parecem porcelana. Como se os deuses, saciados após um banquete, tivessem jogado seus pratos sobre o castelo, fixando-os com luz dourada, gostando do agradável padrão que formaram.

"E qual foi o bom fantasma que, há muito tempo, atirou das torres punhados de sementes? Em todos os lugares em volta do palácio existem jardins acidentais, onde rosas silvestres se empanturram de sol, subindo em qualquer direção, atingindo a altura de velhos oleandros e, aqui e ali, enroscando-se em velhos pinheiros. O tronco mosqueado de uma magnólia rachou de modo a formar um leito. Não há indícios de que isso tenha sido obra de mortais.

"'*Gianpiero Sultano, ti presento Tosca Brozzi.*'

"Leo me apresenta a seus convidados. Eu sorrio e digo *molto lieto*, mas só vejo os jardins. Ainda não me faço presente aos abraços e cumprimentos. Estou na torre arremessando sementes de malvas-rosa. Dormindo no centro da magnólia.

"Enquanto ainda perambulamos por ali, pequenas xícaras de leite de amêndoas são distribuídas por um lindo garoto de cabelos vermelhos. O filho do zelador. Vestido com calças curtas, de couro, e uma camisa fina; seus pés estão descalços e empoeirados. Chama-se Valentino e tem uns 7 anos. Creio que deve ser o anfitrião oficial do dia, pois informa a mim e às outras mulheres dos cântaros de água com limão e de toalhas à nossa disposição em uma mesa abaixo da pérgula.

* * *

"'*Venite, venite*', diz ele, conduzindo-nos alegremente para a sombra, como se estivesse nos levando até a criança na manjedoura.

"Uma longa mesa de pedra foi preparada embaixo da *loggia*, que fica defronte ao curral de ovelhas e a um bosque de oliveiras. Cestos e vasilhas com flores silvestres e folhagens ornamentam as mesas, assim como grandes velas ocres em suportes de ferro preto. *Todos* estão sentados. As criadas e os cavalariços que vieram do palácio. Lullo, o zelador, e Valentino, seu filho. No palácio, as criadas e os cavalariços não se sentam à mesa do príncipe. Cada um segura a mão da pessoa mais próxima e Cósimo diz a oração de graças. Estou sentada entre Leo e Valentino. É a primeira vez que seguro a mão de Leo.

"Jarros de cerâmica com vinho, pratos e travessas com as famosas pombas são passadas de pessoa a pessoa, em vez de serem servidas por um garçom. Uma combinação de como as coisas são feitas no palácio e como são feitas no *borghetto*. As melhores características de cada lugar estão reunidas aqui. Pego uma grossa fatia de pão com a famosa pasta e a provo, diretamente da mão, como fazem os outros. Como Leo faz. O gosto é esplêndido; pego mais uma fatia. Lullo explica os detalhes.

"'Frite os miúdos temperados com grapa em uma panela de cobre, sobre fogo alto, com alecrim, sálvia, azeitonas pretas, alho, casca seca de laranja e vinho tinto. Quando o vinho evaporar, acrescente mais. Nunca deixe a panela secar. Nunca deixe os miúdos ficarem encharcados. Quando a mistura estiver escura como sangue velho e os perfumes estiverem uma coisa de louco, ponha tudo em um pilão e soque até virar uma pasta. Deixe repousar no pilão por dois dias, embaixo de um pano limpo.'

"'Amém', dizemos todos, como se fôssemos uma só pessoa.

— Garrafas de vinhos marsala e moscatel são trazidas, assim como pequenos cálices de prata. Ameixas ainda nos galhos, imersas em água. Biscoitos com sementes de gergelim. Uma bandeja com pasta de amêndoas, moldada e colorida para parecer figos indianos acompanhada pelas frutas verdadeiras.

"'Adivinhe qual é qual', desafia Valentino, colocando a bandeja à nossa frente. São quase cinco horas e apenas Leo, Cósimo e eu estamos sentados à mesa. A maioria dos demais convidados já se retirou para a escuridão de seus quartos. Um abençoado repouso.

"Devemos retornar ao palácio em um automóvel, que um criado trouxe mais cedo. Nossos cavalos serão levados de volta no dia seguinte. Sairemos ao escurecer, parando no meio do caminho em uma *locanda* muito apreciada por Leo. Uma casa de pedras, ou as ruínas dela, em meio a uma floresta de pinheiros. Haverá queijos e vinhos. E uma caminhada, para esticarmos as pernas.

"'Vou passar a noite aqui', diz Cósimo. 'Vou a Enna de manhã e estarei de volta ao palácio na hora do jantar. A cúria não está satisfeita comigo.'

"Leo ri.

"'Isso significa que Deus está *muito* satisfeito com você, meu amigo.'

"Os dois homens se levantam, apertam as mãos e se abraçam.

"'*A domani*, Cósimo.'

"'*A domani, principe. A domani, Tosca.*' O padre segura minha mão e a leva aos lábios, sem deixá-los tocar minha pele. '*Tanti auguri*', diz ele. '*Tanti auguri, cara Tosca.*'

"E vai embora.

"A cavalgada da manhã, o sol, o vinho. O grande trabalho onírico de atirar sementes das torres. As vísceras de pombas. Eu gostaria de dormir. E mais: eu gostaria de ficar com ele. Será o meu aniversário que me faz ficar corajosa?

"'Você me levou ao palácio, há tantos anos, com a intenção de fazer amor comigo, não foi?'

"Leo estava servindo porções de pasta de amêndoas ao cão de caça que está a seus pés. Ele olha para mim, enquanto passa a mão no focinho do cachorro. Meneia a cabeça, como se esperasse minha pergunta.

"'A *intenção*, como você chama, não poderia ser definida assim. Você era uma criança. E eu conhecia um bom número de mulheres com quem poderia me divertir. É claro que, quando eu a vi pela primeira vez, o potencial de sua beleza me impressionou. Fiquei intrigado. Mas não fiquei andando de um lado para outro, no segundo andar, esperando que você amadurecesse.'

"Sou eu quem sou apanhada desprevenida por sua resposta. Sua franqueza. Gosto disso, mas isso me assusta. Um rito de passagem.

"'Você sabe que foi seu pai quem a *ofereceu* para mim. Ele achava que você era incorrigível, mesmo com a idade de 9 anos. Ele a chamava de megera mal-humorada. Disse que sua irmã era tão submissa quanto sua mãe. Quando ele veio me propor que você se tornasse minha protegida, eu mal o escutava. Sempre achei difícil ouvir um pai, ou pior, uma mãe, que decidiu abrir mão de um filho. Seja qual for a razão. Muitas vezes eram bebês, bastardos recém-nascidos que as freiras tinham rejeitado porque todos os berços do convento estavam ocupados. Como parece que os ricos não procriam tão facilmente quanto os pobres, por aqui, às vezes os bastardos são vendidos a um casal estéril, que muitas vezes irá apresentar a criança como seu próprio filho. Na minha posição, sempre aparecem os filhos de lavradores que morrem. Gripe, tuberculose, um coração cansado que, certa tarde, explode no campo. Um escorregão, uma queda, um grito de socorro que ninguém ouve, por causa do barulho da debulhadora. Muitas vezes não há espaço ou comida suficiente nas outras famílias que lhes permita incorporar mais uma pequena alma. A pequena alma é então lavada, vestida, penteada e levada até a entrada de serviço do palácio. Com desculpas. Com gratidão. Havia épocas em que meus pais tinham dez ou 12 desses órfãos em casa.'

"'Isso aconteceu com o senhor? As pessoas deixaram bebês aos seus cuidados?'

"'Claro que aconteceu. Mas Simona não é uma mulher como foi minha mãe. Eu fazia polpudas doações a um ou outro convento. Esperava no portão por alguma freira para buscar o embrulho de pano em meus braços. Eu mesmo sempre fiz isso. Pensando que, de alguma forma, o fato de eu ter levado a criança pessoalmente iria lhe garantir cuidados e segurança. Talvez até afeição. Eu tenho um livro que registra os locais de entrega de todas as crianças. E os envelopes que continuo a enviar em seus nomes todos os anos. Mas fico preocupado. O *giumpe* nem sempre é respeitado.' Com os cotovelos sobre a mesa e a cabeça nas mãos, Leo fica em silêncio. Depois continua. 'Mas o que seu pai fez é raro, pelo menos em minha experiência ou lembrança. Eu nunca tinha visto um homem jovem e capaz, que tinha o que se podia chamar de um negócio relativamente próspero, e que decidiu me "entregar" sua filha de 9 anos, perfeitamente saudável, perfeitamente inteligente e perfeitamente graciosa.'

"'Nunca pensei sobre como deve ter sido o seu primeiro encontro com meu pai. Quer dizer, como vocês dois chegaram a um *acordo*. Tenho certeza de que meu pai não fez nenhum tipo de apelo sentimental. Deve ter sido uma conversa de negócios bem direta, pois eu não era bastarda nem órfã. Eu era um bem móvel. Um excedente que poderia ser convertido em dinheiro. Ou cavalos? Em vez de meu pai lhe suplicar para ficar comigo, porque não poderia cuidar de mim, ele me vendeu para o senhor, não foi? Eu sabia disso na época, como sei disso hoje.'

"Fico chocada com minhas próprias palavras.

"O transbordamento de amargura não foi deliberado, mas eu o deixei escapar. Leo vem até onde estou sentada e se inclina para me tomar em seus braços. Um abraço paternal. Eu o empurro. Fico de pé diante dele, em uma pose coquete.

"'Olhe para mim. Sou uma criatura digna de pena? Sou fraca e amedrontada porque meu pai não me quis? Acho que não. Não vou lhe dizer que nunca senti tristeza por causa do tratamento que recebi dele, que acabou me vendendo. Mas qualquer dor que havia já tinha começado a se dissolver antes que o senhor viesse me buscar. O senhor não me salvou, senhor. Eu salvei a mim mesma.'

"Como sou ingrata. Que diabo se apossou de mim? Sento-me de novo. Leo vem se sentar ao meu lado. Sem olhar para ele, ouso tocar as costas de sua mão que repousa em sua coxa. Toco sua mão com as pontas dos dedos. Penitência.

"'Me fale sobre seu pai. Alguma coisa que você lembre sobre ele', diz Leo, colocando minha mão entre as suas.

"'Desde muito cedo, até o meu amor instintivo por meu pai começou a me parecer errado. No início, quando minha mãe morreu, eu tentava chegar até ele. Imitava minha mãe, eu acho. Afinal de contas, tinha chegado minha hora de ser a *Mamà*, não é verdade? Eu colocava um biscoito extra ao lado de seu café. Os biscoitos eram contados e tinham que durar certo número de dias. Ele devia saber que aquilo significava um biscoito a menos para mim. Ele sempre comia o biscoito, mas nunca disse *obrigado*. Mal falava comigo.

"'Ele só chegava em casa tarde da noite. Eu punha a Pequena Mafalda para dormir, contava-lhe a história da princesa que tinha três lindos vestidos, banhava-se em leite morno e comia bolos com glacê todas as manhãs, às onze horas, e cuja mãe tinha lhe prometido que nunca morreria. Eu a beijava e segurava sua mão até ela dormir; então ia me sentar do lado de fora da casa, com o gato no colo, para esperar por meu pai. Às vezes eu dormia assim, acordando somente quanto o gato se mexia com a aproximação dele.

"'*Papai, eu estava esperando pelo senhor. O senhor está com fome? Eu deixei um ovo para o senhor e um pedaço de pão.*

"'Ele se sentava e comia o ovo, rasgava o pão com os dentes, do jeito que mamãe nos dissera que só os animais fazem. Eu ficava ao lado da mesa, tagarelando sobre como demorou para a Pequena Mafalda cair no sono, ou sobre como o braço e o ombro dela ainda doíam, por causa de uma queda que tivera na semana passada. Se não houvesse nenhuma boa notícia, eu sempre inventava alguma. Mamãe também fazia isso. Falava sobre como parecia que o feno iria durar mais uma semana, ou sobre os cogumelos que eu encontrara de manhã, sob o grande pinheiro, quando ia para a escola, e que já havia colocado para secar em cima do telhado. Eu ficava lá de pé, falando e falando, não ousando parar, por medo do silêncio que iria ouvir, em vez de sua voz me respondendo. Eu não gostava do silêncio entre ele e eu. Ele abria a torneira do barril e colocava seu copo embaixo, sempre olhando para mim. Bebia o vinho em um ou dois grandes goles. Desapertava o cinto, tirava as calças e se deitava em sua cama, que eu tinha preparado com os lençóis que Anna Lavanderia tinha entregado limpos e dobrados naquela tarde; ou, se não fosse o dia dela, os lençóis que eu mesma tinha alisado e enfiado sob o colchão, do jeito que ele gostava.'

"'Quem era Anna Lavanderia?'

"É importante saber quem era Anna Lavanderia?, pergunto a mim mesma. Entendo que minha história faz Leo se sentir triste, que ele procura uma desculpa para me distrair dela. Eu faço a vontade dele.

"'Anna Lavanderia. Era como todo mundo chamava *la lavandaia*, a lavadeira, que ia de casa em casa, cada uma em determinado dia, para lavar a roupa e colocá-la para secar ao sol. Ela retornava à tarde, depois do repouso, para passar e dobrar a roupa. Eram pessoas ricas que usavam seus serviços, mas, como eu e a Pequena Mafalda éramos muito pequenas para aguentar o peso dos lençóis, meu pai começou a negociar com Anna Lavanderia, quando minha mãe morreu. Um saco de tomates e dois repolhos, em uma semana. Alcachofras, arroz ou, às vezes, coisas da despensa, que eu pensava ter escondido dele. Como açúcar e manteiga de verdade, para fazer um bolo para Mafalda.'

"Retorno à minha história.

"'Então, ainda sem dizer nada, meu pai se deitava na cama, dobrava os braços embaixo da cabeça e olhava para mim. Eu nunca consegui saber se ele estava esperando que eu lhe desse um beijo, como mamãe nos tinha ensinado. Mas nunca fiz isso. Nunca dei um beijo depois que mamãe morreu. Eu pegava o gato, subia a escadaria carregando o bicho gordo e nos deitávamos ao lado da Pequena Mafalda. Eu permanecia acordada por algum tempo, pelo menos até ouvir meu pai ressonar. Eu era a *vigilessa*, a guardiã. O gato e eu. Juntos, nós mantínhamos a salvo a Pequena Mafalda.

"'Mas não demorou muito antes que eu deixasse de ser a mamãe substituta e começasse a ser apenas a Tosca. Não era justo que eu tentasse ser a mamãe. Eu me sentia como se tivesse que me confessar, cada vez que sorria para meu pai o sorriso grande e doce de mamãe, e lhe dizia que tinha guardado um ovo para ele. Esse sorriso era como uma mentira. E me sentia melhor quando cuidava da minha vida, sem nem pensar no que poderia ou não fazê-lo feliz. Comecei a pensar somente na Pequena Mafalda e em mim. E nos meus amigos, na minha professora e em todas as pessoas que ficavam tão felizes ao nos verem no mercado todas as manhãs.

"Eu colocava a bolsa marrom de minha mãe a tiracolo; mesmo que ela ficasse pendurada abaixo de meus joelhos, eu achava que ficava elegante. Como eu adorava aquela bolsa! Como eu adorava escovar os cabelos de minha irmã, fazendo tranças apertadas bem definidas, usando minha própria saliva para alisá-las, amarrando as pontas com fitas vermelhas, às vezes rosadas; depois, afivelava suas sandálias e a pegava pela mão. *Sei pronta?* Ela estava sempre pronta, como se estivéssemos indo a alguma feira ou a uma festa. O mercado era como ter parentes para visitar. Como ter uma avó, eu acho. De qualquer forma, eu adorava sair com minha irmã para comprar o repolho, as batatas, 200 gramas de *maccheroncini*, ou seja lá o que eu fosse cozinhar para o jantar naquele dia. Todos os comerciantes nos davam alguma coisa extra. Às vezes um punhado de centeio, uma maçã cortada ao meio, ou um punhado de *zibbibi* dourado, que nunca comíamos na hora, mas que eu colocava na sacola para consumirmos mais tarde, tomando chá. Muitas vezes, um dos pastores tirava a faca do cinto e cortava para nós um grande e belo naco de seu *pecorino* mais maduro. Uma parte ia para minha sacola e a outra era dividida em dois pedaços. Com a mesma reverência usada para uma hóstia, eu dizia à Pequena Mafalda para colocar a língua para fora. Então colocava um dos pedaços diretamente em sua pequena boca. Um passarinho com fome. O outro pedaço ia para a minha boca. *Não mastigue*, eu dizia. *Deixe derreter. Deixe que encha sua boca, suas narinas.* Eu sabia que ela gostava daquela eclosão de sabor intenso, do mesmo modo como eu gostava. Mesmo quando isso não acontecia, dizíamos uma à outra que o sabor tinha permanecido até chegarmos em casa.

"'Quando eu ia à escola, tinha que deixar minha irmã sozinha com sua boneca e com o pão que seria seu almoço. Às vezes fazia isso. Às vezes, a levava comigo, deixava-a sentar em meus joelhos ou ficar nos fundos da sala, onde ela podia brincar com outras crianças que ficavam sob os cuidados dos irmãos mais velhos. Mas nos dias que se seguiram à morte de mamãe, eu frequentemente não ia à escola. Assim que chegávamos do mercado, começava a preparar o jantar. Como se tivesse dez crianças e seis pastores mortos de fome para alimentar, eu cortava, fervia e arrumava as batatas, ou o repolho, punha a mesa, fazia as coisas parecerem bonitas. Descobri que poderia ser perfeitamente feliz, mesmo sem o amor de meu pai. Veja, cheguei a entender as coisas. Com a ajuda de Francesco Brasini.'

"'Você entendeu o quê? E quem era Francesco Brasini?'

"Dessa vez, Leo não está tentando me distrair, está realmente interessado em acompanhar minha história.

"'Não importa quem ele era. O que interessa é que ele me ajudou. Se o senhor escutar, vai compreender. Eu entendi o seguinte: meu pai nunca fora gentil com minha mãe; então por que seria gentil comigo? E por que eu devia esperar que ele fosse gentil comigo? Imaginei que ele não era gentil porque *não conseguia* ser gentil. *Ele não era um homem gentil.* Assim como não era *alto*, ou *louro,* ou um homem com pés grandes. Entender isso fez com que eu me sentisse melhor. Alguns indivíduos nascem vazios, senhor. Não há gestos de boa vontade, paciência e delicadeza amorosa que consigam preenchê-los. Se meu pai não sorria para mim, ou não falava comigo, não era porque *eu* não era uma boa pessoa ou não tivesse valor, mas porque sorrir, falar e ser gentil eram coisas impossíveis para ele. Ele não podia ter cabelos louros e não podia sorrir. Foi assim que minha mente de 8 anos começou a entender as coisas. Quando isso ficou claro e resolvido em minha mente, fui capaz de perceber outras coisas de forma clara e simples. Assim como uma peça de quebra-cabeça colocada no lugar nos ajuda a ver onde as outras peças se encaixam. O que aprendi sobre meu pai me ajudou a estar preparada para o *signor* Brasini.'

"'Tosca, quem diabo é esse *Brasini*?'

"'Suas interrupções me forçam a repetir as coisas. Meu pai não sorria para minha mãe, nem falava direito com ela, ou segurava seu rosto entre suas mãos, nem beijava seus lábios do jeito como vi o *signor* Brasini fazer com a esposa no mercado. Eu nunca esqueci isso. O modo como o *signor* Brasini parava e se virava para a esposa, acariciando-lhe o rosto com suas grandes mãos de agricultor, puxando-a para perto e beijando-a como nos filmes. Ele a beijava por um longo tempo, olhava para ela e sorria. Eu observava o *signor* Brasini e a mulher dele. Olhava-os colocando cebolas em uma sacola, que tiravam da pilha que havia no caminhão de Lo Mastro. Eles sorriam até quando estavam escolhendo cebolas, senhor. Quando vi isso, senti que o modo deles seria o meu modo. O modo deles, não o modo de meu pai e minha mãe — o modo deles era o que eu queria para minha vida. Eu sabia que, algum dia, seria amada por um homem como Brasini. Ou sabia que não poderia amar um homem se ele não fosse como Brasini? Tudo isso me levou a descobrir que existem dois tipos de homens no mundo. Aqueles que são como Brasini e os que não são como Brasini. Aqueles que seguram nosso rosto nas mãos e nos beijam como nos filmes e aqueles que nem em um milhão de anos segurariam nosso rosto nas mãos e nos beijariam como nos filmes. Mas o tipo de homem que não faz isso, bem, não é culpa dele. Ele simplesmente não *consegue* fazer isso. Assim como meu pai não conseguia ser gentil. Alguns homens nunca terão cabelo louro, nunca irão segurar o rosto de uma mulher entre as mãos e sorrir para ela como se ela fosse um anjo. E não importa o que essa mulher tenha feito ou dito, ou quem ela tenha sido, ou que aparência tenha tido, ela não conseguiria fazê-lo tomar seu rosto em suas mãos e beijá-la como nos filmes. Bem, como disse, eu tinha cerca de 8 anos, naquela manhã no mercado, quando essa revelação me atingiu. Talvez eu tivesse 7 anos. Mas isso foi o que me ajudou a não sofrer, mesmo sabendo que meu pai não me queria. E também me ajudou a reconhecer o senhor. O senhor é, definitivamente, um Brasini. Percebi isso quando ainda estava com 10 ou 11 anos. Mas o que estou tentando lhe explicar, senhor, é que, quando entendi a teoria de Brasini, o fato de que meu pai não me queria deixou de me afetar. O vazio, os conflitos, a culpa que eu poderia ter carregado por toda a vida, simplesmente deixei de lado naquela hora. Joguei tudo fora e me afastei daquilo. *Entendi como as coisas funcionavam e não funcionavam.* Se isso não é verdade, se não é como as coisas funcionam para as outras pessoas, então digo que é como as coisas funcionam para mim.'

"'Acho pouco provável que uma criança de 8 anos, mesmo uma Tosca de 8 anos, pudesse encontrar seu caminho em uma floresta emocional dessas.'

"'Não é improvável. O fato de as crianças nem sempre dizerem o que sabem não quer dizer que não saibam. Ficar caladas, sabendo o que sabem e sentem, às vezes é o bastante para elas. Às vezes sofrem com o que sabem, ou, como no meu caso, conseguem se libertar por causa disso. Seja lá como for, elas não falam sobre isso, necessariamente. Eu agradeço ao *signor* Brasini por me mostrar, em plena luz do dia, como outras pessoas vivem suas vidas. Sem ele, eu poderia ter pensado que todos os homens são como meu pai. Por falar nisso, agradeço a meu pai também. E não somente porque foi ao senhor que ele me enviou. Eu agradeço a ele por ter sido tão constante em sua impassividade. Eu não teria demorado a fugir dele, de qualquer forma. Mas teria levado a Pequena Mafalda comigo. E não pense, nem por um minuto, que eu não teria construído uma vida para nós duas.'

"'Você teria feito um bom trabalho. Sei disso.' Leo despeja algumas gotas de moscatel em dois cálices de prata e me oferece um deles. Erguendo o seu, diz: '*Tanti auguri, Tosca.*'

"Bebericamos o vinho em silêncio. Mais uma vez, ele segurou minha mão entre as suas.

"'Quem sou eu para o senhor? O senhor pensa em mim como uma filha?'

"'Não. Não como minha filha. Embora eu sinta, sempre senti, que tenho uma obrigação para com você, estou sempre pronto a defendê-la, embora os deuses saibam que você não precisa de um cavaleiro andante. Você despertou uma curiosa afeição em mim, quase imediatamente. Você me fez rir com sua coragem, sua luta. Eu a admirei e acho que tinha inveja de você. Cruzando os braços, levantando o queixo e recusando tudo o que não queria e tirando uma porção extra do que tinha vontade. E não digo apenas à mesa. Você era briguenta, minha querida. Meio selvagem, quando chegou, ou mais do que isso. Mas eu não posso lhe dizer em que meus sentimentos por você se transformaram. Certamente, estão se transformando. Estão se transformando enquanto conversamos. Agora, vou só dizer o que eu lhe disse antes: fico mais feliz quando você está por perto. E já faz muito tempo que sinto uma grande vontade de tomar seu rosto em minhas mãos.'

"'E me beijar como nos filmes?'

"'Talvez isso também.' Largando minha mão, ele se levanta e caminha um pouco. Volta para onde ainda estou sentada e olha para mim, recuperando sua expressão paternal. 'Mas você deve descansar agora, Tosca. Vou pedir ao Valentino para lhe mostrar o caminho para a mansarda. Os quartos lá em cima são silenciosos e pode haver até uma brisa entrando pela *loggia*. Valentino vai lhe levar água fresca e o que mais você quiser. E vai acordá-la quando for a hora de partir. Acho que por volta de oito horas.'

"Ele sai para procurar Valentino. Pego meu pequeno cálice de prata e enfio minha língua na abertura, para lamber a última gota de vinho moscatel."

— Paro de contar depois de cinco lances dos estreitos degraus de pedra, que parecem, cada um deles, guinar para uma direção diferente. Valentino me leva até uma porta dupla de madeira, que destranca, deixando a chave na fechadura. Coloca água, um copo e duas pequenas toalhas sobre uma mesa no *salone* onde entramos, deseja-me um *buon riposo* e rapidamente se retira. Até pelos padrões do palácio, o aposento é amplo, o teto formando uma abóbada cinza-prateada e as paredes cobertas de seda fina e bordada, da cor de grãos de café. Um *salone* de homem, penso eu, correndo as mãos pelo encosto de um canapé marrom desbotado, onde Leo pode ter descansado a cabeça. Minhas botas fazem um som oco no chão de pedras rústicas enquanto eu ando de quarto em quarto, abrindo e fechando portas. Encontro vários onde toda a mobília está coberta de lençóis e de grossas lonas; e um quarto vazio onde carpetes enrolados estão alinhados nas paredes. Em um dos lados de um longo corredor, reparo na fraca silhueta de uma porta sem maçaneta. Abro-a com um leve empurrão de quadris e me deparo com mais aposentos, com janelas empoeiradas e cortinas em farrapos. Atrás de outra porta, surge um quarto decorado como o primeiro *salone*, onde está uma cama forrada com camadas de seda marrom, que, perdida na imensidão do piso de pedra, parece pequena. Um candelabro de teto, com pequenos quebra-luzes de brocado em torno de cada lâmpada em formato de vela, está pendurado acima do leito. Há uma cadeira solitária, uma penteadeira sem espelho, um pequeno camiseiro. Uma das paredes se abre para a *loggia*, de onde se descortina uma vista dos campos, que só termina no horizonte, onde um céu quase sem cor se encontra com os trigais. A *loggia* está vazia, exceto por uma pequena cama forrada com lençóis e travesseiros brancos, recém-colocados, e coberta por um dossel de cortinas opalescentes, finas como teias de aranha, orladas por uma larga faixa de cetim cor-de-rosa. Vou descansar aqui, decido. Mas me esqueci de trazer a água; atravesso todo o apartamento para buscá-la. No caminho de volta, paro de novo no quarto. Abro cada gaveta do camiseiro. O que estou procurando? Seria isso? Duas finas camisolas de seda, perfeitamente passadas e dobradas. Um frasco de perfume com tampa chanfrada. Chanel nº 5. Tiro o selo do frasco e começo a passar o perfume, que não é o que Simona usa. Se ninguém vai me acariciar, vou acariciar a mim mesma, penso, desabotoando rapidamente minha blusa e livrando-me da *canottiera*. Jogo fora a tampa do frasco e derramo o perfume em meu peito, esfregando-o nos braços e no pescoço. Tirando os grampos de minhas tranças, jogo o resto do perfume nos cabelos. Vou até a *loggia*, tiro minhas botas e, usando apenas as calças de montaria, abro as cortinas da cama e me deito. As cortinas se agitam com uma forte brisa e eu me pergunto quem será a mulher que usa Chanel nº 5 e camisolas finas de seda branca. Com certeza não é Simona. Coloco meus braços atravessados sobre o rosto e canto. *Tanti auguri a me. Tanti auguri, cara Tosca*. Parabéns para mim. Parabéns, querida Tosca. Agora está ventando, e o vento traz um aroma de trigo ceifado secando ao sol da tarde, que se mistura com o cheiro da chuva que vem do oeste, trovejando em um céu que vai escurecendo. A chuva se anunciando. Vai cair antes do pôr do sol. Leo virá se deitar comigo antes da chuva? Submeto-me ao vento, deixo-o brincar com meu corpo, enquanto o céu quase se transforma em noite, e as cortinas se agitam com mais força. Ouço alguma coisa, então, alguém no quarto ao lado. Fico de joelhos, instintivamente cobrindo meus seios nus com as mãos. Leo entra na *loggia* e anda lentamente em direção ao leito. Em suas mãos, traz minha camisa e minha *canottiera*. Ainda estou de joelhos, cobrindo os seios. Sem abrir a cortina, Leo segura meu rosto em suas mãos e beija meus lábios através do fino tecido. Ainda sem abrir a cortina, gentilmente, tira minhas mãos de meus seios e coloca suas mãos no lugar. Acaricia meus seios. Tira suas roupas, então, e abre as cortinas. Me deita na cama. É Leo quem está de joelhos, agora, afrouxando minhas calças de montaria e as deslizando para baixo, tirando-as. Com firmeza, passa as mãos abertas sobre minhas pernas, moldando a carne com os dedos. Faz isso em todo o meu corpo. Leo é um escultor que vai modelar uma mulher a partir de uma menina. A luz reaparece, vermelha e dourada agora, o vento se torna violento e as pesadas bordas da cortinas batem com força no leito, como se fossem a saia rodopiante de uma dançarina espanhola.

— Enquanto voltamos ao palácio, compreendo que tudo o que aconteceu antes em minha vida foi uma preparação para essa tarde. Compreendo que tudo o que está por vir será uma consequência dessa tarde. Compreendo que haverá alegria e haverá tristeza e que não estarei imune a nenhum desses sentimentos. Deito minha cabeça no ombro do príncipe.

CAPÍTULO XII

— LEO MANTEVE A PROMESSA. NO SEXTO DIA DA PRIMEIRA COLHEITA NOS NOVOS campos, ele estava pronto. Ressuscitara velhas foices de algum lugar esquecido e as levara ao *borghetto*, para serem afiadas pelo homem que mantinha em bom estado os machados e as facas, tanto de caça quanto de cozinha. Então aprendeu como usá-las com o agricultor mais veterano. Umberto era o nome dele. Os outros homens ficaram em volta, querendo aprender também, que era o que Leo desejava. E foi o que fizeram. Lembro-me de que, certa noite, Leo e eu tínhamos acabado de jantar com os lavradores e estávamos todos no pátio, sentados nas soleiras, nas pedras, onde quer que tivesse um lugar para descansar e esperar por uma brisa que quebrasse a calmaria da noite. Um dos lavradores sugeriu, em altos brados, que deveriam praticar a dança da colheita ali mesmo. Então removeram do pátio as vassouras, as pás, os baldes, as coisas que passavam por brinquedos de crianças, espantaram os animais e, com Leo e Umberto à frente, entraram em formação. Sob uma lua leitosa que subia, e à luz da única tocha que ainda estava acesa, próxima à *mensa*, eles bailaram ao ritmo do príncipe, ao ritmo das passadas orgulhosas e frágeis de Umberto, e nós permanecemos em silêncio, como quando a garota com pele de pêssego rodopiara sob outra lua. Eles se moviam lindamente à luz bruxuleante. Todos aqueles homens com todos aqueles sonhos.

— Faltam talvez duas horas para o alvorecer, no dia da colheita cerimonial, o dia em que o último campo será ceifado manualmente. A estrada que liga o *borghetto* ao campo já está lotada de caminhões e carroças transportando os agricultores. Leo, Cósimo e eu estamos entre eles, juntamente com um pai e um filho, moradores de Enna — ambos flautistas — que Leo localizou e contratou para este dia. Vários dos garotos pequenos do *borghetto* estão perto deles, cada um portando um tambor — primitivo, feito à mão — amarrado à cintura, ou pendurado no pescoço com um pedaço de barbante ou tira de pano. Valentino, o pequeno garoto ruivo que vive no pavilhão de caça, também está lá. Também com um tambor. Sem dúvida, foi convocado para completar as fileiras da banda. De vez em quando, um deles faz rufar o instrumento, como que para testá-lo. Para testar a si mesmo.

"Todos falamos em murmúrios, como se alguém estivesse dormindo por perto. Como se o inimigo estivesse emboscado no trigal alto e tranquilo. Na extremidade do campo, lençóis são estendidos no chão e cestos com pão e queijo são colocados sobre eles. Jarros de vinho são alinhados. As mulheres mais velhas e as meninas mais novas, que irão servi-los aos ceifadores, estão de prontidão. Eu nunca havia notado, mas os homens estão descalços. E agora — com o habitual *coppola** colocado de lado — amarram lenços na testa. Batendo com os cabos nas mãos estendidas, Leo distribui foices à primeira equipe, que se posiciona no ponto de partida. A segunda e a terceira equipes se alinham por trás. Em suspense, imóveis como o ar preto azulado, esperamos pelo deus-sol. Eu mal respiro, encantada com a beleza da cena, um fragmento de nossa existência coletiva. Ou seria esse momento a soma da existência, concentrada? A escuridão dá lugar a um empoeirado céu lilás, as linhas embaçadas da noite assumem as formas do dia. Os indivíduos se entreolham, dizem bom-dia, dão tapinhas nas costas uns dos outros. As mulheres se beijam em ambas as faces. Sem aviso, Apolo incendeia as trevas púrpuras com um grande archote avermelhado, tingindo o céu com todos os tons de vermelho que existem no mundo. As flautas sibilam, os garotos batem nos tambores, os ceifadores se benzem e gritam *aleluia* para sua deusa; começa a segadura impetuosa. Assim como aconteceu no pátio sob a lua, o príncipe e Umberto vão à frente, mergulhando no trigal alto e profundo, meneando as foices em um arco amplo, perfeita-

* Chapéu siliciano. (N.da E.)

mente sintonizados, como se tivessem nascido para fazer aquilo; eu me pergunto se não tinham. As equipes seguem umas às outras, cada qual completando uma fileira de trigais e passando a foice para o próximo da fila. Para cada quatro ceifadores, há um recolhedor, um homem que os segue, coleta os talos cortados, amarra-os em um grande feixe com um pedaço de cânhamo seco e finalmente os coloca na pilha de trigo a ser debulhado. Depois de dois, talvez três ou quatro turnos com a foice, Leo vai para a parte mais alta do campo, que contempla triunfante, não por si, mas pelos lavradores. Com suor e lágrimas abrindo caminho na palha que lhe recobre o rosto, o príncipe recita o hino de Deméter. Com sua voz de baixo profundo, ele canta:

Começo a canção da sublime Deméter, a deusa dos cabelos de ouro.
Dela e de sua filha de pés finos, que Hades raptou,
pois lhe foi dada por Zeus, o que faz trovejar.
Longe de Deméter, senhora da espada dourada e dos frutos
magníficos, ela brincava com as rotundas filhas de
Oceano, colhendo flores em um prado tranquilo,
rosas, açafrão, lindas violetas, íris, também jacintos e
narcisos, que brotaram da terra pela vontade de Zeus, para
agradar a muitos, e para ser uma armadilha para a moça em flor —
uma flor maravilhosa e radiante.

"As flautas gemem, os garotos batem com as varas no couro dos tambores e os 'santos' são distribuídos, não apenas sete vezes entre o nascer e o pôr do sol, mas a cada vez que os sinos batem as horas. Os homens bebem o vinho e comem o pão; terminam o campo no início da noite, assim que começa a escurecer. Leo dá ordem de suspender o trabalho; os agricultores caem onde estão, deitam sobre o restolho duro, olhando para o céu, respirando fundo, rindo e gritando. Olímpicos, que não lutam pela glória, mas por comida. Ajudam-se uns aos outros a se levantar e, em fila, passam por Leo, que espera para apertar suas mãos. Os homens mais velhos beijam a mão de Leo, em vez de apertá-la, retomando o ritual que, quando jovens, viram seus pais e avós executarem após as colheitas. Enquanto os lavradores beijam sua mão, Leo segura as mãos *deles* e as beija também. Um gesto que ninguém nunca vira — o nobre retribuindo o beijo do camponês. Um pardal agita as asas dentro de meu coração. Cósimo faz o sinal da cruz. *A hora em que descemos até eles é a hora em que eles passarão por cima de nós.*

"'*Scemo. Scemo beato.* — Bendito tolo', sussurra Cósimo, irritado. Olha para mim. Repete a frase."

CAPÍTULO XIII

— Leo continua incansável em seu trabalho com os lavradores — e para eles —, ainda que, depois do primeiro grande passo, sua atividade fique menos visível e assim menos irritante para a sensibilidade de Simona. Uma fria cordialidade reina de novo no palácio. Simona parece ter superado a fase lasciva. Ou talvez tenha permanecido nela, com mais discrição. Não sei. O que se viu, então, foi sua época de Grandes Excursões — repetidos e prolongados passeios ao Continente. Ela circulava pela casa em extravagantes roupas de viagem e chapéus guarnecidos com véus, gritando ordens para os criados a respeito de como manusear as malas, quando esperar os primos de Roma, ou Milão, onde os primos deveriam dormir e o que deveriam comer. Tomando as princesas — então com 18 e 19 anos — junto ao peito coberto por zibelina, atirava beijos em direção a seus rostos, com os lábios vermelhos de ruge. As princesas faziam uma mesura.

"'*Buon viaggio, Mamà.*'

"Fungando em um pequeno lenço de renda, Simona partia. Maria Antonieta a caminho da prisão. Descia os degraus até o automóvel que a esperava. Cartões-postais policromáticos e embrulhos em papel pardo, com selos exóticos e carimbos indecifráveis, chegavam regularmente para as filhas, cujo desinteresse era tanto que pilhas de caixas fechadas e bandejas de prata cheias de cartões não lidos acumulavam poeira nas mesas do saguão.

"Devo dizer que às vezes invejava a liberdade de Simona. Tentava me imaginar sentada no banco traseiro da comprida Bugatti verde, tomando a barca em Messina e me instalando no trem noturno para Veneza. Leo estava quase sempre presente nessas fantasias, mas havia algumas em que eu estava sozinha.

"Certa vez, após mais uma partida de Simona, pergunto a Leo se nós deveríamos conversar com Yolande e Charlotte. Propor a elas que façam uma excursão conosco. De forma reticente, ele concorda. No jantar daquela noite, começa alegremente:

"'Minhas filhas montanhesas, o que vocês acham da ideia de nós quatro passarmos um feriado juntos? Tomarmos o trem de Enna a Palermo, talvez, e ficarmos em um bom hotel à beira-mar, comendo peixe em terraços construídos em estacas fincadas no fundo do mar?', pergunta ele, com a voz cada vez mais fraca e tímida, à medida que pronuncia cada palavra; até que, ao completar a frase, recai em sua indiferença habitual.

"As garotas mal levantam as cabeças cobertas de tranças brilhantes, enquanto tomam a sopa.

"Como nunca me afastei do palácio mais do que as distâncias percorridas nas cavalgadas matinais, não estou em uma boa posição para convencer as princesas. Só posso lhes falar sobre o que eu gostaria de fazer. Faço uma tentativa.

"'Vocês alguma vez já pensaram em acampar nas montanhas, assando salsichas em uma fogueira e dormindo sob as estrelas?'

"Em tom de aversão, Yolande diz:

"'Não, nunca pensei em nenhuma dessas coisas.'

"Recuso-me a desistir.

"'Vocês gostariam de passear em uma cidade grande?'

"'Barulho. Confusão.'

"'Nadar no mar?'

"'Nós não sabemos nadar.'

"Leo começa a falar sobre os estudos delas, enquanto eu ainda permaneço lançando propostas em frases simples. O que posso oferecer a meninas cujos armários estão repletos de sedas francesas, que vivem em um palácio mobiliado com antiguidades do século XVI, adornado com esculturas e pinturas renascentistas? Certamente não a perspectiva de percorrer lojas, museus e galerias. Eu nunca visitei um museu. Pelo menos, posso tentar fazê-las rir.

"'*Que tal um castelo na Espanha?*

"Os três ficam em silêncio. A verdade é pura e simples. Elas preferem continuar com seus rituais a colocar seus sapatinhos brancos no mundo exterior. A elaboração dos penteados, pela manhã; o vestir, tão intrincado quanto o de um toureiro; a infindável aplicação de manteiga sobre a torrada; o infindável desfile de bandejas de prata; o infindável oferecimento de imensos bolos multicoloridos. Frases frias e abruptas quando absolutamente necessário. Sinos para acordar, sinos para jantar, sinos para estudar, sinos para rezar, sinos para dormir. *Ave Maria.*"

"É por minha causa", digo a Leo mais tarde.

"'Não é, não. É por causa delas mesmas.'

"'Elas ainda estão na infância.'

"'Yolande é um ano mais nova que você. Charlotte é dois anos mais nova. Mas talvez você tenha razão. Não é incomum, para as mulheres de nossa classe social, permanecer na infância a vida toda. Tornam-se meninas velhas. Mas o desinteresse delas por mim é antigo. Desde que nasceram, tenho tentado conhecê-las, impor minha presença em suas vidas, até das formas mais superficiais. Mesuras diárias. Beijos no Natal. Mas as demonstrações de amor filial nunca passaram disso. Fui descartado, excluído, primeiro pela mãe delas; depois, por elas. Além de meu lugar à mesa e na missa, sou um aborrecimento, um obstáculo à ordem sagrada de suas vidas. Você sabe disso há muito tempo.

"Ele está irritado por conta da mágoa pessoal que minha intromissão deixou à mostra. Irritado com o fato de que *exista* mágoa. Fico de pé ao lado da cadeira em que ele está sentado, na biblioteca.

"'Desculpe. Pensei que agora nós poderíamos fazer companhia a elas de forma diferente. Talvez se continuarmos tentando...'

"'Não há tentativa que vá mudar. Todos nós somos infinitamente quem somos. Elas não são você, Tosca. Não são eu. São de uma raça diferente. São da raça de Simona.'

"'Agora quem está descartando? Excluindo?'

"'A sua Teoria Brasini não se aplica às mulheres? *Alguns indivíduos nascem vazios, senhor. Não há gestos de boa vontade, paciência e delicadeza amorosa que consigam preenchê-los*. Não foi isso o que você me falou que aprendeu quando tinha 8 anos?'

"Suas palavras são calmas e pausadas.

"'Por que você se casou com Simona, afinal de contas?'

"'Eu vou lhe contar essa história. Em breve lhe conto mais dessa história.'

— Em toda parte, há uma aceitação silenciosa de Leo e de mim. De nossa vida compartilhada. De nosso romance, decorosa e discretamente assumido. Todos sabem que não fui eu quem provocou a separação entre Leo e Simona. Mais especificamente: Simona sabe disso. Nem intrusa, nem terceira participante em uma *ménage à trois*. Sou uma mulher que ama e é amada pelo marido de outra mulher. Vivo na casa em que eles vivem. Todos sabem que a convivência deles é mais um *arranjo* do que um casamento. E todos sabem, também, que o sacramento do matrimônio é indissolúvel. Inexorável, aos olhos da Santa Madre Igreja. Leo será sempre casado com Simona. *Até que a morte os separe*. A maioria da criadagem conhece melhor do que eu as circunstâncias do pacto inicial que os uniu. Mas entendo que — nessa época e lugar — existem legiões de arranjos assim, numerosos entre os ricos em qualquer lugar do mundo. Sentimentalmente, tais contratos de casamento não têm nenhum significado. Algumas vezes, o peso dessas verdades, dessas alegadas verdades, cai como um martelo. Embora eu saiba que não mais poderia viver sem Leo, às vezes, em minha fantasia, imagino que vou embora, que vou me afastar de todos eles, abrindo uma trilha no labirinto que construíram. Ele não é meu. Sua casa não é minha. Nem o labirinto é meu.

— Certa tarde, estou lendo no jardim, esperando que Leo e Cósimo retornem de seus compromissos semanais em Enna, quando escuto um delicado arrastar de sapatos nas pedras. Ergo os olhos e vejo Simona, andando em minha direção. Seu caminho é obstruído pela luxuriante folhagem das alcachofras, que ela chuta e golpeia, enquanto resmunga.

"'Nunca vou me acostumar com essa invasão de *vegetais* em meio às minhas rosas.'

"Ela não diz, *nem com a sua invasão no meio das minhas rosas*, embora eu pense que essa é uma verdade ainda maior. Meneio a cabeça em sua direção e sorrio. O sorriso dela é falso.

"Ela já está sentada, quando pergunta:

"'Posso fazer companhia a você?'

"Eu ainda não falo nada. Continuo sorrindo. Ela pega meu livro e lê em voz alta o título em inglês:

"'*Great Expectations.** Bem adequado', diz ela, com um sorriso menos falso. 'É tão pouco comum nos encontrarmos sem multidões em volta', diz, como que a uma velha amiga.

"Penso por um momento que deve estar falando com outra pessoa, antes de ouvi-la repetir: 'Sim, sem as multidões.'

"Agora estou perplexa, imersa em silêncio. Mas ela parece não notar ou não se importar com isso. Como se fosse a coisa mais natural no mundo, fala sobre sua última viagem, as insuperáveis diferenças entre a confeitaria siciliana e a vienense, examina o crepe amarelo de meu vestido, diz que comprou algo muito parecido em uma pequena loja de Milão e, sem nenhuma preparação, pergunta:

"'E quais são seus planos, Tosca? Você já vai fazer 20 anos. Suspeito de que em breve pensará em se casar.'

"Mais uma vez, ouço o que ela omite. *Vai pensar no seu casamento, em vez de no meu.* Mas estou enganada. Simona continua.

"'Só quero dizer que espero que você não tenha muita pressa. O clima de pós-guerra no mundo lá fora está, no mínimo, caótico. Sei que sua vida aqui é confinada, mas, aos poucos, vamos ajudá-la a *expandir seus horizontes*, digamos assim. Grandes esperanças. Uma perspectiva agradável.'

"Continuo em silêncio e, agora, duvido de minha capacidade de ouvir. De discernir suas palavras. Ela falou como uma tia amorosa, usou a palavra 'nós', quando se referiu à mútua preocupação que ela e Leo nutrem a meu respeito. E tem mais a dizer.

"'Montanhas em uma ilha são duplamente remotas, minha querida. Duas vezes mais isoladas. Mas também duas vezes mais previsíveis.

---

* *Grandes Esperanças*, romance de Charles Dickens, publicado de 1860 a 1861 em série. (N. da E.)

Quase tudo o que acontece se repete muitas vezes. Você sabe — talvez Leo lhe tenha dito — que minha mãe e meu pai viviam quase como ele e eu vivemos. Juntos, mas não realmente juntos. Isso é muito comum por aqui, onde a salvaguarda, a manutenção e a transferência do patrimônio têm prioridade sobre qualquer outro assunto. E, certamente, sobre algo tão efêmero quanto o amor. Pedras, terra e edificações.' Levanta um pulso fino e branco, rodeado por um bracelete de safira, para mostrar o palácio atrás dela. 'Essas são as coisas permanentes. As coisas que contam.'

"Olho para Simona, enquanto ela remexe nas safiras, nos anéis, no cabelo. Seu olhar encontra o meu e ficamos assim por algum tempo. Confortavelmente, penso eu, dizendo mais com os olhos, nesses poucos momentos, do que dissemos uma à outra nesses 11 anos.

"'Espero que você saiba, que você entenda, que não sinto qualquer *rancor* por você. Mas já tive. Rancor, pura inveja, ou ciúme? No início, achei você adorável, realmente. Um cavalo selvagem, com aquelas pernas finas e compridas. Todos nós estávamos encantados com sua personalidade. Na maior parte do tempo, você era mais um rosto à mesa, até que notei outras pessoas reparando em você. Leo, claro. Mas outros, também. Embora eu não quisesse Leo para mim, não queria que você o quisesse. Estranhamente, eu não vi *isso* — o seu romance — como uma traição de Leo. Ele teve tantas mulheres antes de você. Vi isso como uma traição sua. Senti que você tinha me traído. Veja bem, inconscientemente, comecei a pensar em você como uma de minhas filhas. Era como se uma filha tivesse me traído. Por você eu fazia tudo, quase tudo, o que fazia pelas minhas princesas. Escolhia suas roupas, providenciava sua assistência médica, discutia sua educação com os professores. Insisti para que você fosse instruída no catecismo, que fizesse a primeira comunhão com Yolande e Charlotte. E sua crisma. Conhecendo a sensibilidade de Ágata, sua tendência à ternura, encarreguei-a de tomar conta de você. Não sou uma mulher maternal, Tosca, embora tenha tentado ser. Mas fui tão maternal quanto possível com você. Não foi muita coisa? É isso o que você está pensando?'

"Balanço a cabeça. Uma frágil negativa. Fecho meus olhos e vejo o rosto de minha mãe. E o rosto de minha irmã, tão parecido com o dela.

"'Ah, Tosca', suspira Simona, e penso que é um suspiro para encerrar o assunto, embora eu mal me lembre de como foi o início do solilóquio, nem saiba por que ainda não consigo falar com ela.

"Ela fica em silêncio, mas não se levanta para ir embora. Pergunto-me se me dispensou com o suspiro, se sou eu quem deve ir embora.

"'É claro que minha inveja por sua beleza foi uma resposta normal. Você fez 15 anos no ano em que completei 40. Você, começando; eu, passando pelo primeiro marco da trajetória descendente. Eu nunca tinha prestado muita atenção aos sete anos de diferença entre a idade de Leo e a minha. De repente, a diferença dos meus 40 anos para os 33 dele começou a parecer um abismo horrível, que se alargava a um ritmo furioso. Então resolvi ignorar o tempo, enganar a torrente impiedosa. Para isso, usei aqueles corpos. Meus novos amigos. Homens e rapazes. Meus amantes pagos. Não gosto de me lembrar daqueles tempos, mas me lembro deles. Enquanto você e Leo se aproximavam cada vez mais — você sabia que eu quase previ o dia do *acoplamento* de vocês, digamos assim? E sabia que eu notei a mudança em você até mesmo enquanto você saboreava o café? Pois bem, enquanto você e Leo se aproximavam cada vez mais, meu primeiro impulso foi me desesperar. Durante todos os anos de namoricos de Leo, eu me senti bem. As mulheres eram tão insignificantes para ele quanto eu. A vida era equilibrada. Você *perturbou* esse equilíbrio. Veja bem, eu não estou muito certa se alguma vez já testemunhei o amor. Antes de você e ele. Saiba que é uma coisa extremamente rara. Eu mesma, com certeza, nunca senti isso — ou me iludi com isso. Até pensar em felicidade me aterroriza. Frágil como uma rosa desabrochada. Por que alguém escolheria a felicidade, as qualidades duradouras do medo e do sofrimento? Eu sempre me perguntei se o medo e o sofrimento morreriam, também, se ao menos eu permitisse isso. Se eu parasse de alimentar esses sentimentos, de cuidar deles. Suponho que nunca saberei. Nunca vou conhecer o que você conhece, Tosca. Pensei muito nisso nos últimos dois ou três anos. Eu realmente lhe desejo bem. E tenho observado um nervosismo em você que nunca vi antes. É por isso que queria lhe falar. Você está inquieta. Talvez esteja preocupada com as complexidades da situação. Sempre haverá complexidades, minha cara. Não vá embora, Tosca. Fique aqui. Ame Leo, se puder. Ame-o um pouco por mim.'

"Depois de dizer tudo isso, ela chora. Eu também já estou chorando há algum tempo; através das lágrimas, ela me parece um espectro diáfano, um fantasma eloquente vestido de *chiffon* com bolinhas azuis. *Como seus cabelos curtos eram frisados em ondas, como suas bochechas ficavam vermelhas e como ela ficava quase bonita nessa hora do dia.* Uma mulher que apareceu para me confortar. Para me dizer que o labirinto é, de fato, o meu labirinto."

— Enquanto a vida no *borghetto* continua a melhorar e enquanto Leo percebe, sente, que há uma crescente tranquilidade entre os lavradores, ele também fica mais tranquilo. Fazemos nossos primeiros passeios longe do palácio. Carregamos um dos caminhões com lenha, cestos de provisões, catres do tipo usado pelo exército, edredons de pena, algumas lamparinas, e dirigimos pelas montanhas até um planalto elevado, onde dormimos em um campo de manjeronas silvestres, hissopos e hortelã. Leo esmaga punhados de ervas em uma pedra e prepara uma tisana sobre a fogueira, que me serve em uma xícara de madrepérola, dizendo-me que esse era o elixir que os eleusinos — quando Deméter descansou em seus campos — fizeram para confortar a deusa pesarosa.

"Dirigimos até o mar e, quando finalmente o vejo, saio depressa do carro. Arrancando a saia e a blusa, despindo a combinação e desfazendo as tranças, corro até as ondas. Patinhando, gritando, mergulhando e engolindo a saborosa salmoura, sou um grande peixe marrom, molhado e luzidio, curveteando nas encrespadas ondas azuis-metálicas do litoral da minha ilha. Mas então sinto saudade das montanhas. Aonde quer que Leo me leve na ilha, encontro beleza e alegria. Mas sempre sinto falta das montanhas. Sinto falta dos cavalos. Sinto falta da minha rotina diária. Yolande e Charlotte são mais sensatas do que eu.

"Como fazemos há anos, Leo e eu continuamos a cavalgar todas as manhãs. Não mais precisamos trotar pelos caminhos convencionais, na companhia de hóspedes do palácio, ou de Cósimo, mas seguimos por trilhas pouco exploradas das montanhas ou dos bosques; ou pelos descampados do altiplano, onde podemos galopar. Onde nos sentimos livres. Embora seja fácil ajustar nossos dias e nossas noites de modo a incluir um encontro no palácio, essas cavalgadas antes da alvorada se tornam nossas horas de amor. Penso que isso se deve à particular alegria de acordar, colocar a roupa e ir até a cozinha ainda escura, onde Leo — com os cachos amarelos desgrenhados — prepara para nós dois pequenas xícaras de café expresso. Então, tremendo de frio, corremos pelos jardins até as cocheiras, dois ladrões na quietude da noite. Até os cavalos parecem conspirar, enquanto os selamos, pacientes como crianças humildes. Vestimos então os suéteres e casacos de *tweed*, que guardamos na estrebaria. Quando não há luar, seguimos por trilhas desimpedidas; quando há luar, cavalgamos por trilhas sinuosas, que cortam bosques silenciosos e fantasmagóricos.

"Certa manhã, enquanto o dia clareava, desmontamos e conduzimos os cavalos com cuidado ao longo da borda de uma colina. Chegamos à claridade leitosa de uma clareira. Ficamos parados, acariciando os pescoços dos animais, esperando pelo sol. Um vento frio e violento atravessa as folhas amarelas e ressecadas dos carvalhos atrás de nós; o som que produz faz lembrar uma mulher chorando. Mesmo agasalhada com o velho e pesado casaco de camurça de Leo, sinto muito frio. Tremendo, tento ouvir a mulher, cujos gemidos são mais suaves que o rouco sibilar das folhas. Então o vento diminui e a luz refulge atrás das montanhas, incendiando as pedras e o céu com longas chamas amarelas. Os gritos cessam e nós andamos, menos cautelosamente, pela borda escarpada da colina. Ao chegarmos ao altiplano, tornamos a montar e galopamos a toda, até os cavalos perderem o fôlego. Encontramos sombra, desmontamos e caminhamos com os cavalos, para descansá-los. Deitamo-nos para repousar. Sob a deliciosa luz tremeluzente, filtrada pelos galhos de velhos choupos, somos amantes.

"Quase todas as manhãs, cavalgamos até uma locanda semiarruinada nos pinheirais, o mesmo lugar onde paramos para tomar vinho e caminhar, na noite em que completei 18 anos. Ficamos por algum tempo lá, em uma pequena sala de paredes altas, manchadas e descascadas. O piso de ladrilhos vermelhos é gasto e ondulado. O cetim das cadeiras e dos sofás está em farrapos. Um piano Bechstein de madeira escura foi encostado em uma extremidade da sala e, às vezes, me sento em frente a ele, para tocar *Saint-Saëns*. Para tocar *Le Cygne*. Leo ouve a melodia em pé, de olhos fechados e braços cruzados. Toco apenas alguns compassos, antes que ele me interrompa.

"'É um cisne, Tosca. A música foi composta para dar a impressão de um cisne. Não há qualquer indicação de que um elefante esteja se aproximando. *Piano. Piano, amore mio.*'

"Há sempre chá, ainda morno, em uma jarra de porcelana. Pão, marmelada, algum tipo de biscoito. Um melão, cortado artisticamente. Algumas frutinhas selvagens em um prato cor-de-rosa, quebrado e colado, com suas folhas e seus ramos ainda cobertos pela poeira dos bosques. Sobre a larga cornija de pedra da lareira há um vaso cor de gengibre, com flores e botões. Nunca ouvimos nem vimos uma única pessoa, embora nossos benfeitores vivam em uma ala afastada da casa. Uma luz suave, filtrada pelas árvores, atravessa o vidro corrugado das janelas amplas, de muitos caixilhos, e chega até onde estamos reclinados em um tapete de pelúcia com franjas, estampado com grandes rosas amarelas. Ficamos deitados lá, diante do fogo, sobre as rosas amarelas, fingindo que estamos em casa. Conversamos, brigamos, rimos, comemos e bebemos. Dormimos e sonhamos sobre o tapete vermelho-escuro com rosas amarelas, como se sua largura e seu comprimento demarcassem os limites do mundo. Acaricio com os dedos a franja sedosa do tapete, enquanto ouço Leo falar. Às vezes, com os braços esticados acima da cabeça, fico segurando a franja. Na luz fria e esverdeada, a luz trêmula e aquosa dessas manhãs, o tapete vermelho-escuro com as rosas amarelas realmente delimita o mundo. Quando o relógio no saguão adjacente toca oito badaladas, preparamo-nos para sair. Devemos retornar ao palácio, ao *borghetto*, para começar nosso dia de trabalho."

— A carta foi manuscrita em papel grosso, cor de baunilha, e selada com cera vermelha, à moda antiga. É entregue a Leo durante o café da manhã, por um dos criados.

"'Um cavalheiro está esperando no saguão, senhor. Por sua resposta', diz o criado, contendo sabiamente um sorriso malicioso.

"Trata-se de um comportamento do século XVIII e Leo está perplexo. Ficamos em silêncio, enquanto ele rompe o selo e abre a carta.

"'Tomara que seja um convite para um baile de máscaras', diz Charlotte.

"Nós rimos, com a atenção voltada para o príncipe, enquanto ele lê.

"'Ah, sim. Sim, diga ao cavalheiro que eu aceito. E agradeça a ele, Mimmo', diz Leo ao criado, que se apressa em sair, sacudindo a cabeça quase imperceptivelmente.

"Leo entrega a carta a Cósimo e se serve de mais café, deixando o líquido escorrer de sua xícara, já cheia, no pires pintado com flores azuis. Sorri para nós. Cósimo lê a carta, devolve-a para Leo e ambos se levantam, dizendo *buongiorno*. Leo acena para mim e diz que me verá um pouco mais tarde."

— Leo foi convidado para um jantar patrocinado pelo nobre cujas terras são separadas das dele por um pequeno povoado. A carta o informa que outros convidados estarão presentes, tanto moradores da região quanto de lugares distantes, como Palermo. Embora Leo pressuponha que será uma reunião social, a carta parece mais uma intimação do que um convite. É a primeira aproximação — social ou não — feita a Leo por esse "vizinho". O jantar será realizado naquela mesma noite. É o início de dezembro de 1950.

"Embora diga que gostaria que eu me sentasse com ele na biblioteca e, mais tarde, em seu escritório, Leo mal fala comigo durante todo o dia. Pergunto por que ele aceitou tão prontamente o convite, se não lhe agrada comparecer ao jantar. Ele me diz:

"'É uma questão de dever.'

"Fico com ele, até enquanto ele se veste e amarra os sapatos pretos formais, que usa apenas em casamentos e enterros. De um frasco de vidro azul-cobalto, ele despeja óleo de néroli na palma da mão, que esfrega no cabelo amarelo, ainda úmido do banho. Depois, passa duas pesadas escovas prateadas por seus curtos e grossos cachos. Penso que meu príncipe aparenta menos que seus 38 anos. Ele me pergunta se pretendo passar algum tempo com Cósimo, depois do jantar. Ele quer que Cósimo e eu o esperemos na saleta próxima à capela. Diz que não chegará tarde. Mas o padre, também vestido com roupas formais, espera por ele no saguão, segurando a porta aberta, enquanto o automóvel ronca ao pé dos degraus do palácio.

"'Como eu estava sem cera para selar uma carta, mandei um recado de viva voz para seu anfitrião, por intermédio de Mimmo. Disse a ele que, como sacerdote de sua própria paróquia, teria o maior prazer em deixar de lado os negócios da igreja, esta noite, para abençoar a reunião. Não pedi que Mimmo esperasse pela resposta', Cósimo lhe diz.

"Eles riem e se abraçam, sem parar de rir. Don Quixote e Sancho Pança no banco da frente do fiel Chrysler cinzento."

— Entre os proprietários de terras locais, que Leo e Cósimo conhecem, estão dois homens que nunca viram e que lhes são apresentados pelo anfitrião como dois políticos de Palermo. Os outros convidados parecem já conhecer os dois *palermitani*. Na verdade, com exceção de Leo e Cósimo, o grupo — 12 ao todo — demonstra uma camaradagem quase fraternal. O assunto na boca de todos é o da reforma agrária. Eles falam sobre o decreto, que está para ser transformado em lei, que exigirá que todos os proprietários de terra da Sicília vendam aos seus camponeses, a preços simbólicos, todas as terras não utilizadas que sejam próprias para a agricultura. Logo fica claro que, naquela noite, Leo é o alvo.

"Quando os cavalheiros se acomodam à mesa, o assunto da hora dos aperitivos, que antes só levantava murmúrios e acenos com a cabeça, torna-se direcionado. Como se ensaiado, cada homem à mesa fala sobre alguma das loucuras de Leo: a reforma das casas do *borghetto*; a assistência médica; as noções de higiene; as salas de parto; a escola obrigatória para crianças até 12 anos — *quando as crianças já deveriam estar trabalhando nos campos há pelo menos cinco anos*, diz um dos homens. Outro fala sobre os armazéns bem abastecidos, as mesas bem servidas, a distribuição de roupas e roupa de cama, a missa noturna celebrada na capela do *borghetto*. O decoro é logo substituído por gritos, com todos ansiosos para contar outra, e mais outra, das imprudências do príncipe.

"'E vocês já souberam, cavalheiros, que os lavradores do bom príncipe Leo não precisam mais se aliviar em algum lugar sossegado no bosque? Uma latrina de louça, cavalheiros, apenas uma latrina de louça é boa o bastante para os lavradores do príncipe Leo.'

"Os risos agora são indecorosos. Ameaçadores. Como se apenas um tiro pudesse calá-los. No entanto, o mero tilintar de uma faca de prata contra um copo impõe o silêncio. Um dos *palermitani* assume a palavra:

"'Príncipe Leo, nós não negamos a necessidade de reformas. É chegado o momento. Mas o momento só chegou recentemente. Deixe as mudanças tomarem seu livre curso. Se você tenta consertar mil anos de coisas erradas muito repentinamente, as reformas não vão durar. Essas pessoas precisam de autoridade mais do que de missa à noite ou cortinas nas janelas.'

"'Ou uma latrina tinindo de nova', grita outro.

"A risadaria explode novamente, mas logo termina, quando Leo começa a falar.

"'Eu não tenho dúvida alguma sobre a necessidade que os camponeses têm de liderança, assim como não tenho dúvidas sobre a necessidade que têm de mais pão e de um lugar limpo para dormir. As mudanças que fiz, e as que vou fazer, são feitas em meu próprio nome, e somente o meu. Não me considero um reformista social. Não estou estimulando ninguém a me seguir, nem me preocupo se vocês vão me seguir ou não. Não vou dividir minha terra porque o governo me pede. Vou dividi-la porque sei que é a coisa certa a ser feita. Vocês devem fazer o que acham melhor, gentis senhores. Mas eu também devo.

"Faz-se um longo silêncio, quebrado, de vez em quando, por um fósforo riscado ou pelo afrouxar de uma gravata apertada. Ou por repetidos pigarros.

"'É verdade, príncipe Leo, que você beija as mãos dos seus lavradores?'

"É esse outro *palermitano*, chamado Mattia, que faz a pergunta. Falou tão suavemente, sem mudar sua posição curvada sobre a mesa, que Leo não sabe de quem é a voz.

"'Por que isso interessaria a vocês?', pergunta ele, olhando para cada um ao redor da mesa.

"Então o outro *palermitano*, esse Mattia, levanta-se, anda até o lugar onde Leo está sentado, coloca seus braços curtos sobre os ombros de Leo, curva a cabeça até a orelha de Leo e diz gentilmente:

"'Se você não os intimidar, Leo, eles vão desprezá-lo. Você já ouviu isso antes. Eu lhe digo que é verdade.'

"Mattia levanta a cabeça e transforma sua voz em um sussurro exausto e entrecortado.

"'Algum dia, se soubermos que lhe aconteceu alguma desgraça, vamos saber a origem dela. A falta de respeito, quero dizer. Sim, vamos saber que você convidou a desgraça com um beijo.'"

— Quando Leo regressou, naquela noite, não veio até meus aposentos. Essa não observância de nossos rituais noturnos — passarmos cerca de uma hora juntos, calmamente repassando os acontecimentos do dia — revelou sua aflição e provocou a minha. No dia seguinte, com sofrimento aparente e em detalhes minuciosos, é Cósimo quem reconta para mim os acontecimentos da noite anterior. Ele descreve a reunião, a atmosfera de rancor evidente, de claro descontentamento. Minha preocupação dá lugar a um medo asfixiante.

"'Mas quem são esses homens, esses dois de Palermo?', pergunto a Cósimo.

"'Eles são do clã', diz ele com enlouquecedora simplicidade.

"'O que é esse clã?' Em cochichos e à socapa, eu ouvia a palavra desde garotinha. 'É uma família, um grupo de bandidos, são renegados? Esse *clã* é o mesmo que assassinou Filiberto?'

"'Eu diria que a resposta é "sim" para todas as perguntas. Eles são uma família, parentes por escolha, em vez de por laços sanguíneos, o que muitas vezes cria uma ligação mais forte. São um grupo de bandidos. Bandidos entre os quais você encontrará gente ilustre, de boa posição social, membros muito considerados de nossa sociedade. Você encontrará padres, entre eles, em número quase igual ao de políticos, nobres e comerciantes. A polícia federal, local, militar e financeira também está bem representada. Finalmente, você encontrará homens famintos, dispostos a obedecer às ordens deles, por mais horríveis que sejam.'

"Enquanto fala, Cósimo olha ansiosamente para a porta do *salone* onde estamos sentados, esperando Leo entrar, creio eu. Mas acaba virando as costas para a porta, deixando de se preocupar com a possibilidade de que Leo ouça o que ele está me dizendo e desaprove sua franqueza.

"'Onde o Estado não atua, alguém o faz, para o melhor ou para o pior, assumindo o papel do Estado. O clã é o Estado da Sicília. *La Mafia*. É interessante, você não acha, que o nome tenha origem no árabe? Provém de *mahjas*. Santuário. Refúgio. Lugar de assistência. Isso é o que os bandidos medievais pretendiam proporcionar para si mesmos e para suas famílias, quando iniciaram suas missões. Eram os Robin Hoods do século XII. Quem poderia censurá-los? Bandoleiros que assaltavam aqueles que tinham mais pão do que poderiam comer em um dia. Isso lhe soa familiar, minha querida? Você mesma não foi uma *brigantessa*? Escondendo pão, queijo e bolos nos bolsos para alimentar sua irmã? Você pode entender como isso começou, mas será que pode, será que alguém pode, entender ou defender o rumo que as coisas tomaram? O clã já não rouba carneiros, ou esquarteja vacas à luz de uma fogueira clandestina, levando os pedaços sanguinolentos para seus vilarejos. Como leões levando a presa abatida para a toca. Eles deixam esse tipo de atividade para os ignorantes. Agora querem mais. Agora querem tudo. Agora querem oprimir os pobres como foram oprimidos um dia. Nem sempre a memória chega intacta de suas viagens através das gerações. Durante sete, oito ou nove séculos e, mais recentemente, sob a liderança dos vencedores da Grande Guerra, os clãs foram muito além de suas humildes raízes rurais. Como o Etna, a Máfia cospe violência à vontade. Cospe violência sobre o Estado, quando, muito de vez em quando, o Estado sai um pouco de sua letargia. Cospe violência sobre a Igreja, que sempre praticou sua própria forma de violência santificada. Cospe violência sobre qualquer um que seja louco o bastante para se colocar no caminho de sua erupção. Assim, onde estão os defensores dos pobres? Onde estão os hussardos para subir as montanhas e salvá-los dos lobos? Vou lhe dizer onde estão. Estão sentados à mesa juntos com o clã. Banqueteando-se e planejando seus feitos. Como fizeram na noite passada. Todas as tribos estão mancomunadas. São como uma coisa só. Máfia, Igreja e Estado. Pai, Filho e Espírito Santo. Leo ainda precisa, como direi?, Leo ainda não prestou tributo a essa verdade.'

"'Ele não vai fazer isso', digo eu. 'Ele nunca vai fazer isso.'

"'Você me espanta, Tosca. A sábia em você me espanta. Então não há nada a ser feito?'

"'É o senhor quem diz que não há nada a ser feito. *Todas as tribos estão mancomunadas*. Leo é sua própria tribo e, se houver alguma coisa a fazer, ele fará. Não o senhor. Nem eu. Eu lembro que, há anos, o senhor me disse que seria o senhor quem iria amparar Leo quando ele vacilasse. O senhor disse: *e ele vai vacilar*. Prometi a mim mesma, então, que seria eu, em vez do senhor, quem estaria perto dele o bastante para ampará-lo. Estávamos ambos errados e fomos muito presunçosos, não fomos? Agora eu sei que *vacilar* é uma coisa que Leo nunca fará. Mas o senhor, dom Cósimo, o senhor já vacilou? Onde é seu lugar nessa hierarquia?'

"Meu uso inesperado do tratamento formal faz com que ele me encare.

"'Eu não tenho lugar, a não ser como confessor do príncipe. Durante minhas próprias crises de fé e durante as atitudes e as faltas de atitude que resultaram dessas crises, negligenciei a maioria dos deveres associados à minha ordenação. A cúria ainda não me exonerou das ordens por causa de Leo. Por seu profundo e irrefutável conhecimento de algumas práticas e ocorrências dentro da cúria. E por suas generosas contribuições à paróquia. Às dioceses. Fundos e favores, e talvez mesmo o silêncio, que todos sabem que seriam cancelados se eu for destituído. Veja, querida Tosca, a Santa Mãe Igreja é a única prostituta de verdade na Sicília. Você sabe muito bem que eu acho que Leo é audacioso e imprudente. Mesmo assim, sou fiel a ele. Serei sempre fiel ao Cândido.'"

CAPÍTULO XIV

— APÓS SEU ENCONTRO COM O CLÃ, MUITAS VEZES, LEO SE MANTEVE AFASTADO de mim. E, quando estávamos juntos, eu sentia uma distância entre nós, até mais do que quando ele saía para cavalgar sozinho, ou quando, depois de trancar a porta, permanecia durante horas a sós na biblioteca. Quando falava, era sobre seu medo. Não ostensivamente, é claro, pois escondia o medo atrás de assuntos supostamente práticos. *Temos que interromper nossas cavalgadas porque há muita coisa a fazer no* borghetto, ele me dizia, quando a verdade era que, com os novos sistemas implantados e em operação, os agricultores não precisavam tanto de nós. A produção e a eficiência nos campos, por exemplo, tinham aumentado em proporção quase incalculável. Os lavradores moravam melhor, comiam melhor, vestiam-se melhor e estavam mais bem cuidados do que jamais estiveram em suas vidas. Com a base funcionando perfeitamente, os dois programas que eram do interesse de Leo — a escola e a enfermaria — também floresciam.

"Cosettina progredira tanto em seus estudos e expressara tanta vontade de assumir o posto de *maestra* que, no seu 17º aniversário, Leo lhe deu de presente uma pequena pasta vermelha, em couro de avestruz, gravada com suas iniciais. Dentro, estava um bilhete de congratulações à nova *maestra* da escola do *borghetto*. Eu fui promovida ao cargo de contadora de histórias, que desempenhava nas manhãs de sábado.

"Até mesmo minha presença semanal na enfermaria se tornara redundante, pois o médico passara a fazer visita três vezes por semana. O Estado começara a enviar enfermeiras e assistentes sociais itinerantes para auxiliá-lo e, suspeitei, para extrair informações. Comentários sobre o *borghetto* do príncipe Leo e sobre seus novos programas haviam discretamente atravessado o estreito e chegado à península.

"Contrariando a insistência de Leo em que os lavradores precisavam mais de nós, eu o lembrava de que o desenvolvimento da independência deles era nosso maior objetivo. Ele concordava. Até encontrar nova desculpa. *Preciso descansar mais, Tosca. E você,* amore mio, *deve retornar a seus estudos dos clássicos. Eu tenho negligenciado meus negócios e preciso me fazer mais presente junto aos advogados, contadores e consultores agrícolas. Afinal de contas, tenho uma fazenda para cuidar*, dizia-me ele, olhando para algum ponto acima e à esquerda de mim.

"Compreendi então que o medo dele era por mim, não por ele. Na quietude dos bosques, ao amanhecer, eu seria um alvo tão fácil quanto ele. Nossas cavalgadas juntos foram suspensas abruptamente, assim como minhas cavalgadas sozinha. Meu próprio medo, em segredo, começou a crescer. Aos poucos, Leo foi reduzindo nossa vida em comum, já bastante restrita. Como um garoto arrastando uma vareta na areia, ele desenhou os limites de nosso reino inexpugnável. Como se o clã não pudesse escalar os muros, deveríamos viver nos limites do palácio. Os jardins, as plantações de limão, o *borghetto* e alguns dos campos mais próximos eram os lugares mais longe aos quais ele se aventurava. Mas isso iria passar, eu dizia a mim mesma. Ele está sofrendo os primeiros efeitos de um medo horrível. Vai recobrar a paz na primavera. Mas durante quase três anos ele recuperou, no máximo, uma simulação de paz, que, mesmo assim, surgiu e dasapareceu. Réstias de luz através de uma persiana. O tempo passou e ele não recebeu, durante o café da manhã, nenhum outro convite com selo vermelho, escrito em papel grosso, cor de baunilha. Nenhuma intimação ou advertência interrompeu seus dias. Nenhuma cobra na grama em que ele pisava. Embora nunca mais tivéssemos cavalgado juntos, *e nunca mais fôssemos cavalgar juntos*, nem fazer nossas pequenas excursões até o mar, acabamos nos adaptando. Na verdade, o nosso modo de viver durante aquela época não era tão diferente de como vivêramos quando eu era mais nova. Uma vez mais, seguimos os rituais. Era a única vida que as princesas tinham vivido e a única com a qual, quando estava presente, Simona se sentia confortável. Quando queríamos roupas novas, comerciantes ou seus representantes traziam baús, guarda-roupas sobre rodas, até o pequeno *salone*. Quando queríamos música durante a noite, músicos eram convidados para cantar e tocar. Quando queríamos jantar no *borghetto*, atravessávamos o prado para encontrar nossos vizinhos, carregando cestos com doces e frutas. Muitas vezes trabalhávamos nos campos durante as manhãs, lado a lado com os agricultores; ou com os *ortolani*, nos jardins do palácio. Eu queria aprender a cozinhar, então ficava com a equipe do palácio, em meio a bandejas que assavam, panelas que ferviam e montanhas de farinha — alinhadas sobre a imaculada mesa de madeira em que eram preparados os pães e o macarrão. Sempre havia hóspedes. Mais do que nos meus primeiros dias. Gerações de primos, tias viúvas, tias-avós viúvas, há mais tempo ainda, cunhados, amigos e amigos dos amigos chegavam, partiam e chegavam novamente. Como se fosse verdade. Como se houvesse segurança nos números. Se havia mexericos entre eles, nunca os ouvi. De alguma forma, em algum ponto, eu me tornara um deles."

— Era o Dia da Ascensão de Nosso Senhor, quando a água doce se torna sagrada, segundo dizem, e quando os camponeses se banham nas águas curativas do Cristo em ascensão. Então descansam ao sol, comem seu pão com presunto e bebem seu vinho. Embora costumássemos acompanhar os lavradores nesse dia santo, Leo preferiu, dessa vez, permanecer tranquilamente no palácio. Mas o dia não foi tranquilo.

"O sol acaba de se pôr. Leo, eu e Cósimo estamos na estrada ao lado do *borghetto*, aguardando a procissão de velhas carroças que trazem as mulheres de volta ao lar. Vemos as luzes a uma grande distância, além dos campos recém-ceifados, o cintilar das lamparinas oscilando nos eixos dos carros. À medida que se aproximam, consigo ouvir os estalidos e chiados das rodas, sob o peso das mulheres que se aboletam sobre cadeiras bambas, os xales de renda cobrindo as tranças e caindo sobre os ombros. Sei que estão de mãos dadas e me esforço para ouvi-las cantar um cantochão, sob a lua de maio que sobe no céu. Eu gostaria de estar com elas em suas cadeiras instáveis, balançando ao ritmo das pancadas nos flancos dos cavalos e do pesado som de seus cascos sobre as pedras antigas.

"Fomos ao *borghetto*, não para dar as boas-vindas aos lavradores, mas para prepará-los para o que irão encontrar. Para o que não está mais aqui. Eles, com certeza, vão sentir o cheiro da fumaça e verão a fumaceira negra espiralando no crepúsculo. Houve um incêndio. Habilmente preparado para se alastrar enquanto os camponeses estivessem fora. O *borghetto* fora queimado. Da varanda do palácio, onde sentamos para tomar café naquela manhã, eu e Leo avistamos as labaredas se erguendo das construções. Criados do palácio as viram antes de nós e já estavam a caminho, Cósimo entre eles. Telefonamos para outros vilarejos. Recebemos mais ajuda. Jogamos ferramentas de jardinagem na carroceria de um caminhão. Juntamo-nos à linha de frente, atirando pás de terra nas chamas e tirando baldes de água do poço. Armas modestas para acalmar a besta. Até mesmo quando o fogo diminuiu. Até mesmo em seus últimos espasmos. Os dormitórios foram menos danificados. A *mensa*, as cozinhas e a capela se transformaram em amontoados de pedra com cinzas fumegantes. Nós sabemos, talvez todo mundo saiba, que esse fogo é um cartão de visita. O clã é um perseguidor persistente. Criativo, imprevisível, enérgico.

"No dia seguinte, os policiais de Enna, chamados por Leo, investigam o local com a meticulosidade de arqueólogos. O fogo não fora intencional. Nenhum indício de incêndio criminoso foi encontrado. O fogo não fora obra do clã, mas uma simples distração. Distração dos padeiros. Quando o forno estava quente o bastante para receber os pães, os padeiros — como sempre fazem — varreram do piso do forno as brasas ardentes, que depois levaram em baldes até os fundos da padaria, onde as amontoaram. Mas nessa manhã, na pressa de se juntarem às carroças que se dirigiam ao rio, eles foram descuidados. Não molharam as brasas, que atingiram o mato seco próximo à pilha de lenha. O mato seco é como combustível. Levou o fogo à madeira. O fogo aumentou e se espalhou. Quando atingiu os botijões de gás perto da *mensa*, houve uma explosão. Em vez de ficar aliviado com a notícia de que o fogo foi acidental, Leo reluta em acreditar nas autoridades. *Os policiais não poderiam ter sido instruídos a dizer que o fogo foi 'espontâneo'? Quem pode ter certeza? Afinal de contas, nós, sicilianos, não elevamos o segredo a uma forma de arte? Todos nós, sem exceção?* Muito mais que suas habituais expressões de terror quixotesco, foi o incidente do fogo e a recusa de Leo em aceitá-lo como acidental que me mostraram a extensão de seus desvarios. Contra tais desvarios, a lógica é tão débil quanto uma gota de água diante de labaredas."

— Certa noite, durante nosso longo período de sítio, Leo veio até meus aposentos. Ágata abriu a porta quando ele bateu. Sentada ao piano, usando um vestido marrom-prateado, eu estava tentando tocar Saint-Saëns. Ainda tentando. Ainda tentando tocar *Le Cygne*. Leo se acomodou no *divanetto*.

"Silenciosamente, comecei a ensair as palavras antes mesmo que ele as dissesse.

"'É um cisne, Tosca. A música foi composta para dar a impressão de ser um cisne. Não há qualquer indicação de que um elefante esteja se aproximando. *Piano. Piano, amore mio.*'

"'Mas eu sou tão grande e essas teclas são tão pequenas. O que eu faço com toda a minha força?'

"'Estranho, mas é precisamente sobre sua força que eu gostaria de falar esta noite.'

"Levanto-me do banco e vou até ele, para receber seu recatado beijo duplo; ele me faz sentar no banquinho que está à sua frente. Sem preâmbulos, diz:

"'Estritamente falando, não tenho herdeiro. Sou o último da linha, o último a nascer nesta nobre e ignóbil linhagem. Não tenho filhos. Somente essas duas criaturas alvoroçadas e embonecadas, que são reflexos de sua mãe, que Deus as proteja. Simona as criou como animais de estimação. Eu apenas lhes dei meu nome. É como se ela, de alguma forma, tivesse substituído meu sangue dentro delas, apesar de que, sabe Deus, foi por causa de meu sangue que ela se casou comigo. Mas vou chegar lá. Digo mais uma vez: eu não tenho herdeiros. Não estou nem um pouco preocupado com o conforto material de Simona, já que ela possui mais terras e grandes edifícios do que tem tempo ou vontade de cuidar. Nosso casamento foi motivado não só pelas dívidas de meu pai, como também pela esperteza do pai dela. O pai dela não ofereceu dote, percebe. Uma inédita demonstração de arrogância. Ele queria que a riqueza de sua filha ficasse com ela, para que não fosse esbanjada em bebida ou jogo por algum salafrário. Evidentemente, um marido desfrutaria dos benefícios periféricos de sua riqueza, mas só teria acesso à parte que a própria Simona julgasse conveniente partilhar. Se Simona fosse graciosa ou talentosa, ou apenas gentil, apenas meiga, poderia ter atraído pretendentes, mesmo sob essas condições hostis. O fato de ela não ser nada disso teve suas consequências. Quando meu pai lhe apresentou a ideia de seu casamento comigo, ela estava perigosamente perto dos 25 — a idade oficial em que uma mulher solteira se torna *la zitella*, a solteirona —, e o pai dela já tinha amolecido, embora ligeiramente. Os dois homens tinham sido amigos a vida inteira. Meu pai, Laurent, precisava de ajuda. E, mesmo que só para salvar as aparências, a filha de Federico precisava de um marido. Tudo foi feito com decoro. Embora correto e cumpridor de meus deveres para com Simona, mantive certos aspectos de minha vida anterior. Eu tinha 18 anos, Tosca. Pouco mais que um garoto. Um garoto enviado para cumprir seu dever para com a família. Não muito diferente de ser enviado para a guerra. *Do rico leito da* zitella, *meu filho, você vai obter a salvação para todos nós.* O arranjo funcionou para todo mundo. Era o que eu pensava, até que me apaixonei por você. Tudo isso é para dizer que você é a minha família, Tosca. Você, Cósimo e os camponeses. Tudo o que eu tenho será seu. Cósimo e eu estamos providenciando isso.'

"Eu escutava o que ele dizia como se estivesse ouvindo uma fábula. Sim, uma fábula estranha e triste. Assim, quando ele disse 'Para selar o pacto, quero que você fique com isto', fiquei surpresa.

"Embora eu já soubesse, sem tantos detalhes, muito do que ele estava me contando, ouvir tudo de uma só vez me causou tristeza e alguma coisa parecida com raiva.

"'Seu pai foi tão cruel como o meu', digo a ele.

"Ele abana a cabeça, em defesa de seu pai. E se atrapalha, tentando desabotoar o bolso do colete de seu casaco de montaria, que usa quase exclusivamente, embora já não monte um cavalo há três anos. Seus dedos longos e grossos tremem, enquanto tenta pegar alguma coisa. Extrai então uma pequena carteira marrom-escura em forma de envelope, feita de seda acolchoada. Abre o fecho e retira um colar. Uma esmeralda quadrada está pendurada em uma curta corrente entrelaçada, de ouro vermelho. Em sua palma aberta, ele a estende para mim. Diz:

"'Sempre achei que esse colar, que pendia do pescoço de minha mãe, enquanto ela cantava para mim ao lado do berço, foi o primeiro objeto que vi. Talvez não seja verdade, mas não importa. Até a noite em que ela morreu, não me lembro de ter visto minha mãe sem o colar. Se nós tivéssemos nos casado, este teria sido meu presente de casamento para você.'

"Eu não pego o colar; mal olho para ele. Fico olhando para Leo. Tentando lhe dizer que não é uma esmeralda aquilo que eu quero, ou preciso. Nem que seja a esmeralda de sua mãe. Tento lhe dizer que adoraria ter sido sua noiva, mas estou satisfeita por ser quem sou para ele. Apesar de, até o momento, eu não estar certa de quem seja essa pessoa. Certamente não quero ser sua herdeira. Digo tudo isso. Digo mais do que isso e ele me escuta. Coloca o colar de volta na bolsinha marrom.

"'Minha mãe se chamava Isotta. Não sei se já lhe disse isso.'

"'Disse', respondo.

"'Já lhe contei como ela morreu?'

"'Não.'

"'Posso contar a história agora, o final da história dela?'

"'Claro.'

— "*Signora Isotta, a senhora não pode fazer isso*", disseram as enfermeiras.

"'*Tentem me deter e vou mandar asfixiar vocês em suas camas. Chamem Leo agora.*'

"'As duas enfermeiras haviam entrado no quarto dela com a intenção de prepará-la para dormir. Minha mãe tinha uma ideia diferente a respeito de como iria passar a noite. Eu estava esperando nas proximidades. Esperando que Isotta mandasse uma das enfermeiras me chamar, ou que alguém viesse me dizer que ela tinha morrido. Já havia dias que eu permanecia na saleta perto do quarto dela, andando, dormindo e fumando. Tinha permissão para me sentar ao lado de sua cama e acariciar sua velha e elegante cabeça por alguns momentos, quando as enfermeiras a consideravam tranquila o bastante para suportar a exaltação que minha silenciosa presença poderia provocar. Mas agora lá estava ela, em pé ao lado da cama. Um sorriso largo em seu rosto maravilhoso.

"'*Ah, Leo, como eu amo você. Sei que já disse isso centenas de vezes, mas vou lhe dizer mais uma vez como me sinto honrada em ser sua mãe.*

"'Ela caminhou na minha direção e estendeu a mão para segurar meu rosto; então passou por mim e foi até a janela, que escancarou, convidando a fria tarde de fevereiro a entrar no quarto com cheiro de morte. Foi sua primeira inalação de ar puro, desde que fora conduzida às pressas para o hospital, às portas da morte, uma semana antes. As cortinas cinzentas, muito leves, tremularam furiosamente, como se estivessem alegres. Ela pediu travesseiros, exigiu travesseiros.

"'*Dois, não quatro.*

"'Tirando as fronhas dos travesseiros, ela desdobrou outras que trouxera, muito mais bonitas, que retirou de uma maleta, assim como um jogo de camisola e casaco de cetim, este com grandes punhos de renda. Depois, borrifou o quarto com néroli. Borrifou mais nos cabelos, que juntou e prendeu no alto da cabeça em um coque rústico, de onde escapavam mechas que lhe caíam pelo rosto. O cabelo dela fora louro, como o meu, e a maior parte ainda era. Ela era linda. Anunciou que ia tomar um banho. Em um dos braços, carregava a camisola, o casaco de cetim e uma toalha grande como um lençol, com seu monograma bordado em ouro, uma grande letra "I". Na mão, levava uma saboneteira de metal, ornada com flores. Quando retornou, seu cabelo estava arrumado com elegância. Como se esperasse convidados para o jantar, a qualquer momento, acendeu algumas velas e encheu dois bons copos de uísque.

"'*Preparei-me bem para essa viagem especial*' disse com um riso cristalino, como uma colher de prata caindo em um piso de mármore.

"'Ela se acomodou no leito, com capricho, desejou-me saúde e, caso eu tivesse o coração forte que ela achava que eu tinha, desejou-me um grande amor. Então ficamos lá sentados, naquela noite clara de fevereiro, em meio ao aroma de néroli e velas. Eu disse que deveria fechar a janela, que estava muito frio, ela poderia ficar doente. Então ambos rimos e choramos.

"'*Deixei a janela aberta para que ele não precise bater*' ela disse.

"'Foi então que me pediu para pegar esta bolsinha, em um compartimento interno de sua maleta. Fiz o que ela pediu e lhe passei, mas ela curvou seus longos dedos sobre minha mão.

"'*É para você, Leo. Para dar à mulher que você amar. Sei que você vai entender que não é para essa* grisette *com quem casou. Não me importa como você vai distribuir o restante dos meus tesouros, mas peço que você guarde este. Só para o caso de você se apaixonar.*

"'Ela desviou os olhos, então, e permaneceu em silêncio, girando o anel de casamento no dedo, para um lado e para outro. Como se estivesse tentando se lembrar dos números da combinação de um cofre.

"'*Eu não sei se quero que você encontre o amor ou não. Em qualquer caso, a dor é grande. A esmeralda pertencia à minha mãe e à mãe dela. Não sei lhe dizer se traz sorte, saúde ou alguma dessas graças indefiníveis. Só posso dizer que tem sido minha companheira de todos os dias, desde que eu tinha 15 anos. O peso dela em meu pescoço tem sido um conforto, uma espécie de lastro, acho. Você vai guardar essa esmeralda bem guardada para mim, Leo? Guarde-a em segurança até encontrar a mulher amada. Ela vai entender o que a esmeralda significa para mim. Sei que vai. Há só mais uma coisa que eu quero lhe dizer, Leo. Você já sabe que sempre fui contra o mau uso que seu pai fez de sua generosidade. Ele pediu muito de você, quando pediu que entrasse para aquela família de* arrivistes. *Federico era parceiro de jogos de seu pai nos cassinos. Ele pode muito bem ter contribuído para a destruição financeira de seu pai. Eu nunca soube de toda a verdade. Ele ter lhe pedido que o salvasse, que pagasse suas dívidas, que tirasse nossas propriedades e nossas terras das garras imundas dos abutres que bateram asas sobre nós durante todos esses anos, ele ter lhe pedido para fazer tudo isso foi o que o matou. Não foi acidente que ele tenha morrido apenas algumas semanas depois que tudo foi arranjado. No fim das contas, ele acabou lhe pedindo para salvar o patrimônio para você mesmo. Seu pai não era um homem ruim. Mas era um homem fraco. Um homem fraco que eu amei demais.*

"'Ela riu a risada cristalina novamente. Mansamente, como sinos retinindo na neblina. Então me puxou para ela, beijou meus olhos e me pediu que saísse. Disse que jamais me deixaria. Do modo que escolheu, ela morreu naquela noite. Morreu pouco menos de um mês, faltando apenas dois dias, antes que eu trouxesse você para o palácio. Mais de uma vez eu pensei que foi ela quem enviou você a mim. É justo que este colar lhe seja dado. Você é a noiva do filho dela. É seu colar de casamento, Tosca. Eu realmente gostaria que você tivesse o casamento para combinar com ele. Você tem em mim um marido devotado. Mas você não pode ter um casamento. Se ao menos eu pudesse mudar isso! Às vezes me atormento por só poder lhe oferecer uma meia-vida.'

"Ele se levanta do *divanetto*, ajeita o cabelo e anda pelo quarto.

"'Tenho que achar algum meio para ficarmos juntos e em paz. Longe das ameaças, da hipocrisia. Se eu não puder, você deve partir, Tosca. Sim, você deve sair daqui. Salve-se de nós. Salve-se deles.'

"'Essa é a sugestão mais estranha que já vi um marido fazer à sua nova esposa. Dizer que ela tem que partir para se salvar. Você não entende, Leo? Eu já faço parte da *hipocrisia*. Já sou parte do *nós*. E talvez, depois de Isotta, eu seja a heroína de sua história. Por que você quer que eu fuja?'

"Enquanto ele contina andando de um lado para outro, eu digo:

"'Não gosto muito desse lado seu. Quando você representa o trágico príncipe barroco. Fico com vontade de bater em você, ou rir de você. Você já não tem o bastante, Leo? Por que tem sempre que querer mais? Apesar de toda a sua tendência para ser desagradável, Simona se comportou admiravelmente, sob as circunstâncias especiais que criamos nesta casa.'

"Ele diz:

"'Nunca, nem por um momento, ela pensou que eu pertencesse a ela. Não é como se, por nobreza de espírito, ela tivesse renunciado a mim em seu favor. De mim, ela só queria um casamento e filhos legítimos, com sangue nobre. Eu nunca fui nada além de um procriador legalizado e voluntário. Desde o nascimento de Charlotte, quando Simona foi aconselhada pelos médicos a não ter outros filhos, ela nunca mais respondeu às minhas investidas, ainda que insinceras. E, evidentemente, nunca mais me procurou. Eu vejo pouca coisa a ser admirada em Simona, com exceção do renascimento de sua civilidade, sua indiferença de esteta.'

"'Não estou querendo dizer que nós devemos venerá-la, Leo. Apesar das circunstâncias do seu casamento, e dos eventos que se seguiram, vocês são marido e mulher vivendo juntos neste palácio, com suas filhas. E com sua protegida, que se tornou sua amante. Isso já não é complicação suficiente, sem que a gente precise procurar mais? É quando a gente quer obter mais de uma pessoa, ou até de uma ideia ou de uma coisa, que a gente se mete em encrencas. É esse pouquinho a mais, no fim, que estraga tudo. Talvez por ter começado com muito menos que você, eu fique tão satisfeita com esta vida. Grata por ela, apesar dos momentos estranhos e dolorosos.'

"Ele volta para onde estava, no *divanetto*, reclina-se um pouco e fecha os olhos.

"'Suponho que seja suficiente. Suponho que seja, Tosca. Talvez as coisas continuem como estão por um longo tempo. Mas talvez não. E agora não estou falando de Simona, se você me entende.'

"Ele me levanta do banquinho e me coloca perto dele, no pequeno sofá, apertando-me contra ele. Fala em um murmúrio, com o queixo pousado sobre minha cabeça.

"'Se, por algum motivo, eu não estiver mais aqui, você deve me prometer que sairá do palácio. Prometa que irá partir sem demora. Não pense que vai poder continuar a viver aqui, nessa tranquilidade de claustro, se eu não estiver aqui para garantir isso.'

"Eu me afasto de Leo.

"'O que você quer dizer com *se eu não estiver mais aqui*? Você vai me dizer que tem terras para distribuir na França ou na Espanha? Há um ramo de sua família na Andaluzia, não?'

"Como fiz no primeiro dia em que conheci Leo, e como sempre farei, disfarço o medo com sarcasmo. Agora sou eu quem anda de lá para cá. Quase a ponto de gritar, pergunto:

"'E para onde devo ir, se acontecer esse seu desaparecimento mítico? Você já decidiu isso também?'

"'Você já não é mais criança. Ou, como você me disse muitas vezes, você nunca foi criança, embora tenha sido protegida como uma criança, de diversas maneiras. Mas você é forte, Tosca. Você poderá arrumar sua vida da forma que lhe pareça melhor, principalmente se não lhe faltarem fundos. Seus outros presentes de casamento estão com Císimo. Eu lhe dei instruções e recursos. Para onde quer que decida ir, você deve mantê-lo informado. Quando o momento chegar, ele a ajudará a encontrar seu caminho.'

"Em voz baixa, eu digo:

"'Não estou entendendo. Você está dando voltas. Você está falando sobre a eventualidade de sua morte?'

"'Não. Sim, mas não é só isso.'

"'*A eventualidade de sua morte* é um dos motivos por que você está querendo distribuir a terra aqui? É um dos motivos por que você tem falado em enviar as crianças para escolas do vilarejo, em desativar a enfermaria e levar as crianças para fazer exames em Enna, em transferir os lavradores mais velhos para casas de saúde? Logo quando as coisas parecem ir bem, você propõe novas mudanças. Você acha que vai morrer? É isso? E está distribuindo joias e dinheiro para mim, assim como vai distribuir terras para os agricultores. É isso, não é? Você está se preparando para algum tipo de partida, não está? Mas não acho que seja a sua morte. Você vai fugir. É isso? O clã, sua mulher, suas filhas, seus lavradores, sua amante, seus ideais, história, propriedades, paixão, beleza, traição. Eu conheço o labirinto, Leo. Eu o conheço há mais tempo do que você e acho que o conheço melhor.'

"'Não duvido disso. E não estou me preparando para fugir.'

"'Está se preparando para o suicídio? Pelo amor de Deus, explique tudo para mim.'

"'Não posso explicar para você, porque eu mesmo ainda não compreendo. Eu só quero que você fique *na expectativa. Vigilante*, como eu estou tentando ficar. Essa é a primeira coisa que eu queria lhe dizer. A segunda é que, mesmo considerando sua nobre atitude, de como somos felizes, de como devemos estar satisfeitos, eu não acredito que possa continuar, pelo resto de minha vida, a viver somente alguns momentos de liberdade. É estranho que alguém como eu venha falar de moral, mas é precisamente o que vou fazer. Acho *imoral* que nós continuemos como estamos. Eu nunca pensei em me apaixonar pela pequena Tosca. E é porque eu a amo de forma tão pura que estou tentando prepará-la para uma vida sem mim. Você pode saber algumas coisas melhor do que eu, mas acho que sou perito em entender a natureza da nossa raça.

Sei que, se fizermos um *fiutino*, um pequeno voo, para irmos juntos a algum lugar, se fizermos isso, mais cedo ou mais tarde vai chegar uma hora em que você vai se sentir coberta de culpa. Que a culpa seja infundada não a tornará menos dolorosa. Você se sentirá responsável por me tirar de minha vida, embora ela tenha sido insignificante antes de você e voltaria a ser sem você. E sem nosso trabalho em conjunto. Você se sentirá uma vilã. A liberdade que ganharíamos partindo, perderíamos pelo afastamento que nos seria imposto pela sociedade. No mundo lá fora, nós vivenciaríamos outro tipo de hostilidade. No mundo lá fora, seríamos julgados e lembrados, mesmo que sutilmente, de nossa imoralidade. Se no passado você foi atormentada pelos mexericos, você seria esmagada pelo que iria ouvir se saíssemos daqui juntos.'

"Ele se recosta novamente no sofá. Fecha os olhos e, à luz da lamparina, parece branco como mármore. Finalmente, diz:

"'Você tem razão, estou dando voltas. Não quero que as coisas fiquem como estão e, no entanto, não vejo como recomeçar. Quem sabe o que poderia acontecer conosco ou com Simona, ou... eu não sei.'

"De repente, fica ereto e diz:

"'Eu pensei em suicídio. Seria uma maneira honrosa de salvar você. Dos outros e de mim. Você seria forçada a viver sua própria vida. A ideia de suicídio reaparece, por algum tempo, até que eu me lembro de mais uma coisa que gostaria de lhe dizer, ou de lhe mostrar, ou até que o sol se levante e eu imagine você acordando, suas tranças desarrumadas, seus olhos da cor do mar raso. Eu conheço os oito passos longos que você dá até a porta do banheiro e a canção que você canta enquanto a água cai na banheira; e conheço os passos mais curtos e rápidos, pois seu corpo ainda está molhado e seus cabelos estão pingando, que você dá de volta à cama, para se secar contra o meu corpo. Eu conheço coisas demais a seu respeito para que seja capaz de deixá-la para sempre, Tosca. Mas, além de você, a lembrança de Yolande e Charlotte também me manteve afastado da autocomplacência de cometer suicídio. Embora eu sinta pouco amor paternal, sinto muita responsabilidade paternal; assim, não vou legar a elas esse gesto macabro. Nem a você.'

"Então, nenhum de nós fala nada. Por longo tempo, permanecemos em silêncio, distantes um do outro, até que eu digo:

"'Isotta tinha razão. Sobre não saber se queria que você encontrasse o amor. Em qualquer caso, realmente, a dor é grande. Você não sofria antes de nosso amor; e você não está sofrendo agora?'

"'Sim.'

"'Então tudo se resume a escolher qual dor nós preferimos? Qual o veneno? Isso é uma definição adequada das propostas da vida?'

"'Talvez seja.'

"'Então você vai ser sempre infeliz na felicidade. Isso é o que estou começando a perceber em você, Leo. E isso me assusta muito mais do que *eles*. Veja só, já peguei o costume de nem pronunciar o nome deles. Bem, vamos dizê-lo em voz alta. Você e sua obsessão me assustam mais do que o clã. O pior que eles podem fazer é me matar. Matar você. Mas a ameaça vinda de você é ainda maior. Você insiste em que nós fiquemos sentados, confortavelmente, eu admito, como presas em um buraco, esperando pelos lobos. Essa história de ficar tentando ouvi-los enquanto andamos pelos campos, ou de tentar avistá-los até mesmo entre os limoeiros, você reduziu nossa existência a uma espécie de vida sem rumo.'

"'Cósimo está certo. Você é implacavelmente lúcida.'

"'Acho que sou mais *lúcida*, como você diz, do que você neste momento. Vamos retornar à questão da beleza. Quanta beleza você acha que é suficiente para uma vida? E como alguém *mede* a beleza? Como ela deve ser acondicionada e distribuída? A verdade é que nós tivemos mais do que nossa cota de beleza. Mais do que a maioria, quero dizer. Mas essa cota não pode ser aproveitada. Vamos arriscar, Leo. Vamos cavalgar amanhã. Vamos cavalgar até a locanda, eu vou tocar *Le Cygne* para você, vamos beber nosso chá morno em frente à lareira e dormir no tapete vermelho-escuro com as rosas amarelas.'

"'Vou buscar aquela droga de tapete na locanda e podemos dormir nele aqui.'

"'Você sabe que não é a mesma coisa. Está na hora de parar de ter medo deles, Leo. Se eles quiserem matar você ou me matar, se quiserem nos matar, eles vão fazer isso. Pare de treinar para a morte. A única maneira de sairmos do labirinto é recuperarmos nossas vidas.'

CAPÍTULO XV

— Mas não recuperamos nossas vidas. O medo de Leo é como uma pedra amarrada em suas costas, que tento tirar. *Deixe-me ajudá-lo, eu posso aguentar, posso ajudá-lo a se livrar disso*, digo a ele. Mas o medo também me atinge. Tornou-se tão diabólico que agora não tem nome. Não é o clã. Não é a vendeta. Nem mesmo posso chamá-lo de morte. Como fantasmas, eu e Leo nos movemos em arabescos cada vez mais estreitos, tão próximos um do outro, que não se pode dizer quem vai à frente e quem está seguindo.

"'Qualquer coisa seria melhor do que isso', digo a ele.

"É um fim de tarde, no mês de agosto de 1954, e Leo veio aos meus aposentos. Embora não tenha deixado o palácio nos últimos dois meses, ele anuncia, fingindo indiferença, que irá com Cósimo a Enna. Alguns ajustes finais dos títulos. Depois, abandonando a falsa reserva, ele me abraça bem junto a seu peito, enquanto acaricia meus cabelos e murmura sobre minha cabeça. Murmura tão baixo que só entendo sua velha entonação melodiosa. Sua velha ternura. Seu coração é um passarinho assustado. Ele fala no doce e vago dialeto siciliano.

"'Tenho que ir', ele diz, em vez de dizer *Eu vou*. Em siciliano não há tempo futuro. 'Tenho que ir', ele diz de novo. Badalam os sinos da capela. Quinze minutos para as vésperas.

"'Vou esperar por você', eu digo. Mas ele já está na porta. Foi-se. Por que os sinos ainda estão tocando? Estranho. Há alguma coisa errada com os relógios. Me sinto livre. Sim, é isso. Os sinos são os sinos da liberdade. Estou livre. Leo estará ausente por algumas horas e eu estou livre. Vou perguntar ao cozinheiro se posso preparar um prato para comer em meus aposentos. Não, é melhor fazer isso na varanda. Ágata e eu vamos jantar lá. Vou usar meu vestido marrom-prateado. Colocar magnólias entre as tranças, do jeito que ele gosta. Maravilhoso. Mesmo uma ausência curta deve reanimar Leo. E eu estarei reanimada quando ele chegar. Temos que começar a pensar somente em nós. Vai parecer fingimento, no início, mas se insistirmos, o fingimento vai se tornar natural. Sim, pensar *somente em nós*.

"Ágata e eu estamos arrumando a mesa. Já faz tanto tempo que não fazemos nada, além das estritas rotinas, que também temos que fingir. Ela estranha minha tagarelice, tira a magnólia que coloquei atrás de sua orelha e a coloca perto do prato de Leo. Com o dialeto de Leo ainda em meus ouvidos, falo em siciliano com ela, em uma tentativa de intimidade.

"'*Ma io non ricordo più. In dialetto, quale è la parola* piacere*?* — Em dialeto, qual é a palavra para "prazer"? Não me lembro mais.'

"'*Non existe.*'"

— Eu trouxe uma pequena garrafa de *moscato* e os dois copos que Leo mantém na mesa ao lado de sua cama. Um drinque de boas-vindas. A esbelta garrafa cor de âmbar estava gelada, mas as gotas frias que a envolviam já secaram. Aperto bem o meu xale para enfrentar o vento. Onde eles poderiam estar? Mimmo já guardou os talheres e pratos, os potinhos de gelatina de *consommé*. Ele às vezes aparece, para pedir que eu entre. Dessa vez, trouxe um chá de camomila.

"'Vou ficar mais um pouco, Mimmo', digo eu, enquanto avisto Cósimo subindo os degraus de pedra. 'Está vendo? Aí estão eles. Ficarei bem, Mimmo. Vá descansar.'

"Mimmo me parece velho, esta noite. Não me lembro de jamais ter reparado em como ele envelheceu. Cósimo está ao meu lado agora e, por alguma razão, carrega o casaco de camurça de Leo. Pelo menos é o que parece, todo amassado em sua mão esquerda. Pergunto-me qual foi a bobagem que Leo fez.

"Levanto-me e tiro o casaco da mão de Cósimo. Escondo com futilidades meu alívio pela volta deles.

"'Desde quando o senhor virou valete do príncipe, dom Cósimo?'

"Sacudo o casaco, aliso os vincos o melhor que posso. Sacudo de novo. Noto o tremor em minhas mãos. Noto que não consigo olhar para Cósimo. Descubro que não consigo falar.

"'Ele se foi, Tosca.'

"Então, olho para ele. Aperto o casaco contra meu peito. Contra o que sei que o padre está me dizendo.

"'Fomos parados na estrada de Enna. Dois automóveis nos fecharam. Sem luzes, nós só os vimos quando já estavam em cima de nós. Dois homens saíram, com os motores ainda funcionando. Não sei se havia outros homens nos carros. Acho que havia. Os dois tiraram Leo do assento do passageiro. Vendaram seus olhos. Tiraram a jaqueta dele e jogaram-na no chão. Algemaram suas mãos e o empurraram para dentro de um dos carros. E se foram. Ninguém falou nada. Eu fiquei sentado no carro por um longo tempo.'

"'Ele vai voltar. Ele vai voltar a qualquer momento. É só outra ameaça. Eles teriam levado você também. Quer dizer, se eles fossem fazer algum mal a ele, por que deixariam uma testemunha?'

"'Eu nada testemunhei, a não ser dois carros escuros e duas figuras vestidas de preto se movendo depressa. Não vi um rosto nem ouvi uma palavra. Fui testemunha apenas do desaparecimento do príncipe. Eu sei que ele não vai voltar, Tosca.'

"'Como você sabe disso?'

"'Eu sei disso.'

"'*Eu* não sei. Hoje foi apenas a segunda parte da tortura. Você não vê isso? Esses homens são habilidosos. Cochichos e silêncios. Só com isso, eles fazem o trabalho de facas e machados. Mas Leo não se foi. Eu garanto, Cósimo, Leo não se foi.' Minha voz, fina e aguda, está próxima da histeria. Eu, também, sei que Leo se foi.

"Sei que estou sentada aqui na varanda, sei que Cósimo continua a falar comigo, diz que já esteve com Simona. Que, quando retornou, entrou no palácio pelos fundos e foi direto falar com Simona. *Era a coisa correta a ser feita*, ele fica repetindo. Sim, Simona é a esposa. A viúva. Foi a coisa correta a ser feita. Ele diz que Simona está com as princesas agora, que eu deveria juntar-me a elas. Que iremos fazer uma vigília todos juntos. Velas. Incenso. Todos na casa vão fazer uma vigília juntos. Ele me diz que vai ao *borghetto*. Diz também que eu devo entrar em casa. Não devo ficar sozinha. Não percebe que, entrando em casa, eu me sentirei menos sozinha? Entrei em uma província nebulosa, em um pesado, confuso nevoeiro no qual não há fronteiras. Cairei se tentar andar. Devo ficar aqui. Penso em Mafalda, que queria ficar em casa para nos dar as boas-vindas quando retornássemos. Devo ficar aqui, onde Leo possa me ver. Tiro as magnólias do cabelo. Meu coração bate forte e rápido. Um, dois. Um, dois. Um, dois. Ouço a voz dele nas batidas. Ele está me chamando. Abro minha boca para responder, mas nenhum som sai. Tento mais uma vez, e mais outra. Então, muito ao longe, o gemido baixinho de uma mulher. O gemido é meu. Um chacal uiva, então, no mesmo lugar distante. O uivo também é meu."

— É de manhã, e réstias de luz opalina se filtram pelas altas janelas da capela do palácio. O canto dos passarinhos e o rouco murmúrio de alguém rezando um rosário são os únicos sons que se ouvem. Charlotte segura minha mão, como fez durante toda a noite. Yolande está sentada longe de nós, com *mademoiselle* Clothilde. Simona está sentada sozinha na bancada da frente. Embora, com a alvorada, a vigília tenha terminado, Simona não fez nenhuma menção de sair. Só podemos sair após a saída da viúva. Mimmo entra agora. Vai até onde está Simona e lhe entrega um grosso papel cor de baunilha, selado com cera vermelha. Embora ela esteja de costas para mim, sei que abriu a carta. Sei de quem veio. A primeira mensagem de condolências é do homem chamado Mattia. Leo não vai voltar.

— Todos os lugares de minha mente estão vazios. Eu não choro, nem rio, nem sinto dor. Sinto absolutamente nada. Eu ouço. Observo. Me sento no *salone* com meu livro. Pessoas começam a chegar e eu deploro até seus menores movimentos. Deploro a luz tremulante que atravessa as cortinas cerradas. Vou andar pelo jardim, mas descubro que não tenho forças. Me sento em uma pedra e deixo o sol incendiar meu rosto. Às vezes, uma brisa revolve as folhas secas dos choupos e penso no farfalhar que nossos vestidos faziam quando nós três, garotas, caminhávamos pelo amplo saguão para irmos jantar. Gralhas crocitam sobre minha cabeça e, no barulho que fazem, ouço as vozes das princesas em tempos muito distantes. Talvez esteja ouvindo minha própria voz. Volto ao palácio e me sento no mesmo lugar, no *salone*. Vejo as grandes caixas de roupas de luto que são entregues por homens de luvas brancas. Simona e Ágata as abrem. Um estreito vestido preto e um chapéu de abas largas, com camadas e mais camadas de tule preto, para esconder o rosto da viúva. Para as princesas, saias de *faille* negra, casacos e mantilhas de renda, que vão até seus tornozelos. Simona vem até onde estou sentada e coloca um vestido na almofada próxima a mim. E um chapéu de seda, com um véu curto e espesso. Inclina-se para me beijar o rosto.

— A missa fúnebre de Leo é realizada na capela do *borghetto*, reconstruída após o incêndio do Dia da Ascensão. Simona providenciou tudo. Conforme a sensibilidade de Leo, não conforme a própria. Ela colocará para descansar o príncipe com quem se casou com grande benevolência. Caminhões carregados de flores cerimoniais lotam o pátio. Cabras, galinhas e alguns gansos perambulam entre ramos de crisântemos amarelos e coroas ornamentais de rosas vermelhas. Os animais bicam e mordiscam as flores, calmamente, mas ninguém os espanta. A capela é pequena; a multidão é enorme. Pessoas estão de pé nas pedras da velha estrada branca, no descampado que leva ao palácio ou nas bordas dos trigais. Sob o sol implacável, permanecem imóveis.

"Feixes de trigo amarrados com tiras de cânhamo estão empilhados no altar. Na mesa em que Cósimo prepara a Sagrada Comunhão, há velas brancas colocadas entre ramos de oliveira — exibindo pequenos botões da fruta — e velhas vinhas, carregadas com uvas maduras. Não há corpo. Não há caixão. Não há cinzas. O homem chamado Mattia está de pé entre as pessoas enlutadas, no lado esquerdo da capela, talvez a três metros de onde estou sentada, na extremidade do bando. Sei quem é pelo modo como Cósimo fica olhando para ele, do altar, e pelo modo como ele me encara. Eu o teria reconhecido de qualquer forma. Como o senhor fez o trabalho, *signor* Mattia? Atirou nele? Tirou a vida dele com suas próprias mãos e prosseguiu sua rotina noturna? Ou não sujou suas mãos? Ordenou sua morte com um gesto, um olhar semicerrado? O mínimo que você podia fazer, *signor* Mattia, era nos deixar enterrá-lo.

"'É verdade, príncipe Leo, que você beija as mãos dos seus lavradores?'

"'Por que isso interessaria a vocês?'

"'Se soubermos que lhe aconteceu alguma desgraça, vamos saber a origem dela. A falta de respeito, quero dizer. Sim, vamos saber que você convidou a desgraça com um beijo.'

— O pai e o filho, moradores de Enna, que tocavam flautas todos os anos, na colheita cerimonial, estão esperando do lado de fora. Quando Simona se levanta do banco, seguida pelas princesas, por mim e por todos os que estão no interior da capela, eles começam a tocar. Os garotos que tocam tambor no *borghetto* também estão lá. São eles que lideram a procissão pela estrada branca, até o mausoléu, além dos limoeiros do palácio. Os meninos dos tambores, as pessoas de luto, os flautistas. Simona e as princesas colocam algumas coisas no espaço onde o caixão de Leo deveria estar. Flores, cartas, livros. Simona se afasta para que eu me aproxime; mas, sem conhecer o ritual, se é de fato um ritual, nada tenho para deixar. Tiro então meu barrete de seda, com o véu curto, e o coloco lá. Um pedreiro e seu aprendiz se adiantam, para colocar a laje sobre o buraco. O aprendiz recua e inclina a cabeça. Sei que Cósimo está rezando, mas ouço apenas o barulho que faz o pequeno martelo do pedreiro.

CAPÍTULO XVI

— Simona permaneceu em seus aposentos por mais de duas semanas após o funeral. Nem tanto por luto, creio eu, mas por não saber o que fazer. Ela dera folga a *mademoiselle* Clothilde, a única professora que ainda permanecia na propriedade. Embora Cósimo fizesse visitas quase diárias, fora morar na casa paroquial, que lhe era reservada em San Rocco. Ele havia retomado as práticas e obrigações de um pároco rural. Sem a influência de Leo para protegê-lo na cúria, falava-se em sua transferência para o que foi chamado de "um posto mais desafiador". Apenas Simona, Yolande, Charlotte e eu ficamos no palácio.

"As princesas se enchiam com chá de valeriana, permaneciam deitadas ou se reuniam em algum *salottino* remoto para dedilhar, em seus violoncelos, petulantes homenagens a Bach. Quando Simona apareceu, estava bastante alegre, mais indulgente com suas filhas que o habitual, embora elas, também, parecessem ter superado qualquer sofrimento. Ela falava comigo sobre seus planos. Planos para ela e para as princesas. O apartamento de Genebra seria aberto. As meninas deveriam passar cerca de um ano em Paris. A perda de Leo a libertara de todos os tributos que, de vez em quando, tinha que prestar às formalidades de seu casamento. Embora lamentasse a morte, referia-se a ela, em sua magnífica linguagem oblíqua, como *mais uma das escolhas dele*. Agora que não precisava mais desempenhar um papel minimalista no teatro do palácio, estava totalmente preparada para representar a personagem de viúva alegre.

"'E você, Tosca? Cósimo já trouxe os documentos referentes à sua herança? É bem substancial, eu diria. Substancial o bastante.'

"'Sim', é tudo o que digo.

"'Não que eu não queira que você fique conosco. Na verdade, não muitos anos atrás, eu me lembro de ter implorado para você ficar. Para não ser tão tola a ponto de partir. Mas, Tosca, eu agora temo por você. Temo que você acredite, como todos acreditamos, que podemos continuar consumindo nossas reservas de tempo, sem pensar no futuro. Nossas vidas parecem infinitas até que um dia descobrimos que resta pouco. É como me sinto, Tosca. Que resta muito pouco. Logo vou fazer 50 anos. Você não tem metade da minha idade. Além da fortuna que Leo lhe deixou, você ainda é rica em tempo. Não gaste os próximos anos vivendo aqui, acompanhada somente pelo espectro do seu príncipe. Ele seria o último a querer isso para você.'

"'Ele me disse. Ele me disse mais de uma vez que, se alguma coisa acontecesse a ele, eu deveria partir. Cósimo está me dizendo para partir. Acho que ele diz isso por Leo, mas também por ele mesmo. Eu vou partir. Eu quero partir. Só não sei como começar. Onde começar.'

"'Isso pouco importa. Leo lhe deixou o pavilhão de caça, não foi?'

"'Sim, mas não quero viver sozinha.'

"'Claro que você não quer viver sozinha. Mas aqui você ficará muito sozinha. Se for para o pavilhão, também ficará sozinha. Mesmo se for para algum lugar totalmente novo, a solidão irá com você. Por algum tempo. Só que, em outro ambiente, mais coisas serão esperadas de você do que são esperadas aqui. Aqui a vida segue de acordo com os sinos. O pavilhão é tão enorme que, para mantê-lo funcionando, seria necessária uma equipe de criados tão grande quanto a daqui; a vida *lá* também seguiria de acordo com os sinos. Mas, em outro lugar, você poderia começar a inventar uma vida. Acho que essa é a palavra certa, Tosca. Ou seria "reinventar" o que eu quero dizer? Sim, *reinventar* a você mesma. Estudar, trabalhar, fazer amigos entre pessoas de sua idade, *escolher* como vai passar o tempo, em vez de suportar passivamente a passagem do tempo, cada vez mais rápida, como você vai acabar percebendo. Eu não a aconselho a ir morar no pavilhão agora. Mas pode usá-lo como um porto seguro. Um lugar só seu, se precisar. Se você algum dia, não sei, se você algum dia tiver uma família. Coloque suas coisas lá, agora, leve daqui o que você precisar, de seus aposentos, dos aposentos de Leo. Transforme aquilo lá em uma espécie de moradia para você, e então vá.

Para longe ou para perto. O palácio foi deixado sob minha custódia, durante toda a minha vida; depois reverterá para Yolande, depois para Charlotte. Embora eu não possa dizer se alguma de nós estará aqui ou, se estivermos, por quanto tempo será, ou quantos criados vamos manter, o palácio sempre estará aqui se você quiser retornar.'

"'Estou pensando em morar no *borghetto*. Sempre quis morar lá, como você sabe. Quer dizer, eu quis morar lá há muitos anos e parece que agora...'

"'Sei muito bem do seu antigo desejo de morar lá. Leo discutiu isso comigo. Pediu que eu tentasse convencê-la a ficar aqui. Aconteceu que ele mesmo dissuadiu você desse plano. Se as razões dele eram válidas naquela época, são mais válidas hoje. Você não pode negar os anos que passou aqui, os privilégios, os relacionamentos de sua vida. Embora eles adorem você, embora eles tenham adorado ver o seu amor pelo príncipe deles e o amor do príncipe por você, você não é um deles, Tosca. Eles são gentis demais para lhe negar um lugar entre eles, mas você lhes causaria desconforto. O próprio Leo lhes causaria desconforto. Aliás, acho que muitas das famílias vão acabar construindo residências em suas próprias terras. Com o tempo, o *borghetto* irá se tornar obsoleto.'

"Ela tinha notado meu olhar de espanto, quando dissera que Leo discutira meus desejos com ela. Com certeza deveria ter existido alguma substância no relacionamento deles, que nenhum dos dois demonstrava abertamente. Ou será que isso não era demonstrado para mim? Ou fui eu quem escolheu não notar isso? Ela agora está falando sobre a possibilidade de que eu passe as festas de fim de ano em Genebra, com ela e as filhas. Mas eu ainda não confio nem em minhas pernas, para subir as escadas até meus aposentos. Simona percebe que não estou ouvindo suas palavras. Abraça-me e diz:

"'Leo morreu, mas é você quem está no limbo, Tosca. Encontre seu próprio caminho de casa.'"

— Em alguma época no final de setembro, começo a me sentir mais forte — curada, creio eu, pelo rancor. Se os membros do clã ainda estiverem dispostos a me matar, farei o possível para ajudá-los. Começo a cavalgar novamente. Com as calças de montaria de Leo afiveladas à altura do meu peito, seu casaco de camurça abotoado sobre meus seios nus e os cabelos à solta, cavalgo o garanhão do príncipe. Em um êxtase de doce vingança, monto sem arreios. *Se vocês me querem, aqui estou eu, meus queridos "amigos".* Eu gritava ao vento:

"'*Sono qui, signor Mattia. Sono qui tutti, voi bastardi. Venite a prendermi.* — Estou aqui, *signor* Mattia. Estou aqui, seus canalhas. Venham me pegar.'

"Às vezes grito para Leo também, o desafio a me olhar, digo-lhe que isso era o que deveríamos ter feito, em vez de ficarmos encolhidos atrás dos muros. Faço de mim um alvo fácil, galopando em espaços abertos, através dos bosques, à beira dos precipícios rochosos e até entrando nos vilarejos. Como é fácil despertar a pequena selvagem dentro de mim, a filha do ladrão de cavalos. Como ela me serve bem.

"*Todos nós somos infinitamente quem somos.*

"Frequentemente passo o dia fora, me exaurindo, na esperança de passar uma noite tranquila. Não uso chapéu para me proteger do sol inclemente. Minha pele fica escura como a de um turco. Só tomo sopa e como pão, às vezes um ovo. As refeições de minha infância. A comida certa para uma das Fúrias. Começo a fumar para valer. Trinta ou quarenta cigarros por dia. Qualquer carne que houvesse em meu corpo esguio desaparece.

"Cavalgo até o pavilhão de caça, caminho por seus vastos espaços, deito-me no leito da *loggia* da mansarda, onde fizemos amor pela primeira vez, no fim da tarde do dia de meu aniversário. Acaricio as cortinas opalescentes orladas de cetim. Às vezes, quando está fresco o bastante, durmo lá; ou durmo na cama da *loggia*, ou estirada na forquilha da magnólia. Sim, Chou, a magnólia. Começo a me perguntar como seria viver aqui. Empreender a revitalização das terras ociosas, como Leo fizera nas dele. Transformá-las em uma fazenda produtiva. E quanta coisa poderia ser feita nos jardins e na própria casa. Seria tão bonito. Mas quem viria viver comigo? Se ao menos minha mãe e Mafalda estivessem aqui... Meu pai também. Eu convidaria Ágata e talvez Mimmo. Lullo e Valentino, com certeza, vão ficar. Cósimo poderia ser convencido? Simona me falou de reinvenção. Seria com isso que ando sonhando? Reinventar o *borghetto* aqui? Creio que não é isso. Não é realmente isso. Seria reunir todas as crianças abandonadas do mundo ao meu redor, porque penso que uma criança abandonada é o que sou na verdade? Não, o sonho é apenas viver e trabalhar juntamente com boas pessoas. Quero doar da mesma forma que Leo doou. Acho que, em certos aspectos, quero *ser* Leo. Suas calças, seu casaco. Seu cavalo. Sua bondade. Acredito que, de fato, quero ser Leo. Para mantê-lo vivo."

— Depois que a virago desaparece, surge uma covarde volúvel. Gosto menos dessa. É quase dezembro e, como Simona predisse, sinto-me muito só no palácio, agora que ela e as princesas partiram, embarcando para as próximas fases de suas vidas. Eu também irei. Sei que irei, mas quando penso para onde, como será o lugar, o que verei lá, quem irei encontrar, meu coração fica cada vez mais amedrontado.

"Certa manhã, do fundo do armário onde a guardei, tiro uma velha valise negra, que parece uma maleta de médico. Mas dentro dela não há remédios, e sim, pequenos envelopes e saquinhos aveludados que contêm as joias de Isotta. Encontro uma longa carta, que Leo escreveu anos antes. Está datada de agosto de 1948. Ele fala das joias como meus presentes de aniversário, como meus presentes de entrada na fase adulta. Em uma nota curta, menciona os envelopes e sacos como presentes de casamento. Há documentos de autenticação do valor das joias, que eu amarroto e coloco em um pequeno compartimento no fundo da valise. Coloco a carta em minha bolsa. Ajeito-me na cama e, recostada em meus travesseiros, abro os envelopes e os sacos. Espalho as joias ao meu redor, sobre os lençóis. Há cordões e mais cordões de pérolas, de todos os tamanhos. Um colar de diamantes ovais. Um saco de rubis, polidos e não polidos, e uma nota com o que deve ser a caligrafia de Isotta dizendo: *tutti sangue di piccione*, todas sangue de pombo. Há outro saco de rubis sem maiores identificações. Além da esmeralda que sempre usava, Isotta deve ter sido particularmente afeiçoada a essa pedra, pois encontro dois anéis e diversos brincos de esmeralda. Encontro, também, um saco cheio de anéis de diamantes. Há muito mais. Depois de recolocar tudo no lugar, começo a fazer as malas. Manuseando aqueles tesouros, fico enlouquecida com outro tipo de medo. Um terror causado por algo muito mais horripilante que o clã. Imagino a mim mesma nessa mesma cama, recostada nos mesmos travesseiros, com as mesmas pedras brilhantes empilhadas ao meu redor, entre os lençóis. Só que, em minha imaginação, sou muito, muito mais velha do que hoje."

— Simona me deixou um pequeno baú com rodas e duas malas de tamanho médio. Decido que as coisas que conseguir colocar nos três volumes serão meus bens materiais na próxima fase de minha vida. Em contraste com o último mês, ou perto disso, que passei desanimada, estou agora implacavelmente decidida a mudar as coisas. Embalo minhas roupas e meus livros. Quando termino, mal enchi o baú, enquanto as malas permanecem vazias. Em uma delas, coloco a valise de médico. A outra, coloco sob meu leito amarelo e branco. Tomo um banho, visto-me e espero pela visita vespertina de Cósimo. Antes que eu termine de lhe dizer o que decidi, ele diz:

"'Você terá que esperar um dia ou dois. A reunião com os advogados, que você anda evitando, é necessária. Eles vão lhe explicar os procedimentos e dispositivos para a distribuição de sua renda. Há documentos a serem assinados. Depois disso, você estará livre para partir.'

"'Entendo. Você sabe para onde pretendo ir? Pelo menos, por enquanto?'

"'Desconfio de que seja Palermo.'

"'A escolha é tão óbvia?'

"'Não. Não é óbvia, mas é a melhor escolha. Acho que é o melhor lugar para começar. Há muito mais vantagens e desvantagens em Palermo do que em qualquer outro lugar, no momento. Conheço uma *pensione*, no centro histórico. Posso arranjar para que você fique lá, enquanto se ambienta. Até que possa encontrar uma coisa mais permanente. Quer dizer, se você quiser permanecer na cidade. Você vai perceber que os *palermitani* são muito amáveis. Particularmente essa família. Além das apresentações, não serei de muita ajuda.

"'Não estou lhe pedindo ajuda.' Uma bravata cheia de soberba. Quase rude.

"'Vamos agendar a reunião com os advogados. Se eu puder marcá-la para de manhã, você poderá partir para Palermo no mesmo dia. Posso levá-la de carro até Enna. Para pegar o trem', ele diz.

"Como se estivesse longe, ouvi nosso curto diálogo. Ouvi nossas vozes, a minha irritada, a dele triste. Nenhum de nós tenta cruzar a linha que nos separa. Olho para o padre, que está olhando para outro lado, como que hipnotizado pelas paredes encarnadas do *salotto* onde estamos. Cósimo está cansado. Sobretudo de mim. Ansioso, creio eu, para se livrar da incumbência que Leo lhe deu.

"'Obrigada', eu digo, mas ele já está indo embora."

— Assim, com a idade de 25 anos, troco meu status de *puttanina* pelo de herdeira. Com as algibeiras cheias de joias. Uma conta numerada em um banco suíço. Caixas-fortes em bancos. Sei que, se começar a falar com Ágata, ou Mimmo, ou qualquer um aqui, sobre meu desejo de deixar o palácio tão depressa, seus conselhos afetuosos podem abalar minha resolução. O corte deve ser rápido e limpo. *Encontre seu próprio caminho de casa.*

"Menos de uma semana depois, Cósimo vem me buscar no velho Chrysler cinzento, cujo motor em ponto morto treme tão violentamente quanto eu. Dou uma última olhada. Toco a esmeralda em minha garganta. Estou usando meu vestido de luto. Um casaco de pele de castor, que toca os saltos altos de meus sapatos. Um chapéu de veludo preto, inclinado sobre a coroa de minhas tranças. Cósimo carrega meu baú; eu carrego a mala com a valise de médico. Ajeito-me no banco do passageiro, onde Leo sempre sentava. Inspiro profundamente e sinto o cheiro de óleo de néroli. Enquanto Cósimo engrena o carro e começamos a nos mover, volto-me e vejo Ágata e Mimmo, de pé no pórtico, queixos levantados, mãos na cintura. Coloco minha mão enluvada contra o vidro da janela."

PARTE III

Palermo

1955

CAPÍTULO I

NA TARDE SEGUINTE, ÀS CINCO HORAS, QUANDO VOU ME ENCONTRAR COM Tosca sob a magnólia, encontro-a mudada de alguma forma, como se sua presença poderosa tivesse desaparecido para dar lugar a uma afabilidade, até mesmo a uma fragilidade. Ela está mais velha, embora com alguma coisa de garota. Ela continua sua história.

— Como um animal recém-parido cambaleando contra um vento forte, seguro meu chapéu com uma das mãos, e a mala contendo a valise de médico, com a outra. Capengando, percorro a plataforma cheirando a queimado, oleosa e escorregadia. Não consigo acompanhar o jovem carregador que leva meu baú, que retirou do trem. A cada pequeno trecho percorrido, ele se volta para verificar se o estou seguindo. Mesmo assim, perco de vista sua silhueta pequena e atarracada circulando através das nuvens de vapor, em meio à multidão que se comprime. Cada vez que soa um apito, fico assustada, em pânico, quase derramo lágrimas. Já na rua, permaneço em pé ao lado de minha bagagem, olhando em volta, como se não tivesse sido transportada por 100 quilômetros, desde o palácio, mas catapultada para outro universo por um demônio saído do inferno. Quase dou uma risada ao pensar na verdade essencial dessa ideia. Maldito Mattia. Ouço falarem em dialeto e, embora a forma na cidade seja diferente da forma utilizada nas montanhas, fico parada escutando; isso me traz conforto. Meu coração bate mais devagar. Ainda estou na Sicília.

"Aceno na direção do ponto de táxi do outro lado da rua. Isso não surte nenhum efeito, exceto que um dos motoristas me acena de volta e me envia um beijo. Observo o que fazem as outras pessoas. Faço o que fazem. Vou até a janela do motorista, inclino-me e informo meu destino. Funciona. Meu motorista usa um barrete árabe vermelho e uma espécie de jaqueta militar, aberta, revelando uma estupenda pança. Rola para fora do carro, arruma meu baú no porta-malas e acena para que eu entre. Eu deslizo para o assento, ele bate a porta e mergulha no frenético crepúsculo da Arábia.

"A cidade parece recém-saqueada. Lado a lado com palácios resplandecentes, erguem-se prédios escuros e vazios, como se incendiados. Indiferentes, penso, à cruel teimosia de sua própria sobrevivência. Palermo está em conflito consigo mesma. É bom que o tráfego se mova devagar. É bom que o motorista se agite no ritmo do berreiro implacável de seu rádio, a borla do barrete varrendo o teto do táxi a cada terceira batida. Esses últimos vinte minutos, aproximadamente, assinalam o mais longo período de tempo que passei sem pensar em Leo. Isso também deve ser bom. Antes que eu deseje que ele o faça, o motorista para abruptamente em frente a um estreito prédio de estuque vermelho, com janelas arqueadas e colunatas. Deposita meu baú na calçada estreita, enquanto eu conto o dinheiro para pagar a corrida. É tão raro eu manusear dinheiro que enfio moedas demais em sua pata calosa. Pacientemente, ainda se agitando com a música, ele conta o valor certo, que põe no bolso, segura minha mão, virando-a com a palma para cima, e nela comprime as moedas restantes. Me deseja boa noite. Fico parada, olhando o táxi até que desapareça. Aceno tarde demais para que o motorista me veja, mesmo se estivesse olhando pelo espelho. Manobrando com o baú pelos poucos degraus da entrada, depois com a mala, aperto o botão sob a pequena placa de bronze. *Pensione d'Aiello*."

Embora ela e eu tenhamos passado horas juntas todos os dias, durante a última semana, enquanto ela me conta outra e mais outra parte de sua história, Tosca me olha quase surpresa. Como aconteceu de eu estar aqui com ela, sob a sombra da magnólia?

— Como foi? Sua chegada na *pensione*? — A banalidade foi para conduzi-la de volta à história. Em vez disso, ela sorri, e fica sentada em silêncio.

— Eu mal me lembro de alguma coisa, daquela primeira noite. Daqueles primeiros dias. Lembro-me do que não aconteceu. Veja, eu pensava que o novo lugar iria *me* tornar uma nova pessoa também. Que a viagem iria me limpar. Ofuscar os ruídos. Pensei que escaparia dos fantasmas, conseguiria enganá-los. Estava contando que Palermo, o refúgio de um *novo lugar*, o refúgio de uma viagem de trem, a simpatia de um homem malcheiroso com um barrete vermelho iriam fazer por mim o que eu mesma não fora capaz de fazer. Mas o homem do barrete vermelho, o trem e a cidade nada podiam fazer contra os fantasmas. Leo, Cósimo, Mattia. Todos eles estavam reunidos, esperando por mim no terceiro andar da *Pensione d'Aiello*. Sem cessar, ouvia Simona dizendo: *encontre seu próprio caminho de casa.*

Eu acabei me acostumando com o elegante estilo entrecortado da narrativa de Tosca. Em tom exaltado ou melancólico, sua voz melodiosa nunca hesitava; avançava e recuava, retomava trechos que tinha abandonado, mas sempre tinha uma continuação e outra continuação depois desta. Agora, ela está cautelosa.

— Acho que não posso lhe contar a história daqueles meus anos em Palermo sem contar as histórias de outras pessoas. Histórias que não são minhas. Minha vida, até eu deixar o palácio, era quase exclusivamente a minha vida com Leo. Em Palermo, expandiu-se até incluir muitas outras pessoas.

— Você se apaixonou novamente? É isso o que você quer dizer?

— Talvez isso, também. Não apenas isso. Durante aquela época, Palermo era uma cidade ainda mais explosiva do que tinha sido durante a guerra. Uma cidade antiga e exausta, mais uma vez ressurgindo das cinzas. Só que, então, os invasores não eram os gregos, nem os sarracenos, nem os normandos. Eram os rapazes das montanhas. Rapazes famintos e desesperados destas montanhas. E alguns rapazes de além-mar.

— Que mar?

— Soldados americanos. Estou falando dos soldados americanos, alguns dos quais nasceram na ilha, emigraram e se naturalizaram americanos, que desembarcaram aqui em 1943. Com a invasão americana da Sicília, os clãs abdicaram de seu antigo papel de bandoleiros rurais, rapazes que cortavam gargantas por um saco de farinha, e se tornaram outro tipo de criminosos. Havia drogas para se traficar, verbas estatais para se desviar, taxas de proteção para se cobrar, um mercado negro a explorar.

— O que tudo isso tem a ver com você?

— Pense nos afrescos do salão de refeições. Nos espaços vazios entre as alegorias. Estão vazios porque não restou o bastante da pintura original para que o restaurador reconstituísse os fragmentos com autenticidade. O restaurador teria que pintar suas próprias figuras e, dessa forma, distorceria as virtudes intrínsecas do trabalho. Com a vida, acontece exatamente a mesma coisa. Existem espaços em branco que não conseguirei preencher.

— *Io capisco. Io capisco.* — Compreendo, eu digo, enquanto ela pega sua escova.

— Eu era uma figura pirandelliana, Chou. Uma personagem à procura de um autor. À procura de uma história. Acostumada à vida estabelecida no palácio, acostumada aos sinos e aos rituais, acostumada até mesmo a que Simona selecionasse minhas roupas, que Ágata tomasse conta delas e de mim. Em 15 anos, nunca escolhi minha própria comida, nunca soube o preço de nada. Nunca preparei meu próprio banho. Nem mesmo sei se, desde quando eu tinha 15 anos e compreendi que amava o príncipe, nem sei se alguma vez tive algum pensamento completo que não o incluísse. Quando eu era uma criança de 6 anos, órfã de mãe, sabia muito mais sobre a arte de sobreviver do que com 25 anos. Houve uma época em que acreditei que Leo me transformara, de uma garota, em uma mulher; mas é bem possível que a verdade seja que ele me conservou criança, embora sem essa intenção. Ele me refinou, inspirou, educou e protegeu de tal forma que, sem a presença dele para me insuflar a vida, eu morri também. Uma personagem à procura de um autor.

"Escolhi um vestido e passei a usá-lo todos os dias. Um vestido marrom-escuro, com um estampado de camélias brancas, e pequenas folhas verdes. Um longo xale de algodão marrom. Meias pretas grossas e sapatos pretos de amarrar. Prendi meu cabelo em uma só trança, que deixei cair pelas costas, até quase a cintura. Usava uma boina branca. Não desejando a intimidade forçada que resultaria de me sentar à mesa na *pensione* três vezes por dia, menti para meus hospedeiros. Disse a eles que tinha outros compromissos para o jantar. Assediada por fantasmas, eu seria um fantasma também.

De manhã, eu descia os três lances de escadas acarpetadas e saía em silêncio. Retornava para descansar. Saía de novo, à tarde, ou no início da noite, também em silêncio. Voltava tarde, dava uma última volta na chave comprida e achatada, e subia furtivamente para dormir em meu quarto. Duas saídas e duas entradas, sem dizer palavra. Eu era um fantasma sossegado."

— Iniciei minhas explorações pela cidade seguindo as pessoas. Certos dias, eu me deixava levar até a beira-mar. Outros dias, aos mercados. Em cada lugar, começava a estabelecer meu próprio roteiro. A desenhar meu próprio mapa. Onde sentar para olhar os barcos. A que horas as frotas chegam, saem e chegam de novo. As mulheres dos pescadores, que ficavam esperando. Rostos queimados de sol, lábios cobertos de batom, seios comprimidos por apertados vestidos de algodão, suéteres puídos esticados sobre bustos volumosos. Três ou quatro delas, calçando botas de borracha remendadas sobre meias furadas, marchavam lado a lado até o cais; eu achava que formavam um grupo maravilhoso. Esperava por elas como teria esperado por amigos, esquecendo-me de que era invisível para elas. Nos mercados, eu sempre trazia moedas de cem liras na mão. Comprava um saco de ameixas. Duas conchas de pistaches, na casca. Uma fatia de pecorino *pepato*, sempre, e um pedaço de pão com gergelim. Um ou dois pães árabes com o homem que todos chamavam de Santo. Embora eu frequentasse os mesmos vendedores e comprasse as mesmas coisas por dias a fio, ninguém prestava atenção no bom fantasma que eu me tornara. Todo o troco que restava de minhas compras, eu largava na mão da cigana cheirando a jasmim e suor rançoso, sempre de cócoras perto de um peixeiro que eu achava ser seu filho. Reconhecendo-a como fantasma, também, ela foi durante meses a única pessoa em cujos olhos olhei.

"Embora os que tivessem alguma coisa para comer comessem na rua, eu ficava envergonhada de fazer a mesma coisa. Fazia a refeição em um banco no *Favorita*, meu observatório entre as barracas e os tambores de azeite no cais. Desembrulhando o grosso papel branco que envolvia meu queijo, eu às vezes pensava nos pedacinhos de pecorino que os pastores cortavam dos grandes cilindros amarelo-escuros, nos mercados, e davam a Mafalda e a mim; e em como ela ficava de boca aberta para receber seu pedaço, um pequeno passarinho com fome. Agora eu podia comprar tanto queijo quanto quisesse. Como se tivesse filhos para alimentar, ou um marido indo almoçar em casa, eu dizia para o vendedor, cuja lâmina brilhante demarcava uma fatia de queijo cada vez maior:

"'*Di più, di più* — mais, mais.'

"Eu tentava saboreá-la com a velha fome. Fechava os olhos e esperava pela ácida e penetrante explosão de calor em minha língua, mas nada sentia. Reembrulhava o papel branco e grosso em volta do queijo e o colocava em minha sacola; andava até encontrar alguma criança fazendo algum trabalho, ou, menos frequentemente, um grupo de crianças brincando. Então oferecia o queijo. Ah, a surpresa, o êxtase que aquilo nunca deixava de provocar, aquela fatia de queijo. Esse impulso sempre me fazia pensar a respeito das muitas emoções que compõem a fome."

— Em qualquer lugar onde eu estivesse, procurava por ele. Não era uma busca consciente, deliberada, era a caçada instintiva de quem ama procurando pela pessoa amada. No mercado, no bar, nas ruas, ao longo do cais, eu sou uma caçadora constante, no encalço do príncipe morto. A visão de qualquer homem alto e de cabelos claros, que sobressaísse na multidão, fazia meu coração parar. Eu corria para interceptá-lo, serpenteando entre os passantes, atravessando à frente de carros que freavam. *Leo. Leo.* Eu gritava e as pessoas abriam caminho, xingando ou incentivando, aplaudindo a cena clássica da mulher perseguindo seu homem, os olhos dizendo *pegue-o, beije-o, atire nele, faça o que tem de fazer. Mas pegue-o.* Assim, não me foi de muito espanto quando, certo dia, avistei minha mãe.

"Acredito ver sua mesma beleza frágil em uma mulher que está de pé entre as pessoas que esperam um *autobus*. Cachos de cabelo cor de palha caem de um lenço amarrado atrás da cabeça. Exatamente como minha mãe. Um vestido azul-claro com ombreiras acolchoadas e sapatos de couro preto, com meias brancas dobradas nos tornozelos; tal e qual as roupas dominicais de minha mãe. Paro perto do grupo, como se também estivesse esperando o *autobus*. Olho para a mulher que estou certa de ser minha mãe. Ao contrário das vezes em que me aproximava de um homem que pensava ser Leo e, então, via que decididamente não era ele, agora tenho certeza. A parte ainda sensata de mim sabe que a loucura causada pela tristeza fez a mulher aparecer agora. Mas por que ela não olha para mim? Como ela não pode me ver se eu posso vê-la? Ando até junto dela e a encaro abertamente. Estudo-a como se ela fosse uma boneca de cera.

"'*Mamãe, sou eu*', digo a ela mansamente. '*Mamãe, você pode me ver?*'

"'*Tosca*', ela sussura. '*Che cosa ci fai qui?* — O que você está fazendo aqui?'

"Não é mamãe. É Mafalda. Mafalda, agora com a mesma idade, quase a mesma idade que minha mãe tinha quando morreu. E com a mesma aparência de minha mãe, quando a vi pela última vez. Nos quase 13 anos em que fiquei sem ver minha irmã, ela se tornou uma sósia, a imagem gêmea da *Mamà*.

"'*Ciao, piccola*', eu digo. Ela permite meu abraço, mas não o retribui.

"'O que a traz para tão longe do seu palácio, Tosca?'

"Ela se afasta de mim, arruma o lenço, semicerra os olhos para que as lágrimas não caiam.

"'Eu... eu vivo aqui agora.'

"'Ah, seu príncipe também tem um palácio aqui?'

"'Por que você não me disse onde estava? Por que me abandonou, ou se escondeu de mim, ou seja lá o que for que você tenha feito?'

"Puxo Mafalda até um banco que ficou vazio depois que o *autobus* passou, mas ela me empurra, levanta a mão e me dá um tapa no rosto. Me golpeia três vezes, antes que eu tenha presença de espírito para segurar seu braço. Grita:

"'Eu? *Por que eu abandonei você?* Você tem certeza de que se lembra das coisas como realmente aconteceram, Tosca? Você me deixou, deixou papai e...'

"'Mafalda, pare com isso. Pare. Você não sabe, era muito pequena para entender, mas a verdade é que papai me vendeu para o Leo. Ele me trocou por um cavalo, Mafalda.'

"'Eu sei disso. Sei que foi assim que começou. Você adora dizer isso, não é, Tosca? Você adora ser a vítima, a pobre órfã vendida ao príncipe. A verdade é que papai fez um favor a você quando a mandou a eles. Ele não a vendeu como escrava, afinal de contas, ele a colocou dentro de um conto de fadas. Mas você poderia ter voltado. Você não era prisioneira, era? Eu posso entender que você tenha ficado lá por algum tempo, um ou dois anos, ao menos pelo alívio, pela mudança. Você ainda era pequena, também, e sua cabeça estava confusa. Mas ficar? Eu nunca acreditei que você fosse ficar com eles. Eu esperei por você. Papai esperou por você também.'

"'Você está mentindo. Papai me abandonou e você sabe disso. Ele não me deixava retornar. Você se esqueceu disso?'

"'Ele estava testando você. Até eu podia perceber isso. Ele queria que você provasse a ele que preferia viver conosco a viver com eles. Eu acredito nisso, Tosca. Mas você se rendeu tão facilmente às tentações do palácio.'

"'Eu tinha 9 anos, Mafalda. Eu estava assustada, furiosa, angustiada, faminta e, sim, naquela época da vida, acho que escolhi Leo a papai. Mas fiquei no palácio, em parte, porque achava que era a melhor maneira de cuidar de você. Você era muito pequena para entender isso, e talvez eu também fosse muito pequena para executar meus planos como deveria. Sim, você tem razão. Minha mente estava confusa. Mas estava concentrada em cuidar de você. E fiz isso, não fiz? Não fui visitar você sempre que pude, levando presentes? Mas quando você foi embora e depois papai também, tudo o que pude fazer foi esperar. Lembre-se de que era *você quem sabia onde eu estava*. Leo e Cósimo trabalharam anos, tentando encontrar você, seguindo as menores pistas. Eles escreveram cartas às prefeituras e dioceses das cidades e vilarejos onde estavam registradas pessoas com nosso nome e o nome da mamãe. Mais de uma vez, eles viajaram para falar com alguém que sabia, alguém que se lembrava... mas nada. Também fiquei zangada com você, Mafalda.'

"'Você não tem motivo para estar zangada comigo. Você está zangada consigo mesma, porque sou diferente de você. Talvez me inveje um pouco, Tosca, porque eu não me vendi. A melhor maneira de você me ajudar teria sido dividir o pão e o queijo comigo e ficar perto de mim. Nós estávamos bem, na época, Tosca. Estávamos bem. Não vou dizer que não ansiava pelos seus presentes, mas veja bem, eu já estava segura. Eu ainda sabia o que nós sabíamos juntas. Eu sabia que iria sempre *me sair bem*. Que não importa como, eu seria sempre capaz de *dar um jeito* nas coisas. Em algum ponto do caminho, acho que isso acabou não sendo suficiente para você. Se sair bem. Dar um jeito. Mas sempre foi o suficiente para mim. Ainda é suficiente para mim, Tosca.'

"Ficamos em silêncio, avaliando uma à outra, cada uma de nós começando a falar, ambas protelando. Silêncio. Até que Mafalda diz:

"'E quando *Papà* ficou doente, você ao menos sabia que ele estava doente?, ele me disse que eu, também, teria que ir viver com a família do príncipe. Eu chorei, gritei e implorei a ele para não me levar a Leo; foi então que ele fez alguns arranjos com a *zia* Elena. Ele me levou à casa dela, prometeu me visitar em breve e essa foi a última vez em que o vi.'

"Então Mafalda senta no banco. Na beirada do banco, com o rosto pálido, torturado. Olho para as mãos dela, avermelhadas e secas, velhas para uma mulher de 22 anos. Para a Madona, de Bellini, com quem ela tanto se parece. Como se fossem mãos emprestadas, ou fixadas, por engano, em seus pulsos finos e brancos. Sento-me ao seu lado. Seguro suas mãos. Ela me diz:

"'Quando papai não veio me ver, voltei à nossa casa. Levei uma semana, mas cheguei lá. Tarde demais. Ele tinha desaparecido, tudo tinha desaparecido. Eu não queria voltar para a casa da *zia* Elena. As coisas não estavam muito boas por lá. Eu nunca nem pensei em bater nos portões do palácio. Então fiquei por minha conta desde alguns meses antes de completar 12 anos. Era fácil encontrar trabalho, pois eu fazia quase qualquer coisa em troca de comida e um lugar para dormir.'

"'Mas por que, por que você não me procurou? Pediu minha ajuda? Por que não me *deixou* ajudar você? *Eu não sabia. Como poderia saber?* Durante todo esse tempo, eu não sabia.' Puxo Mafalda para que fique em pé e agora estou gritando, chorando e a sacudindo. Então a aperto contra o peito. '*Por quê? Por que, piccola?*'

"'Porque eu não queria seus presentes, sua comida, suas roupas. Eu queria *você*, Tosca. Eu queria que nós fôssemos uma famíla.'

"Então Mafalda fica em silêncio. Passa no rosto um lenço limpo, que tira de sua bolsa.

"'Vou tomar o próximo *autobus*. Deve chegar em alguns minutos. Tenho um encontro que pretendo manter.'

"'Um encontro? Você não pode estar querendo dizer que não vem comigo agora. Podemos nos sentar em algum lugar e conversar, posso levá-la ao meu quarto. Eu nem sei por que você está aqui, ou onde vive. Você não pode simplesmente tomar um *autobus* depois de 13 anos...'

"'Ainda estou tentando encontrar papai. Sempre que tenho dinheiro sobrando, eu o gasto procurando por ele. Eu sei o que é escrever cartas para estranhos. Estou aqui em Palermo para ver uma mulher que conheceu papai. Acho que eram amantes. Muito tempo atrás, quando papai e eu ainda estávamos juntos, encontrei uma carta entre suas coisas, um bilhete, na verdade. Eu o guardei. Não sei por que o guardei, mas era um bilhete terno, escrito em um papel bonito. Assinado *Loretta*. Gostei do nome. Muito tempo depois, quando comecei a procurar papai, foi essa Loretta, essa *signora* Capella, a primeira pessoa a quem escrevi. Eu estava vivendo em Piazza Amerina, então. Ela nunca me escreveu de volta, então vim até aqui e visitei o endereço do remetente, que estava na carta. É claro que ela tinha se mudado, pelo menos foi o que a *portiniera* disse. Eu nunca mais pensei nela. Descobri outras pistas remotas, mas acho que ele morreu há muito tempo. Era o que eu pensava até poucos dias atrás, quando recebi uma carta da *signora* Capella. Mantive contato com as pessoas para quem eu trabalhava, em Piazza Amerina, e elas me repassaram a carta. Ela pediu para lhe telefonar. Fiz isso e nós marcamos um encontro para hoje. Nada, nem mesmo você, Tosca, pode me impedir de me encontrar com ela.'

"'Podemos nos encontrar depois. Estarei onde você disser.'

"'Venha comigo, Tosca.'

"'Eu não quero ir com você. Vou esperar por você.'

"Mafalda se levanta e começa a andar em direção ao ônibus, que acabou de estacionar em frente à calçada onde estamos. O assovio das portas que se abrem abafa seu murmúrio de despedida.

"'Amanhã', ela diz.

"Ela sobe os degraus, paga a passagem, vira-se na minha direção e acena.

"'*Pensione d'Aiello*', eu grito. '*Pensione d'Aiello*.'"

— Saio cedo na manhã seguinte; compro pão e queijo na *gastronomia* rua abaixo, um saco de peras maduras, um litro de vinho tinto e volto para a *pensione*, para esperar por minha irmã. Peço copos, pratos e guardanapos à *signora* d'Aiello. Uma faca. Digo a ela que estou esperando uma visita. Ela diz que somos bem-vindas à mesa da família para o almoço ou jantar. Oferece-se para preparar chá, mandar buscar doces e parece desapontada quando recuso respeitosamente. Faço uma arrumação em meu já bem-arrumado quarto, pego meu livro e espero. Mas não consigo ler, não tenho sossego. Alternadamente, fico andando pelo quarto e olhando pela janela. Às cinco horas, começo a argumentar com a voz temerosa dentro de mim. *Mas ela não deu uma hora precisa, não é? Se ela tem um emprego, que certamente deve ter, deve trabalhar o dia inteiro. A única coisa que ela disse foi "amanhã", e isso pode significar várias coisas. Não uma visita, mas um telefonema. Não um telefonema, mas uma carta.* Às dez horas, eu como o pão, bebo um pouco de vinho, tiro a roupa e vou para a cama.

"Durante três dias, faço as mesmas coisas. No quarto dia, começo a me perguntar se apenas imaginei Mafalda. Tento encontrar alguma evidência de nosso encontro, mas, claro, não há. Vou tomar um *autobus* à sua cidade, Piana degli Albanesi. Fica a cerca de 30 quilômetros de Palermo, talvez menos. Não é um lugar tão grande para que seja difícil localizá-la. Quantas Madonas de Bellini podem existir em Piana degli Albanesi? São três horas da tarde do quarto dia e, com minhas compras matinais em uma sacola sobre os ombros, estou a caminho da estação de ônibus. Como gostaria de ter um cavalo. Como era simples quando éramos pequenas e eu conhecia o caminho, sabia onde encontrar minha irmã. Acontece que ela permaneceu distante nesses últimos dias, então deve estar pensando sobre o que dissemos uma à outra. Dando tempo para que ambas possamos pensar. Entro na fila do guichê de passagens, tento não parecer deslocada. Não viajo em um ônibus público desde que minha mãe morreu. Mafalda me bate gentilmente no ombro.

"'Você está tentando me encontrar, Tosca? Desculpe não ter vindo ver você antes. Papai morreu. *La signora* Capella não quis me dizer ao telefone. Morreu na primavera, mas ela só soube disso há poucas semanas.'

"Eu a pego pelo braço e vamos para a rua.

"'Ela não pôde me dizer muita coisa, a não ser que Papà estava vivendo na Calábria. Que ele esteve doente durante muito tempo, em vários estágios de gravidade. Embora continuassem a se corresponder, ela não o visitou por quatro anos, nem ele a ela. Quando passou muito tempo sem receber nenhuma resposta à sua última carta, ela telefonou à senhoria dele, que disse à *signora* Capela que papai tinha morrido. Foi quando ela escreveu para mim, em Piazza Amerina. Ela e eu vamos visitar o túmulo dele e mandar rezar missas por sua alma. Espero que você venha conosco. Agora você sabe tudo o que eu sei. Eu precisava ficar sozinha antes de te ver. Você entende, não é?'

"'Vamos até o meu quarto', eu digo."

— Mafalda está reclinada em minha cama e eu estou sentada em uma cadeira que coloquei ao lado. Quero que ela fale. Meu único desejo é ouvir. Ela parece à vontade e começa a me contar as coisas como se lembra delas, sem ordem, sem terminar uma coisa antes de entrar em outra; então retorna a um acontecimento anterior, confiando que eu a acompanhe. Eu acompanho. Recostada nas curvas macias do leito de penas, ela está muito bonita. Seu relato não visa despertar piedade nem admiração.

"Ela trabalhou numa fábrica de pescado enlatado, como ajudante de cozinha, em uma traineira de alto-mar; foi acompanhante de uma família inglesa que vivia em Taormina; andou pela ilha colhendo uvas, amêndoas e azeitonas, com trabalhadores itinerantes. Agora entendo suas mãos. Vive em Piana degli Albanesi há quase dois anos e acha que vai ficar por lá. Trabalha como costureira e modelo em um ateliê pequeno e exclusivo pertencente a duas francesas. Há clientes até de Roma, que as procuram para confeccionar vestidos de casamento, diz ela. As duas francesas são espertas, penso comigo mesma, por empregarem essa adorável criatura para fazer justiça aos seus talentos. Ela agora está falando sobre um homem. Ela ama um homem chamado Giorgio. Durante o dia, ele trabalha como funcionário da prefeitura de Piana degli Albanesi; durante a noite, é violinista em uma orquestra de câmara. É o mais velho de oito irmãos — dois rapazes e seis moças —, de mãe eslava e pai siciliano. Ela me fala sobre seus olhos — cinzentos e bem oblíquos, herança de sua mãe. Diz que ele vai ao apartamento dela e cozinha para ela, depois de terminar o trabalho diurno. Deixa o jantar no forno, para mantê-lo quente, e flores sobre a mesa. Um bilhete. Então vai descansar e, mais tarde, tocar seu violino. Fica com ela nos fins de semana, mas só de vez em quando. Ela gosta tanto de ficar com ele quanto de ficar sozinha. Aliás, ela tem que estudar, pois está frequentando a escola técnica para obter licença em contabilidade. Penso que as carreiras de contadora, de modelo e de colhedora de amêndoas parecem igualmente ótimas para essa Madona. Ela me diz que Giorgio lhe comprou um baú de enxoval, que a mãe e as irmãs dele começaram a encher com toalhas e lençóis bordados, vestidos de noite e até roupas de bebê. Giorgio pede Mafalda em casamento todos os domingos, depois da missa. Ela não sabe ainda se algum dia dirá "sim". Tem trabalhado tão duro, essa minha irmãzinha. Fez o que eu ainda não fiz. Encontrou seu próprio caminho de casa.

"Quando chega minha vez de falar, tento fazer uma versão abreviada dos acontecimentos. Quando digo a ela que Leo está morto, e nas mãos de quem ele morreu, ela chora. Pede desculpas por seu sarcasmo a respeito de Leo, quando nos encontramos na rua. Diz que nunca considerou a possibilidade de que nos apaixonássemos. A diferença de idades. As diferenças culturais. Sua mulher e suas filhas. Não digo nada a respeito da herança que Leo me deixou, temendo que contas bancárias, pavilhões de caça e esmeraldas possam causar novos desentendimentos entre nós. Uma divisão maior. Mafalda pergunta se vou ficar na *pensione*, que deve custar muito mais do que o aluguel de um apartamento modesto. Eu minto, digo que já comecei a procurar. Quanto a encontrar trabalho, bem, ela é perita nisso, ela diz. Vai me ajudar. Dividirá seu salário comigo, se eu precisar. Mas reluta em prometer que vamos nos encontrar frequentemente. Sua vida é muito ocupada, ela diz. Então fica sentada, erguendo as finas pernas de garotinha, e enfia os pequenos pés nas meias e nos sapatos pretos, que estão ao lado da cama. Coloca os braços relaxadamente sobre as coxas. Olha para mim e diz:

"'Tosca, é muito tarde para nós sermos uma família. Pelo menos, eu acho que é. E agora, que sei que papai está morto, acho que, de certa forma, sou uma família de uma só pessoa. Fiz uma boa vida para mim. Algum dia posso pensar em dividir minha vida com Giorgio, ou mesmo com você, se você quiser, mas no momento quero levar minha própria vida. Percorri um caminho selvagem e passei muita fome, desde o haras de nosso pai até meu pequeno apartamento em Piana degli Albanesi. Posso lhe dizer que, na maior parte do tempo, a caminhada foi difícil. Mas consegui. *Estar em minha própria casa é uma coisa tão nova*. Eu ainda acordo e não posso acreditar que a cama onde estou *é minha própria cama*. Que eu realmente *moro* em algum lugar. Que não estou mais de passagem. Que posso tomar banho quando quiser, que tenho algumas roupas bonitas, que tenho duas panelas e um jogo inteiro de pratos, com bordas azuis e prateadas. Nem consigo começar a lhe dizer como fico maravilhada com tudo. Mas você, sua vontade e seu caráter são tão fortes, Tosca. Acho que você poderia perturbar o equilíbrio, o delicioso equilíbrio dessa minha nova vida. Eu não posso deixar você entrar. Não vou correr o risco. Não estou punindo você por suas decisões anteriores, mas também não posso ignorar as consequências dessas decisões. Não posso fazer isso neste momento. Vivemos vidas separadas e acredito que devemos continuar assim. Se você me informar como está indo, farei a mesma coisa. Não vamos nos perder uma da outra novamente, isso eu prometo a você. Vou convidá-la para almoçar, num desses domingos, talvez apresente você a Giorgio. Você me deixa dormir aqui esta noite? Já é tarde e estou tão cansada.'

"Ela se lava, recusa uma camisola que lhe ofereço, tira as roupas, arruma seus sapatos pretos na soleira da janela, como estátuas, ajoelha-se ao lado da cama para rezar e se acomoda embaixo das cobertas.

"'Você quer que eu lhe conte uma história?', pergunto, inclinando-me sobre ela, afagando seu rosto com as costas da mão.

"'Eu senti tanta falta de você, Tosca. Como ansiei por você, chorei por você. Eu me lembro de que, às vezes, pulava Jesus, a Madona e mesmo santa Rosália, e rezava diretamente para você. *Não me deixe, Tosca. Nunca me deixe.* Eu chorei mais por você do que pela mamãe. Mal consigo me lembrar dela. Acho que, na minha cabeça de criança, você realmente ocupou seu lugar. Você se tornou a mãe. Minha mãe. E então você foi embora também. Eu não quero uma história. Não podemos voltar no tempo, Tosca. Não podemos. Ninguém pode. Papai está morto. A mamãe está morta. Estou feliz que tenha havido esse amor maravilhoso entre você e Leo, mas ele está morto também. E nós duas não somos mais aquelas menininhas que passavam a noite de mãos dadas. Você não deveria ter me deixado nunca, Tosca. Por nenhum motivo.'

"Sento-me na cadeira, enquanto ela dorme. Cochilo de forma intermitente, como se estivesse de vigília. Acordo pouco antes do alvorecer e vejo que ela se foi. Escreveu um bilhete em uma folha solta, que arrancou de meu caderno. Lá estão seu endereço e o telefone do ateliê. Ela me pede que só telefone em caso de emergência. E que escreva para ela quando tiver um endereço fixo, ou se estiver passando necessidades. Incluiu uma nota de duas mil liras na dobra do papel cor de pêssego."

— Eu via Mafalda de tempos em tempos. Ela conquistou sua licença em contabilidade, rompeu com Giorgio e ofereceu o baú de enxoval a uma das irmãs dele, que estava para se casar. Lentamente, foi conseguindo assumir a contabilidade de diversos negócios pequenos. Mudou-se para um apartamento maior, se apaixonou e terminou relacionamentos em sucessão rápida e febril, sem que ninguém conquistasse seu coração. Não eu, com certeza. No final de uma tarde em dezembro, talvez seis anos após aquele encontro na parada do *autobus*, estávamos caminhando pela cidade, conversando sobre seu trabalho, segundo me lembro, andando depressa para nos mantermos aquecidas, e como se fosse o gesto mais corriqueiros, ela me deu o braço, beijou meu rosto e ajeitou a boca naquele sorriso esquivo de Madona pintada por Bellini.

CAPÍTULO II

— Minha vida era menos turbulenta que a de Mafalda. Havia dias em que eu quase decidia retornar ao palácio. Bastante simples. Um trem no outro sentido. Mas quando olhava de novo, percebia que, nesses primeiros meses, aumentara a distância entre mim e o palácio. Havia minas enterradas no caminho de volta. *Agora não, ainda não*, os outros fantasmas me diziam.

"No estupor canicular do alto verão, eu perambulava menos pela cidade. Em vez disso, sentava-me durante horas nos *caffès*, no parco alívio proporcionado pela sombra de um guarda-sol da Campari, fumando cigarros obtidos no mercado negro, extraídos de uma pequena cigarreira que encontrei entre as joias de Isotta. Minha bebida favorita era Coca-Cola morna, sugada através de um canudinho de papel. Se em algum lugar as pessoas ultrapassassem os limites do fantasma que habitava em mim, invadindo sem cerimônia meu território privado, eu colocava algumas liras sob um copo, ou um prato, e andava poucos metros pela Via Maqueda, até o próximo bar. Sem saber quando nem como, comecei a controlar meu tempo, de modo a chegar ao último bar da Maqueda, na esquina da Via del Bosco, às seis horas da tarde.

"Emolduradas por cortinas brancas, embaixo de toldos recém-lavados, damas elegantes, trajando vestidos de seda e chapéus enfeitados com rosas de veludo, reúnem-se em grupos de duas ou três sobre xícaras de chá, alexanders e bolos requintados, coloridos de verde e cor-de-rosa. Me sento no lado de dentro, porém, sob o zumbido das pás dos ventiladores de teto, na obscuridade do bar. A menor mesa, encostada na parede, está sempre livre. De lá, posso vê-las quando entram. As outras senhoras. Por vezes, dez delas, ou até mais. Olhos semicerrados na fumaça dos cigarros que trazem nos lábios, vozes metálicas se erguendo na multidão, elas arrumam mesas e cadeiras, sentando-se em confortável irmandade. Também usam vestidos de seda. Mais curtos, colantes. E saltos mais altos nas sandálias brancas. Olhos agradavelmente pintados de azul ou turquesa, cabelos enrolados em grandes ondas. Certa noite, antes de deitar, tentei enrolar o meu como elas faziam. Só para ver como ficaria. Acho que gostei, mas certamente não era o penteado certo para um fantasma. Perfeito para elas. Fossem quem fossem. Quem eram elas? Uma companhia de dançarinas? Empregadas de alguma lavanderia terminando o turno? Vendedoras de loja a caminho de casa? Elas eram jovens. Tão jovens quanto eu. Mais jovens que eu.

"Todas as tardes, naquele verão, me sento em minha pequena mesa contra a parede, na penumbra do bar da Via Maqueda. Como os vendedores dos mercados e as esposas dos pescadores no cais, as damas dos grandes penteados me ignoram. *La puttanina*, cochichavam a meu respeito no palácio. Agora, estou contemplando as verdadeiras. Cortesãs. *Les demi-mondaines* em carne e osso. Passaram-se semanas antes que os sinais se tornassem claros. Como elas se retocavam em seus pequenos espelhos, repassavam perfumes de lilás e ruge ao redor da mesa, como pães, soltavam gritos roucos e trocavam confissões em voz alta, abrindo as bolsas umas para as outras. Moedas, pílulas, lenços. Como comiam vorazmente! Como se estivessem mortas de fome. O modo como o garçom as devorava com os olhos. Como se fossem cordeiros pendurados no açougue, seu olhar deslizava de uma para a outra. Qual naco ele escolheria? Mas a coisa mais reveladora para mim, em relação às damas da Maqueda, foi a tristeza que se vislumbrava sob o ruge. Sob os penteados. Tocada por essa tristeza, minha própria tristeza aumentou. Depois que eu entendi quem eram elas, comecei a me perguntar se, sentada nas sombras do café, eu ganhara uma visão dickensiana de mim mesma. Como tudo poderia ter sido, se não fosse por Leo. Será que eu estou enfim reconhecendo que Leo me salvou? Que eu poderia não ter tido forças para salvar a mim mesma? Que, na melhor das hipóteses, eu poderia ter morrido da mesma desolação febril que, como sempre acreditei, vitimara minha mãe? Será verdade que estou pronta para afrouxar o laço arrebatador de meu ódio ainda sem nome? De meu desespero?

Posso guardar — por mais de um momento — a verdade de que o ódio e o desespero são os disfarces mais frequentes do medo?

"Dia após dia, me sento nas sombras em torno das mesas das damas da Maqueda, e as escuto. De minha bolsa, às vezes tiro uma caderneta bancária com datas, depósitos, saques e balanços. No começo de cada mês, quando vou até o banco para retirar a próxima cota de fundos, descubro que não gastei nem mesmo uma pequena porção dos rendimentos do mês anterior. Ciente de que o montante da conta não parava de crescer, nunca pensei — além do próximo maço de cigarros, da próxima conta do bar, do próximo saco de pistaches ou das duas esplêndidas notas que colocava em um envelope e enfiava embaixo da porta do escritório da *signora* d'Aiello, na primeira segunda-feira de cada mês sobre o privilégio de minha posição. E ainda havia o maço de notas que estava na valise de médico, junto das joias. Eu nunca as tinha contado. Agora olho uma dama da Maqueda contando moedas, empilhando-as em frente às colegas. A que está recebendo diz várias vezes a ela:

"'Não, não. Você não pode ficar me salvando para sempre.'

"Há dias em que um homem vem se sentar no bar com as damas da Maqueda, o som grave de seu dialeto aterrissando em minha mesa encostada na parede. Elas também abrem as bolsas para ele. Maços de notas de algumas. Algumas moedas de outras. Rapidamente, com as costas da mão, ele dá um tapa com força no rosto de uma delas. Um aviso aleatório, que as faz encolher. Enquanto ele sai, marchando com seus sapatos brilhantes, elas ficam em silêncio. Lágrimas. Juramentos. Eu faço um juramento. *Eu tenho sido complacente, cheio de presunção e leviandade. Tenho sido corrupto em minha passividade*, Leo me disse no dia em que me contou sobre a morte de Filiberto. Meu juramento saiu das sombras.

— É setembro, início do mês, quando vou ao convento beneditino, na Piazza Venezia, comprar para o meu almoço os excelentes *cannoli* feitos pelas freiras. Fiquei sabendo das freiras confeiteiras ao ouvir falar delas nas conversas dos *caffès*.

"'*Os melhores* cannoli *de Palermo.*'

"'*Requintados.*'

"'*As casquinhas delicadas são fritas até ficarem crocantes, enquanto você espera. Depois que esfriam um pouco, são recheadas com ricota feita naquela manhã, batida com açúcar — não muito —, casquinhas de laranja e raspas de chocolate amargo.*'

"'*Rum.*'

"Espero no austero vestíbulo, junto com outras pessoas. Sou a próxima da fila em frente à bandeja giratória. Ao me aproximar, digo:

"'*Tre, per piacere.*'

"Coloco minhas moedas na pequena caixa e empurro a bandeja. Depois de alguns minutos, a bandeja é girada de volta em minha direção. Pego a pequena caixa de papel e vou embora. Dois ou três passos atrás de mim está uma das damas da Maqueda. Faço um cumprimento com a cabeça ao passar por ela, mas ela não me reconhece. Desço os degraus, encontro uma faixa de sombra a meio caminho e me sento lá. Como os *cannoli*, um após outro. Percebo que estou esperando pela saída da dama da Maqueda. Quando ela sai, está carregando uma caixa bem grande. Espanando migalhas de minhas coxas e meus lábios, fico de pé e digo:

"'Vejo você muitas vezes no bar da Maqueda. Só queria dizer olá. Meu nome é Tosca.'

"Estendo a mão, mas talvez por causa da caixa grande, ou de seu desinteresse na estranha, uma mulher alta em um vestido antiquado, ela não me oferece a mão. Consegue dar um sorriso e continua a descer as escadas. Penso em correr atrás dela e o teria feito se ela não tivesse parado, se virado e falado comigo:

"'*Ci vediamo, allora. Più tarde. Mi chiama Nuruzzu.* — Então a gente se vê. Mais tarde. Meu nome é Nuruzzu.'

"'*Ciao*, Nuruzzu.' Aceno para ela. Noto que sou eu quem acena. Não o fantasma."

— Depois desse breve diálogo nos degraus do convento, tudo mudou. Tudo começou a mudar, embora lentamente. Entre as damas da

Maqueda, somente Nuruzzu estava preparada para ser minha amiga. Algumas das outras acreditavam que eu estava procurando um meio de me juntar a elas, de ser recrutada para suas fileiras pelo homem que vinha lhes tirar dinheiro. *Nosso território já está lotado. Muitas garotas. Não há clientes para todas. Vá embora.* Outras pensavam que eu era uma espiã. Uma garota de cara limpa, vestida de forma inocente, pertencente a um território rival. Mais perto da beira-mar. Eram as damas que contraíam a boca em torno dos cigarros e, com fumaça saindo das narinas, avisavam às outras, rolando os olhos, para tomar cuidado comigo. Nuruzzu tentava me defender, contando-lhes alguma coisa da biografia selecionada que eu lhe fornecera. Eu era nova em Palermo. Tinha vivido a vida toda nas montanhas. Não queria me juntar a elas, nem de forma nenhuma estava ligada ao *métier* delas.

"'Além disso, ela é alta como o diabo e não tem peitos', disse Nuruzzu uma vez, enquanto eu estava sentada com elas e algumas das damas estavam falando mal de mim em dialeto, achando que eu não entenderia.

"Todas riram, então, e eu ri junto com elas, pensando em como Leo tinha amado tanto meu corpo longo e estreito. Meus seios pequenos e duros.

"Mas apesar de minha aparência e do que eu dizia a elas, as damas da Maqueda continuavam afastadas. Apenas Nuruzzu se arriscou a ser minha amiga.

"Como amantes clandestinos, nós nos encontrávamos em horas e lugares onde Nuruzzu sabia que não seríamos vistas por suas irmãs. E nem pelo homem que tomava o dinheiro delas. Nossos encontros eram principalmente de manhã, em um *caffè* pequeno e pouco asseado atrás da Vucciria. Sem seu uniforme — o vestido apertado demais, os saltos altos demais — e sem pintura no rosto, Nuruzzu não parecia ter mais de 15 anos. Não a reconheci quando ela veio em minha direção, pela primeira vez, usando uma camisa branca e largas calças pretas, os minúsculos pés enfiados em sandálias de veludo orlado, de bico redondo, com o cabelo recém-lavado puxado para trás em rabo de cavalo. E fiquei espantada quando ela se curvou para me beijar em ambas as faces.

"'Nuruzzu.'

"'Sim. A verdadeira Nuruzzu.'

"Durante meses, nós nos encontramos assim. Duas vezes por semana. De vez em quando, uma vez só. Havia semanas em que ela não aparecia. Desde essa época, deixei de aparecer no bar da Maqueda, onde ela se encontrava com as amigas antes que o trabalho noturno começasse. Eu me sentia contente esperando por Nuruzzu.

"Ela era uma conversadora. Acho que, ao me sentar com ela, eu me lembrava de como Ágata e eu costumávamos falar e falar. Cosettina também. Na escola do *borghetto*. Nuruzzu me disse que vivia em um *monolocale*, um apartamento de um cômodo em um prédio perto da estação de trens. Morava sozinha. Tinha 19 anos. Disse que seu sonho era deixar aquele trabalho, trabalhar em uma loja, ou mesmo como criada. Ela já trabalhara como criada. Ou assistente de criada. Usava um vestido preto, um avental branco e uma rede de crochê sobre o coque. Passava dias polindo a prataria e arrumando coisas que de modo algum pareciam desarrumadas, ou servindo pequenos cálices de marsala para os convidados que sua patroa recebia durante a tarde. Disse que poupava a maior parte de seu salário, dividia um ótimo quarto com uma mulher chamada Assunta, jantava às seis e meia todas as noites, com a criadagem, em uma mesa coberta com uma toalha branca, em uma sala cujas paredes eram forradas de papel marrom com listras verdes. Tinha as quintas-feiras livres. Foi em uma quinta-feira que encontrou Piero.

"'Como todos os vilões nesse negócio, ele era sedutor', ela disse. 'No início, ele era. Eles sabem como cortejar uma garota. Dizem coisas que ela está ansiosa para escutar. Ele disse que iria me arranjar um emprego melhor. Mais dinheiro. Muito mais dinheiro. Mais tempo, para que nós pudéssemos ficar juntos em outros dias, além das quintas-feiras. Disse que era um tipo de trabalho muito especial, que somente garotas bonitas, como eu, poderiam fazer. Eu tinha 16 anos. Era virgem. Ele tirou a rede do meu coque, espalhou meus cabelos sobre o travesseiro e me serviu cerejas. Era um lindo apartamento. Eu pensei que fosse dele.'

"'Seus pais.' As palavras saíram sem entonação de pergunta.

"'Meu pai morreu na guerra, ou melhor, usou o caos da guerra para desaparecer. Muitos homens fizeram isso. Mulheres também, eu acho. Minha mãe não esperou pela guerra para desaparecer. Desde que tinha 9 anos, nunca mais a vi, exceto por uma vez em que ela veio pedir dinheiro ao meu pai.'

"Nuruzzu falou sobre as promessas de Piero, seus pacientes ensinamentos sobre como deveria agir em seu novo trabalho. Levou-a ao *caffè* da Maqueda e a apresentou às outras. As outras se encarregaram de educá-la, de arrumá-la para as ruas. Elas a chamavam de *piciò*, a menorzinha. Nuruzzu teimou com as outras que ela e Piero eram *fidanzati*, que iriam se casar assim que ele resolvesse algumas coisas. Não se incomodava com os risos das outras. Nunca mais viu Piero de novo. As damas da Maqueda disseram que ele estava apenas de passagem. Que ele, também, encontrara um trabalho melhor.

"Ela diz que fugiu duas vezes. Uma para Trapani, outra para Messina. Foi encontrada, espancada e trazida de volta a Palermo no assoalho de uma caminhonete. Rolando sobre o estômago, com os braços e as pernas amarrados atrás dela. Ela diz que às vezes é difícil dizer quem é mais brutal, os vilões ou os clientes. São homens feitos do mesmo material. O formato de um homem é uma cruz, ela repete sem parar.

"'Até eles terminarem comigo, até pararem de fazer dinheiro comigo, eu não posso partir', ela disse. 'Não sou uma garota ruim, Tosca. A maioria de nós não é ruim. Eu acho que nenhuma de nós sentou um dia e decidiu que este era o trabalho que desejava. Nossa vida é a vida que merecemos. Se não merecemos quando começamos, certamente merecemos agora. Nenhuma de nós tem todos os dentes, nossos corpos foram queimados e espancados, nossas gargantas apertadas. Eles nos deixam apenas o suficiente para não morrermos de fome. Aquele dia em que você me viu comprando todos aqueles doces das freiras, eu tinha roubado o dinheiro. Era meu aniversário. Fiz uma festa para mim mesma. Você sabe por que vamos ao bar da Maqueda todos os dias? Queremos ficar juntas, mas também vamos porque podemos comer e os vilões pagam nossas contas. Para a maioria de nós, é a única refeição do dia.

"Em algum momento, Nuruzzu se inclinou para me dar o beijo de adeus, deixando-me à mesa do *caffè* atrás da Vucciria. Mal a notei, por causa do som da voz de Leo: *A maioria dos proprietários de terras só ofere-*

ce aos seus lavradores o suficiente para se manterem de pé. O bastante para se manterem produtivos. Os nobres se banqueteiam, os lavradores fornecem. Eu quero acabar com isso. Pelo menos em minhas próprias terras.

"Mas como, Leo? Como posso ajudá-las? Salvando Nuruzzu? Alugo um quarto para ela no Aiello e vivemos as duas como fantasmas, ela se escondendo dos vilões e eu me escondendo de você? Há tantas delas, Leo. Tantas como Nuruzzu. Tantas como eu."

— É uma manhã de novembro e a chuva martela as janelas do *caffè* atrás da Vucciria. A pequena sala parece menos decrépita à luz azulada da tempestade; com a ponta do xale, limpo o vapor da janela ao lado de minha mesa. Nuruzzu está atrasada. Quebro biscoitos de pinhão em meu leite quente e os como feito sopa. Esfrego mais uma vez o vapor da vidraça. Então, como um vulto coberto com um lenço vermelho, ela passa correndo pela janela. Serpenteia pelo bar lotado e se acomoda à minha frente. Está de óculos escuros e não quero ver a vilania que eles escondem.

"'Hoje você não vai trabalhar. Nem amanhã à noite. Tenho tentado encontrar um jeito de lhe dizer. De pedir que me deixe ajudar você.'

"'Você me ajuda muito, Tosca. Mais do que imagina. Aliás, não está tão feio. Na noite passada, um dos meus clientes me convidou para jantar e eu fui com ele. Eu me sentia bonita. Dois homens estavam a nossa espera quando saímos da *taverna*. Meu cavalheiro foi espancado com muito mais violência do que eu.'

"'Se você tivesse um lugar para viver, quero dizer, se você não tivesse que se preocupar com *como* vai viver, você deixaria os seus vilões?'

"'Eu poderia pensar que sim. Até me lembrar de que eles nunca permitiriam.'

"Fingindo brincar, ela tira os óculos, e coloca o rosto junto ao meu.

"'Por quê?', ela ri. 'Você vai me levar para sua casa, Tosca? Vai me apresentar ao seu irmão? É isso que você está pensando? Dói pensar em liberdade, mesmo por um momento. Não me faça pensar em liberdade, Tosca.'

"Duas lágrimas surgem nas fendas da carne inchada.

"'Vou achar um lugar para viver. Para mim. E para você. Talvez um lugar com quartos para as outras, também. Estou querendo comprar um apartamento.'

"Com os óculos no lugar, novamente, ela ri outro tipo de riso.

"'Você quer *comprar* um apartamento?'

"'A verdade é que quero comprar um prédio inteiro', digo a ela.

"Ela analisa os sapatos que comprei no mercado por 75 liras. O casaco de camurça de Leo embaixo de meu xale. Não a convenço do meu poder aquisitivo.

"'Você não é a amante paga de alguém, é? Eu nunca lhe perguntei como você vive. Achei que você me diria se quisesse que eu soubesse', ela diz.

"'Sou sozinha, Nuruzzu. Já fui casada, mas meu marido morreu. Sou viúva', digo a ela.

"'Entendo. Você é tão nova. A guerra?', ela pergunta em voz baixa.

"'Uma das guerras, sim. Eu tenho o suficiente para cuidar de nós duas', digo.

"'Você está falando sério, não está?', ela pergunta.

"'Muito sério.'

"'Você é doida. Eles vão estrangular você, jogá-la aos cães. Eu pertenço a eles. Se você for louca o bastante para *se meter*, não será capaz de se esconder deles, assim como eu não sou.'

"'Eu já passei por isso.'

"'O que você quer dizer com isso?'

"'Quero dizer que não tenho medo dos seus amigos.'

Mais uma vez, Tosca fica em silêncio. Às vezes, mexe a boca como se estivesse ensaiando as próximas palavras. Não as diz para mim.

— *Nuruzzu*. Não é um nome comum, é? — sou eu quem quebra o silêncio.

— Não muito comum.

— Uma das mulheres da villa se chama Nuruzzu. Pelo menos, ouvi as outras mulheres a chamarem por esse nome.

— Sim, é Nuruzzu. — Tosca me olha então. Dá um sorriso retorcido. — Ela é *a* Nuruzzu. Nossa amizade vem de muito tempo. Veja bem, depois daquele dia no *caffè*, Nuruzzu ficou comigo durante sete anos. E de tempos em tempos, em determinados períodos, muitas das outras damas, da Maqueda e de outros bairros da cidade, também ficaram comigo.

"No início, ocupamos um andar em um prédio decadente não muito longe da Quattro Canti. Construímos uma vida, Nuruzzu e eu. Como noivas, montamos a casa. Compramos camas, colchões, sofás e uma mesa de jantar. Pagamos quatro homens para transportar um fogão a gás, que compramos em um ferro-velho na zona portuária. Panelas e frigideiras. Toalhas, lençóis e cobertores. Organizamos a nós mesmas como se fôssemos uma instituição. Nuruzzu tinha suas atribuições. Eu tinha as minhas. Entrevistávamos as mulheres que desejavam viver na casa. Pagávamos exames médicos para elas. Arquivávamos os resultados. Providenciávamos roupas limpas, embora usadas, acomodações e uma cópia dos regulamentos da casa, que incluíam dois banhos por dia. Ensinávamos a elas as tarefas de casa. Encontrávamos trabalho para a maioria. Se trabalhassem fora e continuassem a viver conosco, pagavam um dízimo. Visitas apenas nas tardes de domingo, sempre no *salone*, sempre acompanhadas. Algumas mulheres iam morar lá com seus filhos e suas mães, de gaiato. Eu cuidava deles. Das crianças e das velhas. Era como estar de volta ao *borghetto*. Montamos um jardim de infância para nossas crianças e o abrimos a outras, cujas mães não viviam conosco. Nada impressionante, você sabe.

"As pessoas se referiam às mulheres como *i virgineddi*. As virgenzinhas. Nosso apartamento era conhecido como A Casa das Virgenzinhas. O sarcasmo, no entanto, logo se transformou em uma espécie de admiração. Admiração pelo imenso alcance de nossas realizações. Quando nosso número aumentou, nós nos transferimos para um prédio que era todo nosso. O que Nuruzzu predissera aconteceu. Vivíamos ameaçadas e, mais de uma vez, quase fomos vítimas da execução dessas ameaças. Mas éramos duronas. O socorro nos veio de fontes inesperadas. De facções rebeladas dentro dos próprios clãs. Talvez nossa maior ajuda tenha sido nosso próprio fatalismo.

"Como nos divertimos com a extensão de nossa temeridade. Uma temeridade que, ao longo dos anos, granjeou uma espécie de fama subterrânea para a casa. Não como um refúgio para desvalidas, mas como um lugar repleto de pequenas maravilhas. A começar pela nossa própria sobrevivência, apesar do código de vingança implacável adotado pelo clã. Como nos salvamos? Por que fomos deixadas por nossa conta?"

Ela fixa seus grandes olhos felinos no horizonte distante.

— Espaços em branco nas alegorias — eu digo.

Ela confirma com a cabeça.

— Nunca falei com ninguém sobre minhas finanças. Eu barganhava nos mercados de forma draconiana e fazia uma careta cada vez que punha a mão nos bolsos, como se caranguejos vivessem dentro deles. Comprando em lojas de segunda mão tudo de que precisávamos, exceto comida, comecei a economizar da mesma forma que aprendi a fazer quando criança. Posso lhe dizer que era muito mais satisfatório inventar algum mingau saboroso, feito de sobras, do que assar um pernil todas as noites. Eu temia a intemperança, a indiferença do palácio. Veja bem, eu nunca deixei de querer viver no *borghetto*. Acho que, até hoje, nunca parei de tentar recriá-lo. Do modo como ficou depois da intervenção de Leo. A cuidadosa estimativa do pão de cada dia, em oposição aos banquetes diários. O equilíbrio. Lavar e limpar. A distribuição de roupas e sapatos. A garantia de um jantar. Isso é o que tínhamos na Casa das Virgenzinhas.

— Não é tão diferente da vida aqui — eu digo.

— Não, não tão diferente, embora aqui nós tenhamos mais. Mais espaço. Certamente, temos mais paz. Nunca entendi se foi algum incidente ou a passagem do tempo que despertou minha necessidade de regressar às montanhas. Eu poderia ter passado o resto da vida em Palermo. Era uma vida boa. Tornou-se uma vida boa. Acho que foi quando comecei a pensar em quanta coisa poderia ser feita aqui, com toda essa terra, todos esses quartos. Eu não sabia que parte de minha mente já estava trabalhando aqui na villa. Consertando, reestruturando, plantando e construindo. Cozinhando.

"Não disse muita coisa sobre minha partida aos meus senhorios, em Palermo. Deixei a administração do lugar nas mãos de uma pessoa em quem confiava. Veja você: um ano antes, Mafalda viera morar com Nuruzzu e eu na Casa das Virgenzinhas. Ela tinha nos visitado ao longo dos anos e nos observado; de vez em quando, vinha jantar conosco. Quando lhe falei sobre meus planos de retornar às montanhas, tive que falar sobre o pavilhão de caça, as terras e todo o resto. Quando disse que iria procurar alguém de confiança para administrar a casa de Palermo, ela apenas disse:

"'Eu faço isso.'

"E fez.

"Deixei alguns fundos para a administração da casa, assim como Leo deixou alguns fundos para seus lavradores, quando parcelou suas terras. Todos os mecanismos operacionais estavam no lugar. Dei boas-vindas a qualquer uma das *virgineddi* que quisesse vir comigo — para recomeçar a vida nas montanhas. Anunciei meus planos no jantar, certa noite. Disse que partiria na manhã seguinte. Sem uma palavra, Nuruzzu deixou a mesa, embalou suas coisas, abotoou o suéter, calçou o que pensava serem botas próprias para a vida no campo, amarrou um lenço sob o queixo e, preparada para a partida, sentou-se rigidamente no sofá para aguardar o nascer do sol. Somente ela veio comigo."

— Veio para cá com você?

— Sim, aqui. Viemos para este *lugar*. Nuruzzu e eu. Mafalda ficou em Palermo por mais três anos e depois se juntou a nós aqui. Mas, quando Nuruzzu e eu chegamos pela primeira vez, Lullo ainda vivia aqui. Lullo, o zelador, e Valentino, seu belo garoto ruivo, que crescera e, naquela época, tinha acabado de se casar. Os três viviam e trabalhavam juntos, na villa e nos campos. Embora lutassem sem tréguas contra o desgaste natural das coisas, seus esforços eram apenas um pequeno antídoto contra o tempo.

PARTE IV

Villa Donnafugata 1963

— CHEGAMOS ZIGUEZAGUEANDO PELAS COLINAS EM UM SOVADO CAMINHÃO azul, Nuruzzu, eu e nosso motorista, que era o proprietário do caminhão. Eu ia sentada à frente, junto com ele.

"Nuruzzu se acomodou na boleia do caminhão, entre as pilhas esparsas com nossos pertences. Era a primeira vez que ela viajava nesse tipo de veículo, desde que fora carregada de volta a Palermo durante suas fugas malogradas. Segurando sobre as coxas uma caixa com trinta *cannoli* feitos pelas beneditinas, cantava com voz estridente em meio ao ar das montanhas, que nunca havia respirado, nem jamais pensara em respirar.

"Não sei se eu tinha esperanças a respeito do quê ou de quem encontraria na villa. Só sabia que era o lugar certo para estar. Que se tornara o lugar certo.

"Enquanto o motorista chacoalhava pela longa estrada pedregosa, tirei do bolso do vestido a chave que repousara entre outras chaves em uma caixa de metal durante oito anos; o mesmo barbante amarelo ainda estava amarrado nela, identificando-a como a chave do pavilhão de caça. Um talismã. As portas estariam abertas.

"Os jardins acidentais floresciam, as rosas desabrochadas se espalhavam, os altos pinheiros oscilavam sob as rajadas quentes de uma brisa leve, e, como no dia em que vi aquilo pela primeira vez, não havia sinais de atividade humana. Fui me sentar no colo da magnólia.

"Estava lá, quando Lullo e duas descendentes dos cães de caça de Leo apareceram correndo, aos trancos e barrancos, vindos dos fundos da casa, alertados por Nuruzzu, que ainda cantava com voz estridente. Como se estivesse nos esperando, gritou um convencional *ben tornata a villa Donnafugata, signorina*, cumprimentou Nuruzzu e o motorista com a cabeça, e começou a carregar nossas coisas para dentro."

Observo Tosca, enquanto ela vasculha o fundo do mar, em busca de cacos perdidos. Contempla os jardins. Será que vê a si mesma sentada no colo da magnólia? Eu consigo vê-la ali.

— Assim como Lullo, começamos imediatamente a chamar o lugar de "a villa". Adoramos o nome *Donnafugata*. Adequado. Alegórico. Irônico. Somente nós duas saberíamos como era bom aquele nome. Apenas Nuruzzu e eu ficaríamos sabendo.

"Embora houvesse detritos em todos os cômodos, acho que fizemos pouca coisa naquele primeiro dia, ou nos primeiros dias, exceto nos banhar, comer e dormir. Lembro que Lullo acendeu o fogo quando Valentino e sua mulher voltaram dos campos, ao pôr do sol. A propósito, ela é a mulher que olhou você nos olhos naquele primeiro dia, quando você estava se esgueirando pela cozinha. Chama-se Annamaria. Havia uma necessidade não verbalizada de ficarmos, por um tempo, todas no mesmo lugar. Assim, empilhamos almofadas e roupa de cama mofada ao redor do fogo e nos banqueteamos com os *cannoli*. Acho que não comemos nada mais, nem antes nem depois. Bebemos chá e jogamos pedaços dos doces aos cachorros. Embora mal disséssemos alguma coisa, nós ríamos. Naquela noite, enquanto dormíamos, Lullo fez a ronda noturna. *La Tosca è tornata*.

"Quero explicar que Leo distribuíra, para alguns dos lavradores do *borghetto*, terras adjacentes à villa. Esses novos proprietários — assim como os que tinham recebido lotes próximos ao palácio — converteram anexos em moradias. Ou construíram suas casas, pedra por pedra. Cada agricultor vivia em sua própria terra. Cada agricultor trabalhava em sua própria terra. Além disso, cada um deles trabalhava, de um modo ou de outro, nas terras pertencentes à villa, antes improdutivas, que Leo deixara para mim. Em vez de retirarem para si parte das colheitas da villa, ou mesmo de uma parte dos lucros provenientes das plantações ao longo dos anos, os lavradores colocaram cada lira no banco. O próprio Lullo controlava a conta. A conta que tinham aberto em meu nome. O montante acumulado não chegava a ser descomunal; mas somado ao que eu tinha e ao que me era creditado mensalmente, era o suficiente. Com a ajuda dos agricultores,

Nuruzzu e eu começamos a colocar a villa em ordem. Depois de completarmos as melhorias internas e externas, começamos a trabalhar nos campos. Compramos equipamentos, construímos estradas, instalamos canos de irrigação, plantamos pomares e alargamos os campos produtivos, de modo que incluíssem lotes imensos de terra improdutiva. Uma vez mais, fizemos o que Leo fez. Você se lembra quando lhe disse que, depois que ele morreu, eu queria *ser* Leo? Para os lavradores, eu *era* ele."

— Lullo e os demais nunca deixaram de aguardar meu retorno. Para me dar as boas-vindas, vinham aos pares, ou em grupos. Alguns vinham sozinhos. Não havia muita coisa para se conversar com eles. Era como se tivéssemos estado juntos momentos antes. Traziam flores silvestres amarradas com cânhamo. Laranjas ainda com as ramagens. Jarras de vinho e rodas de queijo. Cordeiro refogado numa panela de ferro, amarrada em um pano branco. Certa tarde, uma das vizinhas juntou os ingredientes para um jantar em uma tina, que embrulhou e carregou na cabeça morro acima, desde o vilarejo. Ela trouxera comida bastante para vinte pessoas, e nós rimos com a profusão dos presentes. Pedimos a ela para ficar e convidar sua família para dividir a mesa conosco, e acho que foi assim que começamos a ficar juntos. Sem o peso de festejos ou luto sobre nós, nos sentamos todos juntos e me senti em casa. Me lembrei de como os lavradores tinham colocado vasos de flores silvestres em suas soleiras, quando o *borghetto* foi reconstruído pela primeira vez. De como aquelas flores simbolizavam o fato de que finalmente estavam *em casa*. Fiz a mesma coisa. Eu estava começando a estabelecer um círculo de relações, e gostava disso.

"Como eu fizera com as damas da Maqueda, em Palermo, fiz saber aos lavradores que se algum deles — doente ou saudável — quisesse se juntar a Nuruzzu, Lullo, Valentino, Annamaria e a mim, na villa, as portas estariam abertas, assim como para as respectivas famílias. Também informei os detalhes que acompanhariam tal decisão. Tal qual em Palermo, haveria regras, compromissos de trabalho. Tinha que haver.

"Eles não vieram correndo colina acima arrastando seus colchões. Ficaram perplexos. Timidez, creio eu. E aquele imutável sentido de correção feudal. Assim como jamais consentiriam em viver no mesmo lugar onde seu príncipe vivia, também se recusariam a viver no mesmo lugar onde eu vivia. Mais uma vez, para eles, eu *era* Leo. Mas também pesava o impulso dos anos que já tinham vivido como agricultores independentes. Morar comigo significaria um retrocesso. Retrocesso para o velho *borghetto*. Ou não? Será que preferiam viver separados? Não teriam nostalgia pela vida tribal? Mesmo que tivessem, talvez seus filhos ou os filhos de seus filhos não tivessem. A aproximação foi bem-vista em todas as partes. Mas nesses 32 anos, desde que vim para casa, os obstáculos da timidez e da correção feudal acabaram desmoronando. A saudade da tribo foi o que realmente imperou. E prosperando. *Almeno, finora*. Pelo menos, até agora."

Nostalgia pela tribo. Uma frase deliciosa, eu acho. E já sinto nostalgia por Tosca. Pelas horas que passamos sob a magnólia. Virando a última página de *Anna Karenina*, a cortina caindo e escondendo Pinkerton, que está chorando. Pequenas mortes. Ela está falando novamente.

— Eu disse: *pelo menos, até agora*. Essa é a história que eu queria lhe contar, Chou. Outra pessoa terá que escrever o final. Uma história sem final e com algumas peças faltando; mas, sem dúvida, é o que eu queria *tentar* lhe contar. Estou feliz por ter feito isso. Espero que minha prolixidade tenha compensado você, de alguma forma, pelo silêncio impiedoso com que meus conterrâneos a receberam algumas semanas atrás. Como minha rudeza é tão sincera quanto minha gentileza, eu poderia ter feito como eles. Sinto-me bem não sabendo por que não fiz isso. Cansei você durante esses últimos dias? Ou você se acostumou tanto a ser ouvinte que...

— Não, não estou cansada de modo algum. Só acho que todos nós morremos um pouco quando alguma coisa boa acaba. Alguma coisa bela. Muito mais quando uma coisa bela acaba do que quando alguma coisa dolorosa acaba.

— Mas é aí que está a essência, não é? Como cada um de nós distingue os dois sentimentos. O que dizemos que é belo do que dizemos que é penoso. Acho que, muitas vezes, são absolutamente a mesma coisa. A verdade é que morremos um pouco com as duas coisas. É assim que o nosso tempo passa.

Permaneço em silêncio e ela também. Até que ela diz:

— Você vai encontrar o vestido que Ágata consertou para você em seu quarto. Teremos convidados para o jantar esta noite. Velhos amigos que cresceram nas montanhas, mas que vivem em Palermo hoje. E um ou dois que vivem aqui perto.

— Fernando lhe disse que nós vamos embora amanhã? Para Noto, eu acho.

Nenhuma resposta. Nem mesmo um aceno de cabeça.

— *Aperitivi* às nove horas no *salone francese*. É um aposento que acho que você ainda não viu e a luz é maravilhosa lá, nessa hora. Eu sei que você ama a luz. Já são quase oito. Já deveríamos estar nos arrumando, não acha?

Nos levantamos, recolhemos os copos e os jarros, e os colocamos no carrinho junto com algumas outras coisas a serem levadas para a cozinha. Vou à frente dela.

O vestido de tafetá marrom-prateado, reencarnado, está arrumado em nossa cama, apertado na altura da cintura, com a saia espalhada como em uma vitrine. Sem me olhar no espelho, seguro o vestido contra mim. Teria sido de Tosca? Ou de Simona, ou de alguma das princesas? Imaginando as noites, na época em que o vestido era novo, quando os sonhos daquelas mulheres eram ainda tenros, como eram os meus, aperto o vestido contra meu peito por um longo tempo. Fecho os olhos e o aperto contra o peito até encontrar Tosca, usando o vestido de organdi e descalça, voando sobre os frios degraus do palácio para encontrar seu príncipe; Simona, com seu cabelo curto, frisado em ondas, usando o vestido cinzento bordado com contas; Charlotte e Yolande, de meias brancas enfeitadas com borboletas; e a garota com pele de pêssego rodopiando sob o luar. Encontro as mulheres camponesas em seus aventais de algodão, caminhando sobre as pedras, com jarras de vinho sobre a cabeça e bebês amarrados no peito; as damas da Maqueda, com os penteados elaborados, arrastando mesas e cadeiras na penumbra do bar, sob o barulho dos ventiladores; e Nuruzzu sentada no sofá, com o suéter abotoado e um lenço amarrado na cabeça. As viúvas também em Tosca e Flaubert, e na pétala de rosa entre os lábios, desço as escadas para procurar o *salone francese*.

Paro diante das altas portas douradas e lascadas, abertas apenas parcialmente. O sol poente joga um tom rosado na sala e bronzeia os perfis de um pequeno grupo de homens e mulheres distribuídos em diversos pequenos sofás e *chaise longues*, por cima dos quais estão jogados metros de brocado gasto que um dia pode ter sido azul; como se a tarefa de forrá-los tivesse sido abandonada há muito tempo. Homens e mulheres seguram taças de desenho antigo e falam em voz terna. Os raios de luz rosada desaparecem, enquanto fico parada na entrada; agora, as pessoas e a sala, com piso de pedra e paredes forradas de seda azul, estão iluminadas apenas pelas chamas bruxuleantes das velas amontoadas nas mesas, nos consolos e aparadores. Cósimo me avista quando entro e vem me receber de braços abertos.

— *La Chou-Chou. Buona sera.*

Acompanhada e apresentada ao grupo, imediatamente começo a desejar ter permanecido em meus devaneios, sob o branco iridescente. Aqui no *salone francese* sou uma velha rainha de baile que por acaso surgiu na santidade de uma reunião de cúpula da Armani. Todos estão sobriamente vestidos de preto. Não a tonalidade usada pelas viúvas, mas um tom chique. Com as bainhas repousando sobre sapatos de couro de crocodilo, calças de seda vincadas drapejam ao longo das pernas dos homens. Mais seda preta em camisetas ou camisas abertas no pescoço, longos casacos de ombreiras largas. Incluindo Cósimo — que está vestido como todos estão —, há quatro deles. Duas mulheres vestem jaquetas curtas, pretas, cortadas com a precisão e a inflexibilidade de uma armadura. Babados se armam a partir de finas cinturas e pairam sobre *derrières* sem tônus, cobertos por saias em forma de tulipa até os joelhos. Pernas ossudas bronzeadas pelo sol e pés finos equilibram-se em saltos adornados de joias. Tosca usa um de seus vestidos pretos e uma túnica de *chiffon* que a recobre quase até a esmeralda, revelando a pele sarracena, cor de amêndoa tostada, de seus ombros e suas costas. Eu sou a única falha nesse friso vivo; e apesar de querer ir embora dali, aceito a taça de vinho espumante que me é oferecida para beber à saúde de todos. Todos bebem à minha saúde. Não consigo me lembrar de nenhum de seus nomes e pergunto a mim mesma se tornarei a ver o veneziano. Pergunto-me quem são essas pessoas. Pergunto-me por que Tosca não me emprestou um vestido preto.

Um dos homens, talvez o mais velho do grupo, talvez percebendo meu desconforto, elogia meu vestido.

— Você já não teve um vestido dessa mesma cor maravilhosa, Tosca? — ele pergunta, enquanto sorri para mim.

— Acho que sim — ela responde. E então se dirige a mim. — Como lhe disse, Chou, todos nós nos conhecemos há séculos. O que um não se lembra, o outro está sempre pronto a lembrar.

Esquecendo os tormentos de velha rainha do baile, olho para Cósimo, penso em como comecei a gostar dele. Eu também poderia gostar do Armani mais velho, cuja postura e maneiras, vistas de perto, são menos estudadas que as dos outros. Quando somos chamados ao salão de refeições, no entanto, é outro dos Armani que curva o braço e me faz um gesto com a cabeça:

— *Con piacere, signora.*

Ele me diz que se chama Icilio. Sento-me entre ele e Cósimo, que está conversando animadamente com uma das mulheres de babado. À minha frente, senta-se Carlotta e, ao lado dela, está a cadeira vazia de Fernando. Elias,* onde estás? Tosca está sentada à frente de Icilio e, por um instante, espero que seja para ela, e não para mim, que ele esteja dirigindo as alocuções que começou a fazer com voz anasalada no caminho para o salão. Enquanto isso, me distraio com o jantar.

Grandes pratos de cerâmica, com *sarde a beccafico*, sardinhas frescas recheadas com migalhas de pão frito, alho, pinhões e passas, e assadas com folhas de louro e azeite. Há bandejas de *panelle* e bolinhos de grão-de-bico fritos; grandes terrinas de metal com azeitonas pretas fumegantes, assadas com limão e alho; e *maccu*, uma pasta feita com favas frescas refogadas em azeite e funcho silvestre, untada em pão assado na brasa. *Fangottu*, monumentais tigelas de porcelana branca, estão cheias de macarrão com molho de tomates crus amassados, azeite e lascas de pecorino, ainda muito novo para ser ralado. É sábado e Furio está à

* Profeta do Antigo Testamento, para quem os judeus, ao celebrar a festa de *Pessach* com um jantar, ou *Seder*, sempre deixam um lugar vazio na mesa. (N. do E.)

estão lá, cantando com voz estridente e lavando seus cabelos na fonte; lá também está Isotta em uma camisola de cetim, bebericando conhaque, negociando com a morte. Há outra figura em meu desfile. É muito pequena. Quase tudo que consigo ver são seus olhos, grandes, escuros e sombrios. Fartos cachos de cabelo quase ocultam o restante de seu rosto, mas acho que ela é eu. Creio que todas elas são eu. Creio que todas somos a mesma pessoa.

Eu não tinha percebido o bilhete que Fernando deixara na mesa de cabeceira. Ele diz que esteve no quarto para tomar banho e trocar de roupa; então partiu para Enna em alguma missão, juntamente com Valentino; podem chegar um pouco atrasados, mas eu devo prosseguir sem ele. Vamos nos encontrar no *salone francese*, escreve ele.

Tiro a roupa, despejo na banheira todos os perfumes, óleos e sabonetes, e abro as torneiras no máximo esperando os escassos filetes que normalmente caem delas. Nesta noite, a água jorra rápida e quente, sobre néroli, limão e lavanda, reunindo esses aromas em uma espuma branca. Eu me esfrego e penso em como gostaria de ter conhecido o príncipe.

Já passou das nove horas, quando visto o vestido marrom-prateado. Como se tivesse sido feito para mim. Esse é o caimento, essa é a sensação. Ágata cortou fora as mangas compridas, assim como o colarinho duro levantado. No antes sóbrio corpete, cavou um decote em forma de coração, ancorando-o com finas tiras pregueadas. O que ela tirou do comprimento da saia é agora uma larga faixa para enrolar em torno da cintura. Entrelaço as tiras de cetim de minhas sandálias. Uma sombra de *kohl* para os olhos, uma corzinha de batom Verushka para a boca. Não há tempo de arrumar o cabelo, ainda úmido do banho. Prendo-o com um nó frouxo e o deixo cair sobre um dos ombros. Não tenho bolsa para a noite, nem pérolas. Corto curtos os talos espinhosos de duas rosas bege, enrolo-os em um pequeno tecido de tule rendado, que está sob um vaso, e enfio o ramalhete entre meus seios. Pensando mesa, orquestrando a distribuição de seus pães de dois quilos, polvilhados com gergelim, cuja massa recebeu entalhes feitos com perícia, de modo que os pães, depois de assados, transformaram-se em imensas coroas douradas. Há cordeiro guisado com cogumelos da montanha e ervas silvestres. Linguiças e batatinhas foram enroladas em *pancetta*, espetadas em varetas encharcadas de vinho e grelhadas em ramos de videira. Estão empilhadas em tábuas de madeira, carregadas ao redor da mesa. Ainda nada de Elias. Pergunto a Tosca se ela não está preocupada por Fernando e Valentino não terem chegado até o momento.

— De forma alguma — ela diz. — Quando Valentino vai até a cidade, faz serviços para todos os que não podem ir pessoalmente. A viagem sempre demora um pouco.

— Mas já passa das onze horas e tudo está fechado há horas.

— As entregas — ela diz. — Ele tem que parar em cinco, seis ou mais lugares para trazer o que foi encomendado. Café. Grapa. Mexericos. Uma partida de *briscola.*

— *La signora* está sentindo falta do marido. Isso é lindo. — É Icilio quem põe sua mão grande, suave e marrom sobre a minha. Para me confortar.

— Não, não é que eu sinta tanto a falta dele; o que eu queria é que ele estivesse aqui.

— Há alguma diferença?

— Esta é nossa última noite na villa. Só isso.

Icilio se inclina para perto de mim e me observa, enquanto tento retirar as linguiças e as batatas do espeto. Largando a faca e o garfo, viro-me e olho para ele. É a deixa que ele estava esperando. Em voz baixa, mas em tom grandiloquente, diz-me que a vida é *un armonia di amore, dovere e tradimento*. Uma harmonia de amor, dever e traição. Diz que cada uma das coisas é essencial para a outra. Nenhuma delas pode sobreviver sozinha. Quaisquer duas delas não podem sobreviver sem a terceira.

Faz uma pausa. Um gole de vinho. Enquanto olho para ele, penso que já tenho que me preocupar com o complexo de velha rainha do baile e com as drogas das linguiças, que estão soldadas no espeto, e ele ainda vem me provocar com essa conversa sobre traição, harmonia e a substância do verdadeiro amor.

— Você está dizendo que, em vez de vir jantar esta noite, meu marido está me traindo por aí?

— Se ele não a está traindo esta noite, ele só precisa fazer isso amanhã de manhã, a menos, claro, que já a tenha traído ontem. O amor não é o amor sem o dever e a traição.

— Entendo. Tudo isso junto faz a harmonia.

— Excelente. Você entendeu. — Ele saboreia o vinho. Pega seu espeto e, diretamente, com jeito, morde a linguiça e a batata. Dá umas batidinhas nos lábios com o guardanapo. — Claro que isso se aplica a você também.

Dou uma risada, talvez de forma um tanto entusiástica, já que uma das mulheres de preto, com os cabelos pintados de louro, vira a cabeça na minha direção com uma expressão que parece de consternação. Acho que esse Icilio está dizendo que meu amor por Fernando não será harmonioso a menos que eu o traia. Que é meu *dever* traí-lo se eu o amo. Sim, acho que é isso que ele está dizendo. Penso também que essa é, de longe, a mais brilhante conversa de sedução que já ouvi em minha vida. Digo isso a ele. Ele me agradece. Torna a encher minha taça. Devora a carne suculenta e chamuscada de mais um espeto. Diz-me como são atraentes as rosas enfiadas em meu vestido.

— Os sicilianos vivem em um mundo *sub-rosa*,* como você sabe. Sob a rosa. O mundo implícito. O gesto dissimulado. Vou lhe mostrar outro significado de *sub-rosa*. Uma garota chamada Rosália é nossa santa. Nós estamos *sob a proteção de Rosália*. Confiamos nosso destino a uma eremita virgem e, se ela não for esperta o bastante para nos salvar, sempre poderemos recorrer à nossa deusa agricultora. Você já ouviu falar da nossa Deméter?

— Já.

— Ótimo. Então sabe que nós, sicilianos, principalmente os homens sicilianos, acreditamos no poder das mulheres bonitas.

— Suponho que sim.

— Píndaro nos chamou de homens temerários, apaixonados pela guerra. Embora eu goste do som da frase, ele estava enganado, *signora*. Píndaro estava enganado. Ou talvez estivesse semicorreto. Nós somos

---

* *Sub-rosa* em latim significa "secreto, confidencial", o que compõe, com o texto seguinte, um trocadilho intraduzível. (N. do T.)

os filhinhos da mamãe, caseiros, eloquentes, maquiavélicos. Tudo o que aprendemos, aprendemos com as mulheres.

— Uma cultura que adora deusas.

— Muito mais do que isso, *signora*. Muito mais do que isso. Todos os sicilianos pensam que *são deuses*. Nós, sicilianos rurais, sabemos que somos. Descendemos de Hera, Zeus, Poseidon e o próprio Hades, uma família não muito unida, na qual não faltam personagens amedrontadores. Entendemos e aceitamos como traços inatos nossa sabedoria, cobiça e incapacidade. Hereditariedade. Os deuses viveram exatamente aqui onde vivemos. Construíram templos, adoraram uns aos outros e a si mesmos, destruíram, assassinaram, amaram, promoveram banquetes, trapacearam, estupraram as esposas uns dos outros, roubaram os filhos uns dos outros, cercaram-se de beleza. Dormiram em leitos cobertos de flores e beberam vinho em taças de alabastro. Exceto por isso, os leitos com flores e as taças de alabastro, todos nós, que viemos depois deles, temos vivido e ainda vivemos versões das mesmas vidas vividas por eles. Como você sem dúvida notou, o passado aqui não morreu. E quase não dorme. É por isso que não estamos muito interessados em mudanças e nem um pouco interessados em mudar a nós mesmos. Já somos perfeitos do mesmo modo imperfeito que os deuses eram perfeitos — diz ele, enquanto pratos de gelatina de melancia são colocados sobre a mesa, ao lado de bandejas com pequenas tortas de pêssego.

Elias ainda não chegou. Distraída com azeitonas fumegantes e meus discretos olhares para Furio — que somente Icilio notou —, linguiças no espeto, Armanis, *sub-rosa*, sabedoria, cobiça, assassinatos, trapaças e taças de alabastro, eu mal tivera tempo para pensar em Fernando. Todos estão saindo para os jardins.

Tosca vem me sussurrar que Fernando está em nossos aposentos. Diz que ele deixou um recado na cozinha, pedindo que me avisassem de que ele estava cansado. Que ia descansar e esperar por mim. Que eu não precisava me apressar. Peço licença e subo para encontrá-lo.

Fernando está dormindo totalmente vestido. Um *canarino*, uma infusão de cascas de limão em uma xícara de água, ainda quente, está na mesinha de cabeceira. Sento-me ao lado dele e toco em sua testa. O agricultor veneziano, enfim, está exausto, depois de quase um mês nos pomares e nas plantações. As mãos de banqueiro se tornaram ásperas e a pele branca ficou com um bronzeado escuro; ele trabalhou e, suponho, divertiu-se como nunca antes. Ele se mexe e murmura alguma coisa sobre grapa e Valentino. Compreendo que ele pretende acalmar o estômago com a tisana de limão.

— Vou descer para dizer boa-noite. Já volto.

Ele fica sentado.

— Acho que devemos partir esta noite.

— Mas você está tão cansado. Uma boa noite de sono e podemos ir embora.

— Não. Eu prefiro dirigir no escuro a dirigir à luz do dia. Vou me levantar e colocar as últimas coisas nas malas. Vamos dar o fora.

— Você está triste por ir embora. É isso?

— Não é tristeza. Não sei o que é, mas não é tristeza. Eu nunca senti saudade de casa, mas acho que é o que estou sentindo. É como quando você diz que se sente *agridoce*. Nunca entendi realmente o que você queria dizer, mas acho que agora entendo.

— Agridoce. A vida tocada nas claves menores. Pequenas afirmações de beleza. — Acaricio seu rosto. — Você vai me trair amanhã de manhã ou já me traiu esta noite?

— O quê?

— Já volto.

Quando retorno ao jardim, todas as tochas e velas foram consumidas. Os criados se recolheram. Até os Armanis estão começando a voltar a Palermo, ou se alojaram na villa. Não, Icilio ainda está aqui. Sentado com Tosca perto da magnólia. Ainda não fui vista, devo me esgueirar para longe? Desejo-lhes boa-noite? Se formos embora esta noite, não a verei mais. Icilio risca um fósforo e, quando este acende, digo:

— *Buonanotte, Tosca. Signor Icilio. Volevo solo dirvi buonanotte.*

Icilo acende um cigarro e, ainda conversando, ambos se levantam e caminham em minha direção.

— Eu estava esperando por você; nós estávamos esperando por você — diz Tosca. — Fernando está se sentindo melhor?

— Sim, acho que sim. Vou voltar para perto dele, agora.

— Eu também estou subindo. Mas não consigo persuadir Icilio a passar a noite aqui.

— Quando consigo arranjar as coisas, sempre prefiro passar os domingos em Palermo.

— Ah, o *signore* Icilio sente falta de alguém. Isso não é lindo?

Tosca parece intrigada. Três beijos para Icilio. E um para mim, pela primeira vez. Com a mão em meu rosto, diz:

— Você foi bem-vinda quando chegou e é amada enquanto nos deixa.

Vai embora. Fico parada com Icilio e a observamos até ela chegar à porta. Ainda estou olhando na direção de Tosca, quando, com os lábios, Icilio roça de leve meu rosto, que ainda conserva o calor da mão de Tosca. Começa a se afastar. Já estou quase na porta quando ele para, quando ele me chama com um sussurro audível:

— *Signora, signora.*

Viro-me e encosto na porta.

— Em outra época, eu também teria amado você. Eu a teria amado muito.

Subo as escadas para ir ao encontro de Fernando, pensando sobre a teoria de Icilio. Pensando sobre a traição e o dever. Pensando sobre o amor.

Fernando fez as malas, escreveu um bilhete para Tosca, um para Valentino e um para Ágata. Troco o vestido marrom-prateado por jeans e botas. Uma camisa limpa. Estou dobrando o vestido, arrumando-o em minha mala, quando Fernando diz:

— Venha cá. Fique comigo um pouco antes que a gente vá.

Deitamo-nos na cama, face a face, e falamos um pouco sobre a estrada. Demora alguns minutos para percebermos que não queremos ir para Noto. Ou para qualquer outro lugar da Sicília, a propósito. Queremos ir para casa. Para Veneza, pelo caminho mais rápido. Cada um aliviado, ao perceber que o outro concorda. Conferimos os horários da barca. Quando o dia amanhecer, já poderemos ter percorrido metade da costa da Calábria. Chegaremos a Veneza para um jantar tardio.

Carregamos nossas coisas para baixo e fico esperando no jardim enquanto Fernando vai buscar o carro, estacionado próximo aos distantes portões da villa desde que chegamos. Sento-me na forquilha da magnólia. Quando escuto Fernando se aproximar do pequeno pátio de cascalho, no outro lado da villa, começo a arrastar as malas pelo jardim, para chegar até lá. Ele chega para me ajudar e, em poucos momentos, tudo está arrumado. Eu nunca tinha visto esse lado da villa, então dou uma olhada em volta. Olho para cima e avisto uma grande *loggia* que ocupa todo o comprimento da parede, com as mesmas colunas de mármore vermelho que percorrem a *loggia* do andar térreo. É grande o bastante para abrigar dez casais dançando uma valsa. Ou apenas um. Ou uma cama envolta em cortinas opalescentes, com uma pesada bainha de cetim. Fernando deu partida no motor. Entro e fecho a porta, sem barulho. Enquanto ele manobra o carro, para que fique na direção da estrada, olho para a *loggia*. Vejo um rosto na janela superior, emoldurada por um arco gótico. Uma silhueta. Uma sombra. Vejo duas sombras.

EPÍLOGO

MARÇO DE 2000
Uma carta de Tosca

LUI È MORTO. ELE ESTÁ MORTO. FAZ UM MÊS E TRÊS DIAS QUE LEO MORREU. Sim, você está lendo corretamente. Eu disse *que Leo morreu.* Leo, com quem vivi esses últimos anos, desde sua "ressurreição". Seu reaparecimento. Imagino sua perplexidade. Ouço você perguntando: *mas por que você não me disse?* Ou talvez: *por que você me enganou?*

Eu poderia responder dizendo: *sou siciliana.* Diria a você que o mistério, e mesmo a duplicidade, são minhas heranças. Que o *chiaroscuro* é uma forma de narrativa. Poderia dizer que nem sempre o silêncio tem o objetivo de esconder, mas às vezes serve para encobrir, para manter a salvo. Ou poderia argumentar que os pecados da omissão não são, de modo algum, pecados. Aliás, qual mulher digna de sua feminilidade já revelou toda a sua história? Não você, com certeza, minha querida amiga. Como fazem os deuses, nós nos revelamos — se alguma vez nos revelamos — para aqueles a quem escolhemos e no momento que escolhemos.

Era 1968, cinco anos depois que retornei de Palermo com Nuruzzu para me estabelecer na villa, quando Leo chegou, certa manhã, ziguezagueando pela estrada de cascalho. Abrindo a porta do velho Rover, com o motor ainda ligado, revelou-se de trás do volante e ficou lá de pé, sorrindo para Ágata e para as mulheres no jardim, levando um dos dedos aos lábios para silenciá-las. Entrou em casa, apurou os ouvidos e foi até a porta do *salone francese*, onde eu ainda estava tentando tocar Saint-Saëns. Um espectro alto e magro, necessitando muito de um barbeiro e de um bom banho. Ele estava usando as mesmas calças de montaria e botas de equitação que usava na última noite em que o vi. E eu estava usando seu velho casaco de camurça. As primeiras palavras que o ouvi dizer em 14 anos foram: *É um cisne, Tosca. A música foi composta para dar a impressão de ser um cisne. Não há qualquer indicação de que um elefante esteja se aproximando.* Piano. Piano, amore mio.

Não precisa gritar, Chou. Posso ouvir você perguntando: *por quê? Por que ele lhe deixou sofrer durante todo esse tempo? Por que ele não lhe disse que estava bem?* A verdade é que, naquele momento, eu não tinha muita necessidade de *porquês* e *comos*. Após um grande estupor, houve um barulho em minha cabeça, como um carro de bois andando em uma rua de pedras; depois disso, ao vê-lo em pé na entrada, um imenso, sublime reconhecimento. Minha única necessidade era continuar a olhar para ele e correr em sua direção, não muito diferente daquela noite, quando eu tinha 15 anos. Desta vez, no entanto, ele me tomou em seus braços e me esmagou contra o peito. Desta vez, foi ele quem iniciou a série de beijos. Meu rosto, meus cabelos e minha boca. Então me girou e girou, suas mãos me agarrando sob os braços, até que eu não podia dizer se estava vendo o final de algum sonho ou se o sonho estava apenas começando. Nós rimos, demos gritos de louvor aos deuses, mas não falamos, as palavras eram meros ruídos em tempos de pura alegria. Ainda sem dizer muita coisa, tomei o príncipe pela mão, andei com ele pela villa, e lhe mostrei, mais do que lhe contei, o que fizéramos juntos. Enquanto andávamos, encontramos todas aquelas pessoas de nosso passado — a querida Ágata, o pequeno e ruivo Valentino, que crescera para se tornar um homem tão bom; Olga, com a pele de pêssego; Cosettina, que ficou se benzendo e tocando o rosto de Leo, como se fosse o rosto de são Francisco. Cósimo chegou correndo de onde quer que estivesse, com a habitual agitação, e os dois velhos amigos se abraçaram por tanto tempo que finalmente tivemos que separá-los. Quando chegamos às cozinhas, todas as viúvas — mesmo as que Leo nunca tinha visto — emitiram uma insuportável cacofonia de gritos estridentes, uivos, cantos e orações. A Pequena Mafalda estava entre elas. Permanecera à parte das outras, que correram para cercar Leo em um círculo de admiração. Mas ele a viu, soube instantaneamente quem era e foi até ela. Levantou-a em seus braços como fizera quando ela tinha 6 anos.

Há outra mulher bonita esperando para lhe dar as boas-vindas, Leo, disse-lhe então. Embriagado de emoção, com todo mundo nos seguindo, ele me deixou puxá-lo através do jardim. Paramos do lado de fora da padaria. Com o rosto enfarinhado como uma gueixa, Carlotta e duas outras mulheres estavam retirando com pás a segunda fornada e despejando os pães em cestos próprios para esfriar. Acho que Leo assistiu à cena mais do que prestou atenção nas pessoas, pois apenas ficou parado, sorrindo. Então Carlotta sussurrou: *papà*. Disse isso mais alto e finalmente correu para ele, gritando *papà, papà!*

Devo lhe confessar agora outro pecado de omissão. Carlotta é o nome italiano de Charlotte. No caso dela, princesa Charlotte. Quando ela veio ficar conosco, depois que regressei de Palermo, pediu que a chamássemos pelo nome italiano. Por que eu nunca lhe disse que ela era a filha de Leo? Você agora sabe a resposta. Sou siciliana. Ela também é siciliana. Mas posso lhe dizer, Chou, que mesmo depois de todos esses anos, ainda consigo ouvir Carlotta gritando *papà*. Uma situação em que as palavras não eram meros ruídos em tempos de pura alegria.

Antes mesmo que eu estivesse pronta para fazer perguntas, Leo começou a juntar as peças para mim. Durante dias e semanas, ele dosou cuidadosamente os acontecimentos, tentando ter certeza de que eu entendera uma parte antes de passar à seguinte. Eu estava com medo de chegar a esse ponto em minha carta para você, pois as complicações do que ele me contou — na época e nos anos seguintes —, assim como as complicações adicionais do que Cósimo me contou, são enormes e tortuosas. Até hoje, há ocasiões em que me perco na história. Devo, no entanto, guiá-la através dela. Ou, simplesmente, terminar minha carta aqui. O que posso muito bem fazer. Mas primeiro vou tentar reconstruir a história de Leo.

Leo me disse que foi Cósimo quem o salvou. Salvou-o de si mesmo e, então, salvou-o do clã. Veja bem, Leo tinha chegado à conclusão desesperada de que deveria se entregar a eles. Apresentar-se ao mesmo homem, o tal Mattia, que viera cochichar ameaças em seu ouvido, naquela noite em que fora intimado a se encontrar com o clã. Leo decidira fazer isso, mesmo sem ter recebido nenhum recado, nem sofrido nenhuma ação mal-intencionda do clã durante os três anos que se seguiram àquela noite. Ele não fora perturbado, senão por sua própria mente fértil. O medo, porém, desgastou-o até uma espécie de loucura. Leo decidiu lembrar Mattia de sua promessa.

Leo sabia que Simona e as princesas estavam a salvo, pois não se identificavam com ele. O que o torturava, dia e noite, era que eu, os lavradores ou Cósimo pudéssemos sofrer algum tipo de ferimento. Embora eu ache que você não fará isso, você poderá me perguntar por que ele, simplesmente, não encerrou suas atividades, ou continuou a ajudar os lavradores de forma menos visível, menos antagonística. A viver sua vida sossegado ao meu lado. A história teria que ser sobre outro homem. *Todos nós somos infinitamente quem somos.*

Nessa época, Leo já quase concluíra as disposições legais para a partilha das terras, preparando os canais por onde os agricultores poderiam vender suas colheitas, abrindo contas bancárias para eles, autorizando saques semestrais, caso precisassem de fundos para suplementar as primeiras experiências com lucros e perdas. Ele pensara em tudo. Fez seus arranjos para mim e para Cósimo. Com tudo no lugar, sua missão no mundo seria concluída, e ele estava pronto para pagar por suas ações, como Mattia prometera que ele pagaria. Colocando de forma simples, Leo disse a Cósimo que não mais esperaria que o clã viesse até ele, e sim, ele iria até o clã. O príncipe não queria mais viver pendurado à beira do poço.

Leo informou a Cósimo o dia em que planejara ir a Palermo para encontrar o tal Mattia. Ditou seus últimos desejos, instruções, avisos. Deixou em poder de Cósimo caixas de metal fechadas, com as respectivas chaves. Transferiu e consolidou, em uma única custódia, os fundos, as ações e as joias que estavam depositados em diversos bancos. Estava pronto. Nesse meio-tempo, Cósimo chegara à sua própria e desesperada conclusão. Enquanto escrevo isso, começo a pensar em Isotta. Na mãe de Leo e em como ela preparou seus negócios e a si mesma para a morte.

Antes da viagem de Leo a Palermo, o próprio Cósimo telefonou a Mattia. Desconfio de que o homem deve ter ficado intrigado com o pedido de audiência feito por Cósimo, que, entretanto, foi facilmente concedido. Sem nenhum sinal dos guarda-costas, que Cósimo achou que estariam presentes, Mattia se encontrou sozinho com o padre, em uma sala cheia de lilases, ao som de Callas cantando *La Traviata*. Embora nenhum deles pudesse estar à vontade, desempenharam o papel de velhos amigos, beberam café e uísque, e fumaram os charutos toscanos baratos que Mattia apreciava.

Como teria que fazer, o padre deu a primeira rajada. Perguntou a Mattia por que ele ainda não dera cabo de Leo. Por que o deixara em paz durante os últimos três anos.

A Igreja passou a exigir confissões? Outra aberração de Roma?

Primeiro ponto, para Mattia. Cósimo prosseguiu. Disse a Mattia que o trabalho de Leo estava quase concluído. Cósimo começou a oferecer detalhes da partilha, mas Mattia abanou a mão como que para dizer, *Eu sei disso. Sei de tudo isso*. Cósimo então perguntou a Mattia por que tinha permitido que Leo continuasse com seus projetos, que o clã considerava tão afrontosos.

Mattia respondeu:

Sendo homens de honra, tivemos nossas discussões a respeito de seu príncipe, dom Cósimo. Fazer dele um mártir poderia ter causado mais prejuízos do que a execução de seus "projetos", como você os chama.

Mattia disse a Cósimo que achava que o dilema do clã sobre como "dispor" do príncipe poderia ter infligido a ele uma punição muito maior do que a bala no coração que o príncipe esperava havia tanto tempo. Cósimo sabia que a sinistra relutância do clã em cumprir a palavra tivera, realmente, um efeito brutal sobre Leo. Então disse:

Acho que está na hora de matá-lo, signor Mattia.

Fingindo tranquilidade, Mattia olhou para Cósimo. Perguntou-lhe se tinha pensado em como e onde eles poderiam dar um fim no príncipe.

Una lupara bianca, signor Mattia. Quando ele estiver andando pelo campo para ir ao borghetto. *Há grupos de pinheiros. Faias.*

Uma declaração bem-feita e com o sangue-frio adequado, dom Cósimo. Devo entender que você se juntou a nós em nossa insatisfação com o príncipe? Será que perdi alguma coisa, algum desentendimento entre vocês dois? Isso iria me deixar desolado. Quer dizer, estar mal informado me deixaria desolado. Mas sim, sim, a cor branca para um príncipe. Sim, isso é bom. Mas diga-me, dom Cósimo, o que exatamente você ganharia com o súbito fim do príncipe? É a puttanina *que você quer? Ela é linda, eu reconheço. Mas achei que você já se aproveitava dela desde que ela era criança. Desculpe-me se o ofendo. Não me importo de lhe dizer que eu mesmo pensei em pegá-la para mim. Talvez nós possamos partilhá-la, dom Cósimo. Depois que o príncipe não estiver mais aqui, o que você diz de partilharmos a* puttanina*?*

Cósimo sabia que o objetivo do discurso de Mattia era deixá-lo mortificado, enraivecido. Tirá-lo de seu jogo. Cósimo manteve o curso e foi Mattia quem ficou desarmado. Cósimo disse:

Eu vou chegar aos motivos para essa lupara bianca*; mas primeiramente, signor Mattia, poderia me dizer, por favor, o que vocês teriam a ganhar com a morte do príncipe Leo?*

A vendeta não é um conceito intelectual, dom Cósimo. Nós, meus irmãos e eu, ganharemos essa forma particular de paz de espírito que sente um homem de honra quando mantém a palavra. O próprio Leo disse isso naquela noite. Você não se lembra? Vocês devem fazer o que acham melhor e eu também devo, disse ele. Leo cumpriu sua palavra. Nós cumpriremos a nossa.

Que tal você manter a sua palavra e punir Leo, mas de um modo que fosse, como você disse há pouco, "uma punição muito maior do que a bala no coração que ele espera"?

Cósimo contou a Leo que Mattia demonstrou abertamente sua agitação. Disse que ele ficou levantando e recolocando no lugar o receptor do telefone que estava na mesa entre eles.

Cósimo, somos ambos homens ocupados. Agradeço a sua visita. Antes de partir, deixe-me lhe garantir que darei a devida consideração às suas... às suas palavras.

Cósimo disse que Mattia se levantou e lhe ofereceu a mão, mas que ele, Cósimo, permaneceu sentado e disse:

Por favor, signor Mattia, eu ainda não respondi à sua pergunta. Você queria saber o que eu iria ganhar com o desaparecimento do príncipe. Acho que foi isso o que você disse. O desaparecimento que eu pretendo — a lupara bianca *de que falei — não precisa significar sua morte. Pode significar sua remoção, seu exílio, o fim de todas as suas liberdades. Outro tipo de morte. Não precisa significar a morte física. Você, como homem de honra, vai salvar sua honra, vai manter a sua promessa de punir Leo. Puni-lo ainda mais do que suas ameaças e seus silêncios já o puniram. O príncipe não é seu inimigo. Ele não tirou nada de você; não incitou qualquer rebelião; não reuniu ninguém para atacá-lo; não quer o que você tem; não quer poder nem influência; quer somente ajudar meia centena de homens, mulheres e crianças que estavam com fome. O príncipe também é um homem de honra, signor Mattia.*

Mattia não disse nada. Como em transe, fechou os olhos. O único som no aposento era a voz de Callas.

Cósimo falou novamente.

Ele se importa muito pouco com a própria vida. Talvez algum dia você saiba quão pouco. Mas eu me importo com a vida dele. Não para partilhar dela com ele, não para estar na presença dele, mas para saber que um homem como ele ainda anda sobre esta nossa pobre terra, embora de forma restrita. Essa é a proposta que eu vim apresentar a você hoje. Banir Leo, signor Mattia. Você decide quando, onde, em que circunstâncias e sob quais regras. Ele vai aceitar. A única coisa que eu lhe peço é deixar a garota em paz.

A puttanina*? Isso eu não prometo.*

Então minha missão falhou.

Como se Cósimo não estivesse presente, Mattia anda de um lado para outro, se senta, anda de um lado para outro, vira as páginas de um livro, para o qual não olha, fecha os olhos, murmura palavras que parecem orações.

Tire ele de casa. Quando você chegar ao palácio, vai encontrar instruções esperando pelo senhor. Tire ele amanhã. Esta noite. Convença todo mundo da história da lupara bianca. *Você já é padre há tempo bastante para ter aprendido a mentir, Cósimo. Convença todo mundo, principalmente a garota. Vou supervisionar o exílio dele, enquanto você fica no palácio para consolar a viúva e as filhas. A garota. Se você alguma vez tentar falar com o príncipe ou ele com você, eu vou matar vocês dois. Da mesma forma, se Leo tentar manter contato com a garota, mesmo que rápido, eu a matarei. Vou enviá-la para ele em uma caixa. E se ele ainda estiver vivo, depois de ver o modo como ela morreu, vou matá-lo também. Diga isso a ele.*

Então foi Cósimo quem se levantou para ir embora, oferecendo a mão a Mattia. Embora não retribuísse o gesto, Mattia disse:

Eu achava que tinha esquecido as histórias que minha avó e minha mãe me contavam sobre quando elas eram jovens. Sobre a fome, o frio, o calor, o trabalho, sobre serem espancadas, espancadas e então estupradas pelo capo *do nobre, se desagradassem a ele de alguma forma. Eu pensei que tinha esquecido essas histórias, mas, por algum motivo, elas hoje reapareceram. Todas elas. Tire ele de casa, Cósimo, tire ele de casa, antes que eu esqueça as histórias de novo. Ah, aquele casaco que ele sempre usa. Fique com o casaco. Dê o casaco para a garota.*

Cósimo disse que essa última parte provou a ele como a vigilância de Mattia era completa, pois era verdade que Leo sempre usava o casaco de montaria. Mas raramente o usava fora do palácio. A vigilância vinha de dentro. Cósimo perguntou:

Quem é, signor Mattia?

Ele disse que Mattia começou a rir. Ria e sacudia a cabeça. Levou Cósimo até a porta.

Então, sob os auspícios de Cósimo, Leo foi exilado, em vez de assassinado. Sei que duas perguntas estão em seus lábios. O que aconteceria se o próprio Leo tivesse procurado Mattia? Sem a interferência de Cósimo e a entrega de Leo, o que Mattia teria feito?

Fiz essas perguntas a Leo e a Cósimo. Você deve imaginar quantas vezes. Nenhum deles e, certamente, nem eu, pode saber a resposta da primeira. Sempre houve um frouxo consenso entre eles de que, em seu estado enfraquecido, Leo não teria conseguido apresentar seu caso de forma convincente. Para a segunda pergunta, parece não haver dúvidas sobre o desfecho. Leo teria sido assassinado.

Assim, Leo viveu comigo por três anos, no palácio, em um exílio autoimposto. E então, durante 14 anos, viveu em um exílio imposto por Mattia. Você vai querer saber para onde Leo foi enviado. O que ele fazia? Como vivia? E com quem?

Leo foi levado para viver em uma fazenda, cujos trigais cobriam a largura e o comprimento de um alto planalto. Os campos abaixo do planalto estavam apenas a poucos quilômetros dos limites ocidentais das terras que ele acabara de doar. Tão perto e tão longe. Uma tática tortuosa, você poderia pensar. Mas, como você verá, não era.

Ao lado de uma grande família de lavradores arrendatários, Leo trabalhava como agricultor durante a época de plantio. Nos meses mais frios, ajudava na manutenção da casa e dos celeiros. Era tratado como o trabalhador valoroso e a companhia agradável que revelou ser. Dormia em um sótão cavernoso, em um dos anexos, onde não ficava desconfortável. Comia à mesa da família; as mulheres da casa cuidavam de suas roupas pessoais e das roupas de cama. Era convidado a comparecer e a participar dos passeios e das festividades apreciados por aqueles montanheses simples. Embora trabalhassem duro e vivessem com simplicidade, Leo disse que a família não parecia pobre. Não pareciam viver da mão para a boca, e sim, do modo como tinham escolhido. Um padre itinerante aparecia para rezar a missa todos os domingos, em uma capela nos campos. Eles faziam o parto de seus próprios filhos e enterravam seus próprios mortos. Pequenos grupos de homens e, às vezes, de mulheres, iam ao mercado duas vezes por mês, em algum dos vilarejos vizinhos. Muitas vezes, Leo ia com eles. Mas ele não era reconhecido? Você deve querer saber. Embora ele usasse uma roupa de homem pobre, e talvez tivesse adotado uma postura de homem pobre, creio que alguém que tivesse conhecido Leo o teria reconhecido com qualquer aparência. Você deve se lembrar, no entanto, da inexorabilidade do silêncio siciliano.

Diversas vezes, a cada ano, Mattia e sua própria família — esposa, filhos crescidos, netos — surgiam em uma caravana de automóveis para passar um domingo com a família da fazenda. Com a família de Mattia. Sim, o lugar que Mattia escolheu para o exílio de Leo foi, nada mais, nada menos, do que sua casa matriarcal. As pessoas com quem Leo vivia e trabalhava eram todas parentes de Mattia. Esfregando, polindo, cozinhando, apanhando lenha, colhendo flores silvestres e trazendo barris da adega, a famíla se preparava para aqueles domingos, segundo Leo, como que para o Natal. Mattia era seu benfeitor, seu protetor. O filho pródigo.

Mattia sempre apertava a mão de Leo. Olhava-o duramente nos olhos. Descansava a mão grande e larga nas costas de Leo, por alguns instantes. Perguntava-lhe por que seu copo estava vazio.

Mattia puniu Leo — e o teria matado — pelo ostensivo desrespeito que demonstrou pela resolução do clã. *Mas Leo seria punido por suas ações apenas de forma secundária — por sua voluntariosa intervenção em um sistema centenário, uma hierarquia que mantinha os ricos no conforto e os pobres na miséria. Mais do que essa ação, porém, o que incomodou foi a afronta.* Não vou minimizar a ação, no entanto. Veja, se todos os proprietários de terras tivessem feito o que Leo fez, os rendimentos do clã teriam sido extremamente afetados. Para o clã, era uma tarefa muito mais fácil pilhar um punhado de proprietários de terras, fracos e acovardados, do que arrancar ninharias de milhares de agricultores historicamente famintos, brandindo escrituras recentes e carregando rifles. Mas, repito, a quebra da hierarquia é que foi o crime de Leo contra o clã. O crime poderia muito bem ter assumido outra forma, seu desrespeito poderia ter sido demonstrado em alguma outra causa. Mas o que importa aqui, e parece um tanto difícil de explicar claramente, é que *Leo teve que pagar não tanto pelo que fez, mas por sua afronta.* O duelo de Leo contra o clã não foi de ordem filosófica, mas uma questão de deferência. Leo não demonstrou deferência pelo clã. Leo não permitiu que o clã prevalecesse. Um pecado mortal. Leo obrigou o clã a transformá-lo em exemplo.

Mas quando retornamos à questão da filosofia, você verá que, a seu próprio modo — subsidiando seus parentes que viviam na fazenda —, Mattia fez a mesma coisa que Leo fizera com seus lavradores. As circunstâncias e os resultados foram com certeza diferentes, mas, no final, ambos os homens, tanto Mattia quanto Leo, *fizeram a mesma coisa.* Acho que até Cósimo se sentar com ele — fumando toscanos e bebendo uísque, ao som de Callas —, acho que até então Mattia não tinha se dado conta dessa verdade. A verdade de que o príncipe e o chefão do clã tinham sentimentos em comum. Talvez o caráter de um não fosse diferente do caráter do outro. E talvez, apenas talvez, Mattia tenha começado a pensar que, no lugar de Leo, teria feito a mesma coisa. Suposições, eu sei.

Durante todos aqueles anos, Leo nunca perguntou a Mattia sobre o tempo. Sobre quando ou se poderia deixar a fazenda. Voltar para sua própria vida. Nem Mattia jamais levantou o assunto. Acho que o exílio de Leo terminou quando Mattia morreu. Ninguém dos clãs se apresentou para ocupar o lugar de Mattia, embora Leo esperasse isso. Esperou por algum automóvel estranho, que surgisse na estrada de cascalho. Esperou por um ano, após a morte de Mattia, mas ninguém apareceu. Assim, acreditou que sua dívida estava paga, que já era hora de deixar a fazenda. Embora tristes por perdê-lo, os membros da família sabiam que Leo não ficaria para sempre. Não acredito que algum deles estivesse informado de que tinham mantido Leo prisioneiro durante todos aqueles anos. Acho que Mattia deve ter pedido a eles para abrigar Leo, como um favor. Contou alguma história sobre Leo estar em dificuldades. Que precisava *ficar isolado* durante algum tempo. Talvez Mattia tenha dito à família que Leo era um fugitivo a quem prometera proteger, o que era mais verdade do que ficção. Também não acredito que Mattia tenha envolvido qualquer outro membro do clã em sua decisão de deixar que Leo vivesse. Para seus irmãos, ele deve ter alegado que alguma outra facção do clã era responsável pela suposta *lupara bianca*. Pode ter sido uma daquelas épocas em que várias facções levavam o crédito por uma morte, sem que ninguém soubesse qual delas realmente consumara o fato. Mattia pode ter encerrado o assunto com Leo com grande custo para si mesmo. Mas o encerrou. Seja como for que fez isso, o acordo me incluiu. Minha segurança. Mattia assegurou que nenhum membro dos clãs rurais impedisse minha ida para Palermo, ou que vigiasse minha existência lá. Isso não é suposição.

Era maio, fim de maio, quando Leo se despediu da família e, com pão e queijo nos bolsos, uma chuva morna no rosto, caminhou através dos campos e desceu os penhascos íngremes até as mal-acabadas estradas que o conduziriam para casa. Ele disse que jamais esperara que eu estivesse no palácio, mas que era onde deveria começar a busca. Onde começaria a procurar por mim. Alguém estaria lá. Alguém saberia alguma coisa a meu respeito. Será que encontraria Simona e as princesas? Encontraria Cósimo? Nada diria a ninguém a respeito de onde estivera. Não diria nada a ninguém, a não ser a mim. Mas para onde eu teria ido? Teria eu reorganizado minha vida de modo que seu reaparecimento se tornasse uma intrusão? Será que eu amaria outro, teria me casado com outro? Quando chegou, o palácio estava quase abandonado, senão em ruínas. Ele subiu correndo os infindáveis degraus da escadaria da entrada e bateu a grande e desbotada cabeça de leão contra a porta maciça. Gritou: *C'è qualcuno?* Há alguém aí?

A porta estava destrancada. Com suas botas produzindo um barulho oco no saguão sem tapetes, Leo viu Mimmo passando um esfregão nos degraus das escadas de mármore. Ele o chamou, mas Mimmo continuou a trabalhar com o esfregão. Ele o chamou de novo. Desta vez — sem se virar para olhar para o fantasma cuja voz se parecia tanto com a do príncipe —, Mimmo respondeu:

Pois não, senhor?

Leo o chamou pela terceira vez. Ainda sem se virar, Mimmo disse:

Está atrasado para o almoço, senhor, mas vou ver o que posso encontrar para o senhor na despensa.

Eu tenho meu almoço, Mimmo — disse Leo, desembrulhando o pão e o queijo, pequenos despojos de uma cruzada de 14 anos.

Com magnífica arrogância siciliana, Mimmo encostou o esfregão no corrimão, retirou um molho de chaves do bolso de suas calças e o jogou para Leo por cima do corrimão, permitindo-se apenas um relance ao fantasma. Apanhando o esfregão e olhando para os degraus, disse:

Ela está no pavilhão de caça, senhor. Ficou ainda mais bonita, senhor.

Quando Leo desapareceu, Mimmo sentou-se na escadaria e chorou de espanto e alegria. Essa última parte quem me contou foi o próprio Mimmo.

Será que estou antecipando você corretamente? Você está querendo saber como o clã reagiu ao regresso de Leo? Soubemos que Mattia — de um modo que manteve escondido de todo mundo — deu por encerrado o caso de Leo. Quando Leo reapareceu — embora pouco fosse até os vilarejos e não alardeasse sua ressurreição —, os clãs da ilha certamente souberam do fato em questão de horas. Houve algum abalo entre eles, com a descoberta de que uma das facções não havia matado o príncipe, como acreditaram durante tanto tempo? Eles, de fato, haviam acreditado em tudo aquilo? Será que algum deles teria suspeitado ou imaginado que Mattia fora o salvador de Leo? Neste caso, iriam querer

— ou mais importante, sendo quem eram, seriam capazes de desistir de uma vendeta contra Leo? Muito mais forte, após a tranquilidade que lhe fora imposta no exílio, Leo achava que sim. Cósimo concordava. Eu também estava mais forte após meu exílio. Após minhas próprias experiências com o clã. Tinha minhas próprias razões para acreditar que não haveria vendeta. O resultado foi que nós três estávamos certos.

Para um siciliano, uma farsa engenhosa raramente requer uma vendeta, já que a engenhosidade demonstra respeito. E Mattia era extremamente engenhoso. Portanto, respeitava extremamente o clã. Este, como se verificou, optou por reconhecer o respeito, em vez de reconhecer o logro. A aceitação do logro de Mattia não foi um ato de rendição, mas um ato de resignação. Uma humilde e sobrecarregada resignação. Uma espécie de empate. Um siciliano muitas vezes prefere um empate a uma vitória. Um empate pode ser melhor que uma vitória. Negar o triunfo ao oponente é mais emocionante que do que saborear o triunfo. O triunfo de um siciliano é negar a vitória ao oponente. Leo permitiu que Mattia — essencialmente o clã — obtivesse sua vitória, mesmo sem que Mattia tivesse causado sua morte. A vitória de Mattia e do clã foi maior do que se, simplesmente, tivessem matado Leo. Do que se o tivessem sossegado com a mencionada bala no coração. Mattia permitiu que o clã obtivesse mais. Melhor do que ter causado a morte de Leo, Mattia lhe tirou a vida. Espero que você perdoe minhas repetições, enquanto tento lhe explicar tudo, Chou. Talvez eu esteja fazendo isso tanto por mim quanto por você.

Leo escolheu os quartos no andar de cima da villa e se fechou lá como um monge. Nunca alardeou sua sobrevivência como um troféu, ou um sinal de sucesso. Assim, creio eu, tranquilizou quem quer que ainda estivesse ansioso por matá-lo. Foi o respeito de Leo para com o orgulho e o ego dos outros, sua gentileza, seu modo não principesco de ser, que manteve o equilíbrio do empate. Dessa forma, qualquer crueldade cometida contra um príncipe idoso teria parecido vulgar.

O príncipe viveu uma existência discreta e quase fantasmagórica nos anos entre seu retorno até sua segunda morte. Raramente se encontrava com hóspedes de passagem, com quem não fosse da família — exceto por alguns membros do clã que o visitavam com regularidade quase respeitosa, quase afetuosa, poderíamos dizer. Icilio, que você conheceu quando esteve aqui, estava entre eles. Icilio era filho de Mattia e é possível que seu pai tenha lhe dito uma ou duas palavras sobre Leo. Não sei.

Cósimo tinha conservado a biblioteca de Leo. Catalogada em caixas polvilhadas com tabaco, para desencorajar o mofo e o apetite indiscriminado de criaturas aladas. Os livros foram guardados na sacristia e atrás do altar na igreja de San Rocco. Quanto retornei de Palermo, Cósimo e Mimmo transferiram a maior parte dos volumes para a villa. Tanto quanto ansiava por mim, creio eu, Leo ansiava por seus livros. Entre todas as outras coisas, os livros eram sua recompensa. Ele lia em frente ao fogo, ou à sombra de sua *loggia*. Jantava e bebia moderadamente, embora com prazer. De tempos em tempos, reunia-se à mesa com os criados. Estava sempre disposto a se encontrar com qualquer um deles para falar sobre os menores problemas, assim como sobre os problemas mais graves. Esperava por mim, me escutava e me amava. Deliciava-se com meu amor por ele. Como fizéramos um dia, no espaço tão mais insignificante de nosso tapete vermelho-escuro com rosas amarelas, criamos todo um mundo naqueles aposentos. Enquanto eu cuidava da villa, ele escrevia, ouvia música, tocava sua flauta. Cavalgava durante horas todos os dias — no inverno, saía pouco depois do crepúsculo; no verão, muito antes do alvorecer. Através dos anos, nunca parei de lhe pedir para acompanhá-lo nas cavalgadas, mas Leo nunca permitiu. O medo da vendeta fora racionalmente abandonado, mas uma pálida sombra de temor pela minha segurança ainda permanecia dentro dele.

Você pode pensar que ele era alguém da casa que você não conheceu, mas você deve tê-lo visto, mais de uma vez, em uma de suas chegadas ou saídas. Foi Leo quem elogiou seu vestido marrom-prateado naquela última noite. Quando ele apertou sua mão, apresentou-se como *Leo-Alberto*. Como sempre acontecia, nas raras ocasiões em que estava entre pessoas que não eram da "família", seu desejo era permanecer incógnito para você. Mas posso lhe dizer que seu motivo para estar conosco, naquela noite, pelo menos em parte, era "conhecer" você. Ele sabia, é claro, de nossas conversas sob a magnólia.

Ao olhar as páginas que acabei de escrever, temo que tenha lhe contado coisas demais, embora, ao mesmo tempo, mais uma vez, tenha deixado vácuos desconcertantes na história. Eu também fico desconcertada muitas vezes. Mas mesmo que pudesse lhe contar mais, não estou certa se o faria.

Quando eu estava em Palermo, escrevia repetidamente a Simona, perguntando por ela e pelas princesas. Embora ela sempre me respondesse, suas cartas eram obscuras, formais. Eu me sentia magoada pelo que parecia uma mudança de atitude comigo. Fui eu quem parou de escrever. Eu mantivera silêncio por mais de um ano, quando Carlotta me escreveu para informar que Simona morrera. Uma doença violenta, à qual ela se rendeu voluntária e rapidamente. Às vezes, ainda me pergunto se Simona não era a pessoa mais sábia entre todos nós, e se seu polido afastamento de mim não seria um recuo, um modo de tirar o passado do meu caminho, de modo que eu pudesse fazer o que ela disse que eu deveria fazer: *Encontre seu próprio caminho de casa, Tosca.*

Carlotta escreveu que ela e Yolande ficariam em Roma, onde viviam desde que Simona ficara doente. Disse que quaisquer outros planos eram incertos. Escrevi minhas condolências e diversas cartas subsequentes, mas nunca mais tive notícias delas. Pouco depois de deixar Palermo e voltar para as montanhas, convidei-as para uma visita. Carlotta veio sozinha. E nunca mais foi embora. Assim, a primeira e única viagem que Leo fez, após seu retorno, foi a Roma. Para visitar Yolande. Cósimo foi com ele, e foi por intermédio de Cósimo que eu soube algo sobre o que aconteceu naquele dia. Leo nunca falou do assunto comigo.

Cósimo disse que Yolande, já irremediável solteirona, vivia enfurnada em um antigo e glorioso prédio no Parioli; e que só consentiu em receber o pai depois que este passou uma hora suplicando pelo encontro, por intermédio do mordomo, que falava com ele através do interfone. Duvido que o príncipe esperasse que sua filha mais velha fosse descer as escadas correndo para cair em seus braços, gritando de alegria, como fizera Carlotta. Mas seu orgulho, o que ainda restava de seu instinto paternal, deve ter sido duramente posto à prova, enquanto ele subia as escadas até os aposentos de Yolande. Aventurando-se apenas até as palmeiras e os dourados da antecâmara, e passando despercebido, Cósimo permaneceu imóvel, como se fosse o assistente de um duelo, enquanto Leo se aproximava de Yolande, que estava sentada à beira de um pequeno divã, no *salone*. Ela não se levantou para cumprimentar o pai, nem o convidou para sentar. Sem nenhum preâmbulo, perguntou a Leo por que este viera. Talvez também se perguntando isso, Leo permaneceu em silêncio. Quebrando o silêncio, Yolande sugeriu que o motivo era, evidentemente, dinheiro. Como se dissesse que o cozinheiro iria embrulhar um pão para ele, se ele fosse até a porta dos fundos, sua filha mais velha lhe disse que havia *certos rendimentos*, de *certas vendas*, que, se ele quisesse se encontrar com os advogados dela, poderiam ser assinados em favor dele. Mas afora isso... Naquele momento, Leo não conseguiria falar, mesmo se houvesse palavras que ainda quisesse dizer, entre as muitas que, ao longo dos anos, ensaiara, testara, rejeitara, testara novamente até achar alguma coisa que começasse a fazer sentido. Receio que ele nem mesmo tenha conseguido se lembrar de alguma dessas palavras ou do *motivo* que tinha para dizê-las, enquanto ela ficava lá, sentada, falando sobre rendimentos e advogados. Ninguém muda. Yolande não tocou no pai, nem ele nela. Leo se virou para ir embora, restituindo à princesa o ritmo normal do dia. Como sua partida sempre fizera.

Iluminada pelas escrupulosas observações de Leo, minha vontade de assegurar o sustento das viúvas e das outras pessoas, na villa, passou de devoção cautelosa a obsessão. Embora a vida na villa estivesse indo muito bem, depois que Leo regressou, depois que ele permaneceu aqui, tudo melhorou. Não que as dificuldades e o cansaço tenham desaparecido; o que aconteceu foi que nossas afinidades coletivas — aquilo que as viúvas, todos os demais e eu mesma tínhamos em comum — foram intensificadas. O que você viu e sentiu enquanto esteve aqui conosco, o que a atraiu tanto, foi isso. Foi ele.

Há cerca de dois anos, Leo ficou doente. Ele preferiu não se submeter a terapias e tratamentos. Confiou em que o destino lhe daria tempo bastante. Assim, a doença se instalou nele, aparentemente para ficar. Foi então que ele assumiu o controle. Fez o que sua mãe fizera. Pela segunda vez, Leo orquestrou sua morte. Escolheu o momento em que estaria pronto para partir, quase com exatidão. Leo era bem o filho de sua mãe.

Ele nunca falou em morrer, mas falava muito no mar, o mar que esperava por ele atrás das árvores. Nos sons de seus próprios pulmões, cansados e quebrados, e no rugido de sua própria respiração tormentosa, ele ouvia o barulho das ondas. Ouvia o mar. O inferno imaginado por um homem que ama a terra? Rifles engatilhados e apontados, ocultos atrás dos carvalhos de folhas amarelas? Eu nunca soube se ele temia ou se ansiava por aquele mar. Ainda me pergunto.

Cósimo e eu nos revezávamos e, frequentemente, ficávamos os dois com ele durante noites e dias. Acampávamos ao lado de sua cama, aquecíamos sopa sobre seu fogo, assávamos pão, que lhe dávamos em migalhas, como a um filhote de passarinho. Mais de uma vez, Cósimo se ofereceu para ouvir sua confissão, mas Leo dizia que Cósimo já sabia demais. E quando Cósimo quis lhe dar a extrema-unção, Leo quebrou o frasco de azeite que Cósimo segurava, dizendo que só poderia ser despachado para o Hades. Ambos riram, talvez compreendendo que rir era a maneira certa de virar a última página dos quase sessenta anos que tinham vivido, mais ou menos, na companhia um do outro. Assim como Cósimo descreve seu amor por mim, o sentimento entre eles era também um tipo de amor.

Eu me lembro de que, quando pararam de rir e o silêncio era grande demais para ser preenchido com palavras, Leo estendeu os braços para mim. Como um bebê querendo ser abraçado. Então eu o abracei. E o embalei. Notei que sua carne parecia encolher a cada hora. Ele olhou para mim e falou com Cósimo. Disse para ele que preferia me beijar em seu último suspiro a beijar o metal frio dos pés de um ícone. Os pés pregados de Jesus crucificado.

Olhe por último para as coisas belas, citou Leo, rapidamente, maldizendo-se por não se lembrar do autor da frase. Decidindo fazê-la sua, repetiu-a sem parar. *Olhe por último para as coisas belas. Sim, prefiro beijar minha Tosca.*

Certa noite, Leo nos disse que gostaria de dizer adeus à sua família. Claro que se referia às viúvas, aos lavradores. Especialmente aqueles que estavam conosco havia muito tempo, desde "quando nós éramos pequenos", ele disse. Ele sempre chamava aquele período dessa forma. O período de nossas vidas antes que ele tivesse ido embora. "Quando nós éramos pequenos." Falei a Ágata sobre o desejo de Leo e ela o comunicou aos outros. Pediu-lhes que se reunissem na manhã seguinte. As pessoas chegaram antes do amanhecer, se amontoando nas escadas e no corredor em frente aos aposentos de Leo. Todos vieram, Chou. Os agricultores, os jardineiros, os artesãos, os moradores do vilarejo. Vieram em gerações — pais e filhos, avós e filhos e os filhos dos filhos, mães e bebês. Ágata e eu estávamos dando um banho em Leo, e arrumando o quarto, enquanto Císimo atiçava o fogo. Rezando. Enquanto as pessoas esperavam, cantavam. Cantavam os cânticos das colheitas. Entre eles, os que Leo tinha ensinado aos mais velhos. Cantavam os cânticos que cantam todos os que já semearam um trigal nesta ilha. Cantavam os cânticos dos que acreditam que um punhado de pequenas sementes, pelas graças dos deuses, irá crescer para sustentá-los por mais algum tempo. E assim permaneceram lá. Cantavam. Choravam. Eram os *addolorati*. Eram Deméter sofrendo por sua garotinha. E Maria, por seu rapaz. Penso que é como sofrer por nós mesmos. Pela dor que permanece e pela alegria fugidia, provocante, que nos aterroriza ainda mais. O som que emitiam era penetrante e feroz, de certa forma um grito de guerra. Eles não deixariam seu príncipe morrer em silêncio.

Quando Ágata abriu as portas, eles entraram, poucos de cada vez, desfilando ao lado do leito de Leo, beijando os calombos que seus pés faziam sob a colcha, ou segurando sua mão, que levavam aos lábios. A quase todos, Leo fazia alguma pergunta. Oh, você não vai acreditar nas coisas que ele recordava a respeito deles, Chou! Sobre as doenças deles, sobre suas fraquezas. Ele se lembrava até de seus sonhos. Acho que se recordava principalmente dos sonhos. Como ele queria conversar! Quando o fôlego não vinha, ele sussurrava conselhos, afirmações. Prometeu olhar por eles, de onde quer que aquela maldita viagem o levasse. Prometeu incessantemente que olharia por todos eles. Beijou a mão de cada um. *Enquanto os lavradores beijavam sua mão, ele também beijava as deles. Um gesto que ninguém nunca vira — o nobre retribuindo o beijo do camponês.*

Aquela manhã deu forças a Leo e o manteve vivo alguns dias mais do que ele mesmo pretendia, e como pretendia a presença negra que ia tomando forma. Cósimo se recusava a sair de perto de Leo, exceto durante suas curtas abluções. Dormia em uma cadeira ao pé do fogo. Quando acordava, ficava sentado por ali, ou andava de um lado para outro, ou andava em círculos, sempre falando com seu amigo, contando-lhe histórias. Eu dormia na cama, ao lado de Leo, com as pernas e os braços entrelaçados nos dele, na esperança de que, se eu ficasse quieta o bastante, ele pudesse se esquecer de que eu estava ali e me levasse com ele, como se eu fosse parte dele. Eu *era* parte dele. Eu sou parte de Leo, Chou, e acho que você sabe disso tanto quanto qualquer outra pessoa já soube ou saberá.

Acordei certa manhã e, antes de abrir os olhos, sabia que ele partira. Cósimo o descobrira mais cedo, mas me deixou dormir em seus braços, ainda cálidos, enquanto tratava de tudo.

Apenas Cósimo e eu o enterramos. E não no cemitério, mas na subida de um monte adjacente ao campo mais afastado. No lugar onde ele aparecera certa tarde, há muitos anos, quando voltara de uma longa viagem de negócios à França, achando que tinha perdido o primeiro dia de uma colheita. Um vizir louro e desengonçado, precipitando-se ladeira abaixo, rasgando o casaco, impaciente para segurar a foice, saudando Deméter, louvando o Senhor Deus Todo-Poderoso, tremendo de alegria por estar de volta à sua terra, perto de sua família. Esse é o lugar onde o príncipe repousa.

E é daqui que estou escrevendo a você. *Io vengo qui con il crepuscolo*. Venho aqui com o entardecer. Assim que farejo a escuridão cobrindo os campos, preparo minha sacola. Suéter, xale, um pouco de bom gim no frasco usado pelo pai de Leo. Com a sacola pendurada a tiracolo, arrastando minha cadeira, deparo-me com as cabras na trilha estreita, subindo na direção oposta, indo para casa no outro lado da montanha, seus tufos sedosos sacudidos pelo vento, seus sinos badalando loucamente na caverna preto-azulada formada pelas trevas. E nos saudamos umas às outras. Todas a caminho da própria paz, no alto de uma colina no meio de uma ilha. Uma ilha no meio do mar, no meio do mundo.

Nesta noite, mechas de nuvens acalentam a meia-lua de março, que transforma os trigais em um mar de prata. Nos contrafortes acima, uivam os lobos e, no outro lado do precipício, ali e acolá, dançam pequenos fogos. Pastores cozinhando o jantar. Se não fosse por mim e minha indumentária, seria difícil datar esta colina rural, este lugar elevado, onde os antigos deuses caminharam e dormiram, perpetrando êxtases, liberando íncubos. Como três mil anos nos mudaram pouco!

Acomodo-me entre os pilriteiros e as almofadas de tomilho silvestre, e lá permaneço por muito tempo, após a noite cair. Sempre fui fascinada pela noite, não pelo sentido de fim, mas pelo sentido de início que ela traz. Fico aqui sentada, embrulhada em meu xale, que ainda conserva o cheiro dele, bebericando, fumando, peneirando através dos anos.

Às vezes estendo a mão e toco a pedra que Cósimo e eu colocamos para Leo, em meio às manjeronas de Deméter. Como dois idosos picadores, vasculhamos as ruínas do templo, certa noite, até encontrarmos uma laje de mármore, fina e gasta, como sabíamos que Leo gostaria. Cósimo queria levá-la até o pedreiro do vilarejo, para que este fizesse uma inscrição, mas eu mesma fiz isso, com minhas garatujas de canhota e um velho prego de ferro. Não ficou um trabalho maravilhoso. Mas ficou bom. Está escrito:

LEO

O Último Príncipe

1912-2000

FINE

AGRADECIMENTOS

Sei que é verdade que *entender e ser entendido* faz nossa felicidade na terra. Em toda a minha vida, ninguém me *entendeu* mais do que minha editora na Ballantine, Robin Rolewicz.

Intrépida, graciosa e sagaz, Rosalie Siegel é minha agente. Mais do que isso, é meu ideal.

Rosalia lo Forte, Dottor Gianluca Pazzaglia, Gilberto Barlozzo, Pina Pettinelli, Christine e Giorgio Crovato, Dottor Mario de Simone, Thomas Berendt, Heiner Oelman, Kristel e Elvio dal Bosco, Isis Elten, Regina Derna, Alessandra Criccomoro, Alberto Bettini, Annette Barlow, Rosalba e Marcello Mencarelli, Rosanna Giombini, Contessa Graziella Fiumi, Gioia Guidi, Doris Engleke, Sharona Guri, Franco Titocchia, Edna Tromans, Alessandro e Anna Repetto, Dottor Paolo Ceccarelli, Dottor Renzo Ceccarelli, Sergio Carli, Chiara Giacomini, Marge e Robert Feder, Diego e Linda Campanile, Roberto Anselmi.

Giancarlo Bianchini da Todi, l'ultimo vero principe.

markgraph

Rua Aguiar Moreira, 386 - Bonsucesso
Tel.: (21) 3868-5802 Fax: (21) 2270-9656
e-mail: markgraph@domain.com.br
Rio de Janeiro - RJ